Powrót do Ford County

Opowieści z Missisipi

John Grisham

John Grisham

Powrót do Ford County

Opowieści z Missisipi

Przekład
SŁAWOMIR KĘDZIERSKI

AMBER

Redaktor prowadzący
Małgorzata Cebo-Foniok

Opracowanie redakcyjne
Ewa Turczyńska

Korekta
Barbara Cywińska
Jolanta Kucharska
Elżbieta Steglińska

Projekt graficzny okładki
Małgorzata Cebo-Foniok

Zdjęcie na okładce
© Philip Gould/CORBIS

Skład
Wydawnictwo AMBER
Jerzy Wolewicz

Druk
Wojskowa Drukarnia w Łodzi Sp. z o.o.

Tytuł oryginału
Ford County: Stories

ISBN 978-83-241-3778-7

Warszawa 2010. Wydanie I

Wydawnictwo AMBER Sp. z o.o.
02-952 Warszawa, ul. Wiertnicza 63
tel. 620 40 13, 620 81 62

www.wydawnictwoamber.pl

Bobby'emu Moakowi

❦

Gdy dwadzieścia lat temu ukazał się Czas zabijania,
odebrałem bolesną lekcję. Nauczyłem się,
że znacznie trudniej jest sprzedać książkę, niż ją napisać.
Wykupiłem tysiąc egzemplarzy i miałem poważny problem
ze znalezieniem nabywców. Woziłem je w bagażniku
i próbowałem sprzedać bibliotekom,
towarzystwom miłośników ogrodów, sklepom spożywczym,
barom, kilku księgarniom. Często towarzyszył mi wtedy
Bobby Moak, mój drogi przyjaciel.

Są takie historie, których nie opowiemy nigdy.

Opowiadania

Pokój Michaela

To spotkanie pewnie było nieuniknione w mieście o dziesięciu tysiącach mieszkańców. Prędzej czy później na kogoś się wpadało, nawet na ludzi, których nazwiska dawno się już zapomniało, a twarze były już tylko ledwo ledwo znajome. Ale niektóre nazwiska i twarze wbijają się w pamięć, nie poddają się erozji czasu. Inne wyrzuca się z głowy prawie od razu i zwykle ma się ku temu jakiś dobry powód.

Jeśli chodzi o Stanleya Wade'a, to tak poza tym wszystkim spotkanie było częściowo spowodowane grypą jego żony, a częściowo koniecznością kupienia czegoś do jedzenia. Gdy po długim dniu w kancelarii zadzwonił do domu, żeby zapytać żonę, jak się czuje i co będzie na obiad, dosyć ostro odpowiedziała, że nie ma ochoty gotować i w sumie nie chce jej się jeść, a jeżeli on jest głodny, to niech sobie jedzie do sklepu. A jak nie miał być głodny w porze obiadu? Po dalszej krótkiej wymianie zdań zgodzili się na mrożoną pizzę, właściwie jedyne danie, które Stanley potrafił przygotować, i co dziwne, jedyne, na jakie żona nawet miałaby być może ochotę. Najlepiej z kiełbasą i serem. I poinformowała go, żeby wszedł przez kuchnię i uciszył psy, bo być może będzie spała na sofie.

Najbliżej miał do Rite Price, starego spożywczego z przecenionymi produktami, kilka przecznic od placu, sklepu z brudnymi przejściami między regałami, niskimi cenami i z lichymi darmowymi prezentami, które ściągały tam ludzi z nizin społecznych. Większość białych snobów robiła zakupy w nowym markecie Krogera na południe od miasta, daleko od trasy Stanleya. Ale przecież miał kupić tylko mrożoną pizzę. Co za różnica gdzie? Przecież nie chodziło mu o produkt najświeższy i ekologiczny. Był głodny, szukał śmieciowego jedzenia i po prostu chciał już wracać do domu.

Wyminął wózki i koszyki, poszedł prosto do działu mrożonek, gdzie wybrał prawie półmetrowej średnicy placek o włoskiej nazwie i z gwarancją świeżości. Właśnie zasuwał oszronioną szklaną pokrywę, kiedy uświadomił sobie, że ktoś za nim stoi, ktoś, kto na niego patrzy, kto szedł za nim, a teraz niemal chucha mu na kark. Ktoś o wiele większy niż Stanley. Ktoś, kto nie interesował się mrożonkami, a przynajmniej nie teraz. Stanley odwrócił się w prawo i zobaczył krzywy uśmiech na smutnej twarzy, skądś mu już znanej. Mężczyzna miał koło czterdziestki, z dziesięć lat mniej niż Stanley, co najmniej z cztery cale więcej wzrostu i o wiele szerszy tors. Stanley był szczupły, niemal kruchy, i w ogóle niewysportowany.

– Adwokat Wade, to pan? – zapytał mężczyzna, ale zabrzmiało to raczej jak oskarżenie, a nie pytanie. Głos też się okazał jakiś znajomy – nieoczekiwanie wysoki, jak na tak potężnego człowieka, z wiejskim akcentem, ale nie prostacki. Jakiś głos z przeszłości, bez wątpienia.

Stanley słusznie uznał, że ich poprzednie spotkanie, gdziekolwiek i kiedykolwiek było, miało związek z jakąś sprawą w sądzie i nie potrzebował wielkiego geniuszu, żeby się domyślić, że nie występowali po tej samej stronie. Spotkanie twarzą w twarz z dawnym przeciwnikiem z sali rozpraw, na długo po procesie, stanowiło ryzyko, z jakim musiało liczyć się wielu prawników z małych miast. Stanleya bardzo kusiło, żeby teraz zaprzeczyć, ale jakoś nie potrafił.

– Owszem – odpowiedział, ściskając pizzę. – A pan?

Wtedy tamten nagle przeszedł obok Stanleya i opuściwszy nieco ramię, solidnie wyrżnął nim mecenasa Wade'a, rzucając go na tę samą oblodzoną pokrywę, którą ten przed chwilą zamknął. Pizza spadła na podłogę, a gdy Stanley odzyskał wreszcie równowagę, podniósł swój obiad i się odwrócił, mężczyzna znikał już za rogiem w głębi alejki. Szedł w stronę działu z produktami śniadaniowymi i kawą. Stanley nabrał powietrza, rozejrzał się i już miał coś za nim krzyknąć, ale szybko zrezygnował. Potem przez chwilę stał, próbując przeanalizować ten chyba jedyny brutalny fizyczny atak, jakiego doświadczył w całym dorosłym życiu. Nigdy nie był wojownikiem, sportowcem, pijakiem czy jakimś awanturnikiem. Co to, to nie on. Był myślicielem, naukowcem, który skończył prawo z trzecią lokatą.

To była napaść, czysta, zwyczajna napaść. W każdym razie naruszenie nietykalności osobistej, dokonane w afekcie. Ale Stanley nie miał świadków i rozsądnie uznał, że lepiej o tym zapomnieć albo chociaż spróbować zapomnieć. Biorąc pod uwagę dysproporcję rozmiarów i siły fizycznej, i tak wszystko mogło się skończyć znacznie gorzej.

I tak miało się skończyć, i to bardzo niedługo.

Przez następnych dziesięć minut próbował się jakoś pozbierać, ostrożnie krążąc po sklepie. Wyglądał zza rogów, czytał nalepki, oglądał mięso, przypatrywał się innym klientom i cały czas usiłował wypatrzyć swojego napastnika, a może i nawet jakichś innych. Kiedy prawie się już upewnił, że mężczyzna opuścił sklep, pospieszył do jedynej otwartej kasy, szybko zapłacił za pizzę i wyszedł. Rozglądając się na wszystkie strony, wolnym krokiem zbliżył do samochodu i gdy już bezpiecznie się w nim zamknął i włączył silnik, uświadomił sobie, że to jeszcze nie koniec kłopotów.

Jakiś pikap ostro zakręcił, zatrzymał się za volvem Stanleya, blokując je. Przed volvem była zaparkowana furgonetka, co uniemożliwiało jazdę do przodu. Stanley się zezłościł. Przekręcił kluczyk, szarpnięciem otworzył drzwi i gdy wychodził, zobaczył jak od strony pikapa szybkim krokiem zbliża się tamten mężczyzna. Potem zobaczył broń. Wielki czarny pistolet.

Stanley zdołał tylko wykrztusić słabe „Co, do diabła" i napastnik trzepnął go po twarzy dłonią bez pistoletu, rzucając na drzwi samochodu. Wade przez chwilę nic nie widział, ale czuł, jak ktoś go chwyta, ciągnie i wrzuca na śliski winyl przedniego siedzenia pikapa. Czuł dłoń na karku, dużą, silną, brutalną. Stanley miał chudą i słabą szyję i w tej koszmarnej chwili przyznał w duchu, że ten mężczyzna bez trudu jedną ręką mógłby mu złamać kark.

Za kierownicą siedział jakiś drugi mężczyzna, bardzo młody, pewnie jeszcze dzieciak. Trzasnęły drzwi. Głowę Stanleya wciśnięto niemal w podłogę, zimna stal wbiła się w podstawę czaszki.

– Jedź – polecił nieznajomy i pikap ruszył z szarpnięciem. – Nie ruszaj się i ani słowa, bo rozwalę ci łeb – powiedział prawnikowi, w wysokim głosie zabrzmiało podenerwowanie.

– Dobra, dobra – zdołał wykrztusić Stanley.

Lewą rękę miał unieruchomioną za plecami. Mężczyzna, dla podkreślenia swoich słów, szarpnął nią w górę, aż Stanley skrzywił się z bólu. Trwało to jakąś minutę, potem nagle go puścił. Pistolet oddalił się od głowy.

– Siadaj – polecił napastnik.

Pokój Michaela

Stanley podniósł się, pokręcił głową, poprawił okulary i spróbował się zorientować w sytuacji. Byli na przedmieściach, jechali na zachód. Przez kilka sekund nikt się nie odzywał. Obok Stanleya, z lewej, za kierownicą siedział jakiś dzieciak. Nastolatek, najwyżej szesnastoletni, szczupły chłopak, z pryszczami, grzywką przyciętą na czole i oczami, w których w równym stopniu widać było zaskoczenie i zdumienie. Jego młodość i niewinność jakoś tak dziwnie podnosiły na duchu. Ten oprych na pewno nie zastrzeliłby Stanleya w obecności chłopca! Mężczyzna z pistoletem siedział z prawej, tak blisko, że prawie dotykał Wade'a nogami. Akurat teraz opierał broń o potężne prawe kolano i w nikogo specjalnie nie celował.

Nie przerywając ciszy, wyjechali z Clanton. Mecenas Wade oddychał spokojnie, głęboko, starał się jakoś pozbierać. Próbował uporządkować myśli i przeanalizować scenariusz swojego porwania. No dobrze, mecenasie Wade, co takiego zrobiłeś przez te swoje dwadzieścia trzy lata praktyki zawodowej, żeby na coś takiego zasłużyć? Przeciwko komu kierowałeś powództwa? Kogo wykluczyłeś z testamentu? A może jakiś bolesny rozwód? Kto przegrał przez ciebie proces?

Kiedy chłopak zjechał z szosy na asfaltową wiejską drogę, Stanley w końcu się odezwał:

– Mogę zapytać, dokąd jedziemy?

Mężczyzna zignorował pytanie i powiedział:

– Nazywam się Cranwell. Jim Cranwell. A to mój syn Doyle.

Aha, ta sprawa. Stanley przełknął z trudem i po raz pierwszy poczuł, że ma mokrą szyję i kołnierzyk. Dzisiaj włożył ciemnoszary garnitur, białą bawełnianą koszulę i ciemny rdzawy krawat. Teraz nagle poczuł, że zrobiło mu się gorąco. Pocił się, serce waliło mu jak młotem. Cranwell przeciwko Trane, osiem albo dziewięć lat temu. Paskudny, kontrowersyjny proces, wzbudzający wielkie emocje i ostatecznie wygrany. Stanley występował jako pełnomocnik doktora Trane'a. Bolesna przegrana rodziny Cranwellów. Wielkie zwycięstwo doktora Trane'a i jego adwokata. Jednak teraz Stanley wcale nie czuł się zwycięzcą.

To, że pan Cranwell tak chętnie wymienił nazwisko swoje i syna, oznaczało tylko jedno, przynajmniej dla Stanleya. Pan Cranwell nie bał się, że ktoś go rozpozna, bo jego ofiara już nic nikomu nie powie. Ten czarny pistolet znajdzie w końcu jakieś zastosowanie. W brzuchu Stanleya wezbrała wibrująca fala mdłości, przez chwilę zastanawiał się, gdzie zwymiotować. Na pewno nie w prawo ani w lewo. Prosto przed siebie, pod nogi. Zacisnął zęby, przełknął gwałtownie ślinę i mdłości minęły.

– Pytałem, dokąd jedziemy – odezwał się, nieśmiało próbując stawić opór. Ale jego słowa były bez wyrazu i niezbyt przekonujące. Zaschło mu w ustach.

– Lepiej będzie dla ciebie, jak się zamkniesz – odparł Jim Cranwell.

W sytuacji takiej jak ta nie było sensu się sprzeczać czy żądać wyjaśnień, dlatego Stanley postanowił robić, co mu kazano. Mijały kolejne minuty, jechali w głąb hrabstwa szosą numer 32 – ruchliwą za dnia i pustą nocą. Stanley dobrze znał te okolice. Mieszkał w Ford County już od dwudziestu pięciu lat, a nie było zbyt rozległe. Jego oddech znowu zwolnił, tętno też. Wade skupił się na zapamiętywaniu otaczających go szczegółów. Pikap, ford z końca lat osiemdziesiątych, lakier na zewnątrz szary metalik, w środku jakiś granatowy. Deska rozdzielcza standardowa, nic szczególnego. Na osłonie przed słońcem, nad kierowcą, gruba taśma z gumy, za nią wetknięte dokumenty i kwity. Sto dziewięćdziesiąt cztery tysiące mil na liczniku, w tej części świata nic niezwykłego. Dzieciak jechał ze stałą prędkością, tak z pięćdziesiąt mil na godzinę. Zjechał z trzydziestkidwójki na Wiser Lane, węższą asfaltową drogę, która wiła się przez zachodnią część hrabstwa i przekraczała rzekę Tallahatchie na granicy z Polk County. Droga robiła się coraz węższa, las coraz gęstszy, możliwości Stanleya coraz bardziej ograniczone, a jego szanse coraz mniejsze.

Zerknął na pistolet, przypomniał sobie, jak wiele lat temu przez krótki czas pracował jako zastępca prokuratora i jak brał jakąś broń, narzędzie zbrodni, zaopatrzoną w identyfikacyjną przywieszkę, a potem demonstrował przysięgłym, usiłując wywołać w sali rozpraw nastrój przepełniony dramatyzmem, lękiem i żądzą zemsty.

Czy odbędzie się proces o jego morderstwo? Czy ten całkiem spory pistolet – chyba magnum, kaliber 44 – pokażą pewnego dnia w sali sądowej przy okazji rozpatrywania sprawy jego koszmarnej śmierci?

– Dlaczego pan nic nie mówi? – zapytał, nie patrząc na Jima Cranwella. Wszystko już było lepsze od takiego milczenia. Jeżeli Stanley miał jeszcze jakąś szansę, żeby wyjść z tego cało, to tylko dzięki swoim słowom, tylko dzięki perswazji albo błaganiu.

– Ten twój klient, doktor Trane, wyjechał potem z miasta, tak? – zapytał Cranwell.

Stanley dobrze się wtedy spisał jako prawnik, ale teraz marną miał z tego pociechę.

– Tak, kilka lat temu.

– Dokąd pojechał?

– Nie wiem dokładnie.

– Narobił sobie kłopotów, co?

– Można tak powiedzieć.

– Właśnie tak powiedziałem. Jakich dokładnie?

– Nie pamiętam.

– Mecenasie Wade, kłamstwo ci nie pomoże. Cholernie dobrze wiesz, co się stało z doktorem Trane'em. Był ćpunem i pijakiem i nie umiał się trzymać z dala od swojej apteczki. Uzależnił się od środków przeciwbólowych, stracił prawo do wykonywania zawodu, a potem wyjechał z miasta i próbował się schować u siebie, w Illinois.

Wszystkie szczegóły podano tak, jakby każdy je znał, jakby co rano można to było usłyszeć w miejscowej kawiarni i obgadać przy lunchu w restauracji. A tak naprawdę kancelaria Stanleya starannie zatuszowała upadek doktora Trane'a i zamiotła sprawę głęboko pod dywan. Przynajmniej tak sądził do tej pory. Teraz jednak uświadomił sobie, że Jim Cranwell już po procesie bardzo uważnie śledził, co się dzieje. Otarł czoło, poprawił się na siedzeniu i znowu musiał walczyć z mdłościami.

– No, chyba się wszystko zgadza – przytaknął Stanley.

– Rozmawiałeś z doktorem Trane'em?

– Nie. Już tyle lat minęło.

– Podobno znowu zniknął. Słyszałeś?

– Nie.

Kłamał. Stanley i jego współpracownicy słyszeli plotki o zagadkowym zniknięciu doktora Trane'a. Zwiał do Peorii, swojego rodzinnego miasta. Tam odzyskał prawo wykonywania zawodu i znów rozpoczął praktykę medyczną, ale wciąż nie umiał się trzymać z dala od kłopotów. Tak ze dwa lata temu obecna żona doktora kręciła się po Clanton i wypytywała jego dawnych przyjaciół i znajomych, czy przypadkiem go nie widzieli.

Chłopak za kierownicą znowu skręcił, teraz w jakąś nieoznakowaną drogę. Stanley pomyślał, że pewnie kiedyś ją mijał, ale nie zauważył. Też była asfaltowa, ale taka wąska, że ledwie wyminęłyby się na niej dwa samochody. Jak na razie dzieciak w ogóle się nie odzywał.

– Nigdy go nie znajdą – stwierdził Jim Cranwell, prawie jakby mówił do siebie, ale z brutalną szczerością.

Stanleyowi kręciło się w głowie. Widział niewyraźnie. Zamrugał, przetarł oczy, oddychał głęboko, szeroko otwierając usta. Kiedy usłyszał i kiedy zrozumiał ostatnie słowa mężczyzny z pistoletem, poczuł, jak opadają mu ramiona. Czy miał teraz uwierzyć, że ci ludzie z głuszy, gdzieś z głębokiej prowincji hrabstwa, wytropili doktora Trane'a, załatwili go i nikt się o tym nie dowiedział?

Tak.

– Stań przy bramie Bakerów – polecił Cranwell synowi.

Pikap przejechał jeszcze ze sto jardów i stanął. Cranwell otworzył drzwi, machnął pistoletem.

– Wyłaź – polecił.

Złapał Stanleya za przegub, poprowadził przed samochód i pchnął na maskę, każąc szeroko rozstawić nogi i ręce.

– Ani drgnij – ostrzegł.

Potem poszeptał coś synowi i ten wsiadł z powrotem do pikapa. Mężczyzna znowu chwycił Stanleya za ramię, zdecydowanie zaprowadził z szosy do płytkiego rowu. Stali tam, a pikap odjechał. Patrzyli, jak jego tylne światła znikają za zakrętem.

Cranwell wskazał lufą kierunek i polecił:

– Idź.

– Nie ujdzie ci to na sucho, dobrze wiesz.

– Zamknij się i idź.

Ruszyli ciemną wyboistą drogą. Stanley szedł z przodu, Cranwell dwa jardy za nim. Noc była pogodna, a księżyc w pierwszej kwadrze rzucał dosyć blasku, aby mogli trzymać się środka drogi. Stanley zerkał na prawo, na lewo i do tyłu, rozpaczliwie szukając świateł jakiejś farmy. Nic.

– Zaczniesz biec, a jesteś trup – ostrzegł go Cranwell. – Nie wkładaj rąk do kieszeni.

– Dlaczego? Myślisz, że mam broń?

– Zamknij się i idź.

– A gdzie miałbym biec? – zapytał Stanley, nie gubiąc kroku.

Nagle Cranwell bez słowa skoczył do przodu i potężnie walnął Stanleya w chudy kark, od razu rzucając prawnika na asfalt. Lufa pistoletu znowu dotknęła głowy, a Cranwell stał nad nim i warczał:

– Wiesz co, Wade, niezły z ciebie cwaniak. Cwaniakowałeś na procesie. Teraz też cwaniakujesz. Urodziłeś się cwaniakiem. Na pewno twoja mamuśka też była cwana i twoje dzieciaki, oboje, też są takie cwane. Inaczej się nie da, co? Ale posłuchaj mnie, ty mały cwaniaczku, za kilka godzin już nie będziesz taki cwany. Kapujesz, Wade?

Wade był oszołomiony, na wpół przytomny, obolały i teraz już nie wiedział, czy da radę powstrzymać wymioty. Kiedy nie odpowiadał, Cranwell złapał go za kołnierz, szarpiąc tak, że Stanley upadł na kolana.

– Zrozumiałeś moje ostatnie słowa, mecenasie Wade? – Lufa pistoletu wbiła się w ucho.

– Człowieku, nie rób tego – błagał Stanley, nagle gotów się rozpłakać.

– Och, a dlaczego nie? – syknął Cranwell, stając nad nim.

– Mam rodzinę. Proszę, nie rób tego.

– Ja też mam dzieci, Wade. Poznałeś oboje. Doyle prowadził samochód. Michael to ten, którego poznałeś na procesie, ten mały chłopczyk z uszkodzonym mózgiem, ten, który nigdy nie będzie prowadził samochodu, nie będzie chodził, mówił, jadł, a nawet sam sikał. A dlaczego, mecenasie Wade? Przez tego twojego kochanego klienta, doktora Trane'a, a niech się smaży w piekle.

– Przykro mi. Naprawdę mi przykro. Ja tylko wykonywałem swoją pracę. Proszę...

Lufę przyciśnięto mocniej, tak że głowa Stanleya przechyliła się w lewo. Pocił się, dyszał ciężko, rozpaczliwie usiłując powiedzieć coś, co go ocali.

Cranwell złapał adwokata za przerzedzone włosy i szarpnął.

– Twoja praca śmierdzi, Wade, bo to tylko kłamstwa, zastraszanie i przemilczanie faktów, bez żadnego współczucia dla ludzkiej krzywdy. Nienawidzę twojej pracy, Wade, prawie tak samo jak nienawidzę ciebie.

– Przepraszam. Proszę.

Cranwell odsunął lufę od ucha Stanleya, potem wycelował w głąb ciemnej drogi i nacisnął spust. Wśród takiej ciszy nawet wystrzał z armaty zrobiłby mniej hałasu.

Stanley, do którego nigdy jeszcze nie strzelano, aż zaskomlał ze śmiertelnego przerażenia i bólu i upadł na jezdnię. W uszach mu dudniło, ciałem szarpały konwulsje. Minęło kilka chwil, nim gęste lasy pochłonęły echo wystrzału. Po następnych kilku chwilach Cranwell powiedział:

– Wstawaj, gnido.

Stanley, wciąż zdrów i cały, ale jeszcze nie całkiem pewny, powoli zaczął sobie uświadamiać, co się właśnie stało. Podniósł się chwiejnie, wciąż dyszał ciężko, nie był w stanie ani mówić, ani słuchać. Nagle zauważył, że ma mokro w spodniach. W obliczu śmierci stracił panowanie nad pęcherzem. Dotknął krocza, potem nóg.

– Zeszczałeś się – stwierdził Cranwell.

Stanley słyszał go, ale ledwo ledwo. Uszy pękały mu z bólu, zwłaszcza prawe.

– Biedny chłopczyk, cały mokry od sików. A wiesz, że Michael moczy się pięć razy dziennie? Czasem stać nas na pampersy, czasem nie. A teraz idź.

Cranwell znowu brutalnie go popchnął, znów wskazując drogę lufą. Stanley potknął się, prawie upadł, ale się pozbierał i chwiejnie przeszedł kilka kroków. Wreszcie jakoś odzyskał ostrość widzenia i równowagę, no i się przekonał, że tak naprawdę wcale go nie postrzelono.

– Nie jesteś gotów, żeby umrzeć – odezwał się Cranwell za jego plecami.

No i dzięki Bogu. Stanley o mały włos nie powiedział tego na głos, ale powstrzymał się, bo pewnie potraktowano by to jako kolejną cwaniacką odzywkę. Kiedy tak szedł chwiejnym krokiem, obiecał sobie, że już zawsze będzie unikał przemądrzałych komentarzy albo czegokolwiek w tym stylu. Wetknął palec do prawego ucha, usiłując powstrzymać dudnienie. Było mu zimno w wilgotne krocze i nogi.

Szli dziesięć minut, ale to przypominało niekończący się marsz śmierci. Kiedy minęli zakręt, Stanley zobaczył w oddali światła małego domu. Trochę przyspieszył kroku. Uznał, że Cranwell nie strzeli znowu, nie teraz, gdy ktoś go może usłyszeć.

Dom okazał się niewielkim piętrowym budynkiem z cegły, sto jardów od szosy. Miał żwirowy podjazd i starannie przystrzyżony żywopłot, prawie do frontowych okien. Na podjeździe i podwórku były cztery auta, byle jak zaparkowane, jakby sąsiedzi wpadli na szybką kolację. Doyle zatrzymał forda pikapa przed garażem. Pod drzewem stało dwóch mężczyzn, palili papierosy.

– Tędy – powiedział Cranwell, wskazując drogę pistoletem i popychając Stanleya w stronę domu. Minęli palących.

– Patrzcie, co znalazłem – odezwał się do nich.

Mężczyźni wydmuchnęli chmury dymu, ale milczeli.

– Zeszczał się – dodał. Uznali to za zabawne.

Przeszli przez frontowe podwórze, minęli drzwi, minęli garaż, okrążyli dom i podeszli do niepomalowanej tandetnej przybudówki z dykty, na tyłach. Przypominała rakową narośl, przylepioną do budynku, ale niewidoczną z drogi. Miała krzywe okna, poodsłaniane rury, liche drzwi i w ogóle wyglądała żałośnie, jak coś, co trzeba było sklecić jak najtaniej i jak najszybciej.

Cranwell położył dłoń na obolałym karku Stanleya i pchnął go w stronę drzwi.

– Tędy – oznajmił.

Jak zwykle kierunek wskazał pistolet. Jedyna droga wiodła po krótkim podjeździe dla wózka inwalidzkiego, równie rozklekotanym jak przybudówka. Ktoś w środku otworzył drzwi. Wszyscy czekali.

⚥

Osiem lat temu, w trakcie procesu, Michael miał trzy lata. Tylko raz pokazano go ławie przysięgłych. Sędzia pozwolił, żeby chłopca wwieziono do sali sądowej, na specjalnym wózku, przy okazji bardzo emocjonalnej mowy końcowej wygłaszanej przez jego adwokata. Żeby przysięgli mogli mu się chwilę przyjrzeć. Miał na sobie piżamę, duży śliniak, ale nie miał skarpetek ani butów. Jajowata głowa opadła mu na bok. Usta były otwarte, oczy zamknięte, a drobne, zniekształcone ciałko jakby chciało się zwinąć w kłębek. Doznał poważnego urazu mózgu, nie widział. Przewidywano, że pożyje nie dłużej niż kilka lat. Wyglądał żałośnie, ale ława przysięgłych i tak nie okazała miłosierdzia.

Stanley jakoś zniósł ten widok, wraz ze wszystkimi w sali, a gdy Michaela już zabrano, dalej robił swoje. Był przekonany, że nigdy więcej nie zobaczy dzieciaka.

Mylił się. Teraz oglądał nieco większą wersję Michaela, chociaż jeszcze bardziej żałosną. W piżamie, ze śliniakiem, bez skarpetek i butów. Michael usta miał otwarte, oczy zamknięte. Twarz rozrosła się ku górze, pojawiło się długie, pochyłe czoło, częściowo zasłonięte gęstwą czarnych i zmierzwionych włosów. Z lewego nozdrza wychodziła rurka, biegła do jakiegoś niewidocznego miejsca. Michael zgiął ręce w przegubach, podwijając dłonie. Kolana podciągnął pod pierś. Miał duży brzuch i przez chwilę skojarzył się Stanleyowi z tymi smutnymi zdjęciami głodnych afrykańskich dzieci.

Michael leżał na starym łóżku, zabranym z jakiegoś szpitala, podparty poduszkami i trzymany pasem na rzepy, luźno zapiętym na piersiach. W nogach łóżka siedziała jego matka, wychudzona, umęczona dusza, której imienia Stanley nie potrafił sobie przypomnieć.

Kiedy zeznawała, doprowadził ją do płaczu.

Przy drugim końcu łóżka zobaczył otwarte drzwi do maleńkiej łazienki. Obok nich stała czarna metalowa szafka na dokumenty, z dwoma szufladami i mnóstwem zadrapań i wgnieceń, po których było widać, że zaliczyła już dziesiątki pchlich targów. Ściana za Michaelem nie miała okien, ale dwie boczne miały ich po trzy. Pokój mierzył najwyżej trzy na cztery jardy. Na podłodze leżało tanie żółte linoleum.

– Siadaj tutaj, mecenasie Wade – polecił Jim, pchając swojego jeńca na składane krzesło pośrodku małego pokoju. Już nie było widać pistoletu. Weszli dwaj palacze z podwórka i zamknęli za sobą drzwi. Zbliżyli się do dwóch mężczyzn, którzy już stali obok pani Cranwell, ledwie parę kroków od Wade'a. Pięciu mężczyzn, wszyscy rośli, ponurzy i najwyraźniej skorzy do przemocy. Doyle gdzieś za Stanleyem. Pani Cranwell, Michael i mecenas Wade.

Wszystko było gotowe.

Jim podszedł do łóżka. Pocałował Michaela w czoło, odwrócił się i zapytał:

– Poznajesz go, mecenasie Wade?

Stanley zdołał tylko pokiwać głową.

– Teraz ma jedenaście lat – powiedział Jim, delikatnie dotykając ramienia syna. – Ciągle jest ślepy, ciągle ma uszkodzony mózg. Nie wiemy, ile słyszy i rozumie, ale pewnie niewiele. Uśmiecha się z raz na tydzień, jak słyszy głos mamy, i czasem, jak Doyle go łaskocze. Ale raczej słabo reaguje. I co, mecenasie Wade, zdziwiony, że on jeszcze żyje?

Stanley wbijał spojrzenie w jakieś kartonowe pudła wciśnięte pod łóżko Michaela, tak żeby nie musieć patrzeć na chłopca. Głowę odwrócił w prawo, bo jak się zorientował, nie słyszał na prawe ucho. Po wystrzale wciąż jeszcze był ogłuszony i gdyby nie miał teraz większych problemów, to pewnie zamartwiałby się swoim słuchem.

– Tak – odparł szczerze.

– Tak myślałem – stwierdził Jim. Jego wysoki głos obniżył się o oktawę czy dwie. Już nie był wzburzony. Znalazł się w swoim domu, wśród przyjaciół. – Na procesie powiedziałeś przysięgłym, że Michael nie dożyje ośmiu lat. Według jednego z tych lipnych biegłych, co ich tam ściągnąłeś, niemożliwe, żeby dożył dziesięciu. Najwyraźniej chodziło ci o to, żeby skrócić mu życie i zmniejszyć odszkodowanie, co? Pamiętasz to, mecenasie Wade?

– Tak.

Jim przechadzał się tam i z powrotem obok łóżka Michaela. Mówił do Stanleya i zerkał na czterech mężczyzn pod ścianą.

– Michael ma teraz jedenaście lat, czyli że się pomyliłeś, no nie, mecenasie Wade?

– Tak.

Dyskusja tylko pogorszyłaby sytuację, zresztą po co zaprzeczać prawdzie?

– To kłamstwo numer jeden – oznajmił Jim i podniósł palec wskazujący. Podszedł do łóżka i znów dotknął syna. – Teraz karmi się go głównie przez rurkę. Specjalny preparat kosztuje osiemset dolarów miesięcznie. Od czasu do czasu Becky może mu podać coś stałego. Jakiś błyskawiczny budyń, lody, ale nie za dużo. Bierze różne lekarstwa, na skurcze, infekcje i tak dalej. Te lekarstwa kosztują koło tysiąca dolarów miesięcznie. Cztery razy do roku zabieramy go do Memphis, żeby go obejrzeli specjaliści, nie bardzo wiem po co, bo gówno mogą zrobić, ale jeździmy, bo tak nam każą. Jedna podróż to tysiąc pięćset baksów. Zużywa paczkę pampersów w dwa dni, sześć dolarów paczka, to sto baksów na miesiąc, niedużo, ale kiedy nie zawsze cię stać, to się robią cholernie drogie. Jeszcze parę innych drobiazgów i, jak policzyliśmy, na opiekę nad Michaelem wydajemy trzydzieści tysięcy rocznie.

Jim przechadzał się, przedstawiając swoją sprawę, i robił to doskonale. Starannie dobrana ława przysięgłych już była po jego stronie. Tak daleko od sali sądowej podane właśnie liczby brzmiały o wiele bardziej złowieszczo.

– Z tego, co pamiętam, ten twój biegły wyśmiewał te sumy, mówił, że za opiekę nad Michaelem wyjdzie mniej niż dziesięć kawałków rocznie. Przypominasz sobie, mecenasie Wade?

– Chyba tak. Tak.

– Czyli, że możemy uznać, że się pomyliłeś? Jakby co, mam rachunki.

– Są tutaj – odezwała się Becky, wskazując małą czarną szafkę. Po raz pierwszy cokolwiek powiedziała.

– Nie. Wierzę wam na słowo.

Jim podniósł dwa palce.

– To kłamstwo numer dwa. Ten sam biegły twierdził, że nie będzie trzeba zatrudniać pielęgniarki na pełen etat. Powiedział, że mały Michael kilka lat poleży sobie na kanapie jak jakiś zombi, potem umrze i wszystko będzie super. Nie zgadzał się z opinią, że Michael będzie wymagał jakiejś stałej opieki. Becky, chcesz coś powiedzieć o stałej opiece?

Długie, związane w koński ogon włosy miała całkiem siwe. Oczy smutne i zmęczone. Nie starała się ukryć cieni pod nimi. Wstała i podeszła do drzwi obok łóżka. Otworzyła je i wyciągnęła małą składaną leżankę.

– Właśnie tutaj śpię, prawie co noc. Nie mogę go zostawić samego, bo ma te skurcze. Czasem śpi tu Doyle, czasem Jim, co noc ktoś tu musi być. Zawsze ma skurcze w nocy. Nie wiem dlaczego. – Wepchnęła leżankę z powrotem do klitki i zamknęła drzwi. – Karmię go cztery razy dziennie, zawsze dostaje po trzydzieści gramów. Sika co najmniej pięć razy dziennie i co najmniej dwa razy się wypróżnia. Nie da się przewidzieć kiedy. O różnych porach. Ma już jedenaście lat i nie ma w tym żadnej reguły. Kąpię go dwa razy dziennie. I czytam mu, opowiadam bajki. Panie Wade, ja rzadko stąd wychodzę. A jak mnie tu nie ma, to czuję się winna, bo powinnam tu być. „Stała opieka" to za mało, żeby to opisać.

Usiadła w starym fotelu, w nogach łóżka Michaela. Wzrok wbiła w podłogę.

Jim wrócił do swojego wywodu.

– Jak sobie przypominasz, to nasz biegły twierdził, że potrzebna będzie pielęgniarka do stałej opieki. Powiedziałeś ławie przysięgłych, że to stek bzdur. „Brednie". Chyba właśnie tak powiedziałeś. Że my tylko znowu próbujemy wyciągnąć forsę. Pamiętasz, mecenasie Wade?

Stanley skinął głową. Nie umiał sobie przypomnieć konkretnych słów, ale na pewno mógł coś takiego powiedzieć w tym całym ferworze wystąpienia.

Jim wyprostował trzeci palec.

– Kłamstwo numer trzy – oznajmił swoim przysięgłym, czterem mężczyznom o podobnych sylwetkach, podobnym kolorze włosów i podobnie zaciętych twarzach. Tak jak Cranwell mieli na sobie znoszone drelichy. Najwyraźniej wszyscy byli krewniakami.

Jim mówił dalej:

– W zeszłym roku zarobiłem czterdzieści tysięcy baksów, mecenasie Wade, i od tego wszystkiego zapłaciłem podatek. Nie przysługują mi żadne odpisy, do których mają prawo tylko takie cwaniaki jak ty. Zanim urodził się Michael, Becky pracowała jako pomoc nauczyciela w szkole w Karraway, ale oczywiście teraz już nie pracuje. Nie pytaj, jak sobie radzimy, bo ja sam nie wiem. – Machnął ręką w stronę czterech mężczyzn. – Bardzo nam pomagają przyjaciele i miejscowe kościoły. Od stanu Missisipi nic nie dostajemy. Bez sensu, co? Doktor Trane wywinął się, nie płacąc ani centa. Ta jego firma ubezpieczeniowa, ta banda oszustów z Północy, wywinęła się, nie płacąc ani centa. Bogacze narobili szkody, a potem się wymigali jakby nigdy nic. Możesz mi to jakoś wyjaśnić, mecenasie Wade?

Stanley tylko pokręcił głową. Gdyby dyskutował, i tak niczego by nie zyskał. Słuchał, ale jednocześnie przeskakiwał

myślami do tej niedalekiej chwili, kiedy znowu będzie musiał
błagać o życie.

– Pogadajmy o kolejnym kłamstwie – ciągnął Cranwell. –
Nasz biegły mówił, że pewnie dalibyśmy radę wynająć pielęgniarkę na pół etatu za trzydzieści tysięcy rocznie i że to
byłoby tanio. Trzydzieści tysięcy dla pielęgniarki, trzydzieści
tysięcy na inne wydatki, razem sześćdziesiąt tysięcy rocznie,
przez dwadzieścia lat. Rachunek jest prosty, wychodzi milion
dwieście. Ale nasz adwokat się wystraszył, bo w tym hrabstwie
jeszcze żadna ława przysięgłych nikomu nie przyznała miliona
dolarów. Wtedy, osiem lat temu, najwyższa zasądzona suma
to było tak ze dwieście kawałków, a według naszego adwokata
i to obcięto po apelacji. Takie dupki jak ty, mecenasie Wade,
i takie firmy ubezpieczeniowe, dla których się kurwisz, i tacy
politycy, których kupują za swój ciężki szmal, już oni wszyscy
pilnują, żeby chciwe prostaczki jak my i nasi chciwi prawnicy
dobrze znali swoje miejsce. Nasz adwokat ostrzegał, że niebezpiecznie będzie żądać miliona, bo w Ford County jeszcze
nikt nie dostał miliona, więc dlaczego nam by go mieli dać?
Rozmawialiśmy o tym godzinami i w końcu uzgodniliśmy, że
zażądamy trochę mniej niż milion. Dziewięćset tysięcy, pamiętasz, mecenasie Wade?

Stanley pokiwał głową. Rzeczywiście, pamiętał.

Cranwell podszedł krok bliżej i wskazał na Stanleya palcem.

– A ty, mały skurwielu, powiedziałeś przysięgłym, że
nie mamy odwagi żądać miliona dolarów, że my tak naprawdę to chcemy milion dolarów, bo próbujemy zarobić na
naszym chłopczyku. Wade, jak wtedy powiedziałeś? To nie
była chciwość. Nie mówiłeś, że jesteśmy chciwi. Becky, co
to było?

– Że korzystamy z okazji – powiedziała.

– Właśnie. Pokazałeś na nas, jak siedzieliśmy z naszym adwokatem dziesięć stóp od ciebie, i na przysięgłych i powiedziałeś, że korzystamy z okazji. Chyba jeszcze nigdy w życiu bardziej nie chciałem dać komuś po gębie.

Mówiąc to, Cranwell pochylił się nagle do przodu i z rozmachu otwartą dłonią uderzył Stanleya w prawy policzek. Okulary adwokata zleciały na podłogę.

– Ty podłe, żałosne ścierwo – warknął.

– Jim, przestań – odezwała się Becky.

Zapadła długa ciężka cisza. Stanley starał się otrząsnąć z odrętwienia i skupić wzrok. Jeden z czterech mężczyzn niechętnie podał mu okulary. Nagły atak najwyraźniej zaskoczył wszystkich, łącznie z Jimem.

Cranwell podszedł do łóżka, poklepał Michaela po ramieniu, potem odwrócił się i wbił wzrok w prawnika.

– To było kłamstwo numer cztery, mecenasie Wade, a teraz to już nie wiem, czy dam radę sobie przypomnieć wszystkie twoje kłamstwa. Setki razy czytałem protokoły rozprawy, tak tysiąc dziewięćset stron, i za każdym razem znajdowałem jakieś nowe kłamstwo. Na przykład to, jak tłumaczyłeś przysięgłym, że przyznawanie wysokich odszkodowań jest złe, bo przez nie wzrastają koszty opieki zdrowotnej i ubezpieczeń. Pamiętasz to, mecenasie Wade?

Stanley wzruszył ramionami, jakby nie był pewien. Bolały go kark i ramiona, nawet wzruszenie ramion było męką. Twarz piekła, w uszach dzwoniło, miał mokro w spodniach, a coś mu mówiło, że to dopiero pierwsza runda, i może nawet ta łatwiejsza.

Jim spojrzał na czterech mężczyzn.

– Steve, pamiętasz? – zapytał.

Pokój Michaela

– No – odparł Steve.

– Steve to mój brat, stryj Michaela. Słyszał każde słowo na procesie i nauczył się ciebie nienawidzić, mecenasie Wade, tak samo mocno, jak ja. A teraz wróćmy do kłamstwa. Jak sąd przyznaje mniejsze odszkodowanie albo nie przyznaje go wcale, to wtedy podobno mamy tanią opiekę zdrowotną i tańsze ubezpieczenia, tak, mecenasie Wade? To był wspaniały argument. Przysięgli to kupili. Przecież nie można pozwolić tym chciwym prawnikom i tym ich chciwym klientom, żeby napychali sobie kabzę, wykorzystując nasz system. – Jim spojrzał teraz na swoją ławę przysięgłych. – Chłopaki, sami powiedzcie. Mecenas Wade załatwił temu swojemu doktorkowi i jego firmie ubezpieczeniowej zero odszkodowania, więc jak bardzo potaniała wam opieka zdrowotna?

Nikt się nie zgłosił.

– Mecenasie Wade, tak przy okazji. Wiesz, że jak był ten proces, to doktor Trane miał cztery mercedesy? Jeden swój, drugi żony i po jednym na każdego dzieciaka. Wiedziałeś to?

– Nie.

– No to co z ciebie za prawnik? My wiedzieliśmy. Mój adwokat się postarał, dowiedział się wszystkiego o Tranie. Ale nie mógł tego powiedzieć w sądzie. Za dużo przepisów. Cztery mercedesy. Pewnie bogaty lekarz tyle powinien mieć.

Cranwell podszedł do szafki. Otworzył górną szufladę i wyciągnął plik dokumentów gruby na kilka cali, mocno ściśnięty w niebieskim plastikowym segregatorze. Stanley od razu poznał, co to jest, na podłodze w swoim gabinecie miał pełno takich niebieskich segregatorów. Akta procesowe. Cranwell musiał zapłacić protokolantowi kilkaset dolarów za kopię wszystkich słów wypowiedzianych w trakcie procesu doktora Trane'a oskarżonego o błąd w sztuce lekarskiej.

– Mecenasie Wade, pamiętasz sędziego przysięgłego numer sześć?

Cranwell przerzucił kilka stron. Wiele z nich oznaczył żółtymi i zielonymi karteczkami.

– Mecenasie Wade, spójrzmy na dobór ławy przysięgłych.

Mój adwokat zapytał przysięgłych, przedstawionych do wyboru ławy, czy któryś z nich pracuje dla firmy ubezpieczeniowej. Jakaś pani powiedziała, że pracuje, i ją wykluczono. Pewien dżentelmen, pan Rupert, nie odezwał się, no i go wybrano. Bo w sumie wtedy już nie pracował, właśnie odszedł na emeryturę, po trzydziestu latach pracy w firmie ubezpieczeniowej. Później, po procesie i po apelacji, dowiedzieliśmy się, że to właśnie pan Rupert najbardziej bronił doktora Trane'a. Mówił o wiele za dużo. Normalnie urządzał piekło, jak tylko jakiś przysięgły choćby się zająknął, żeby przyznać Michaelowi jakieś pieniądze. Przypominasz sobie, mecenasie Wade?

– Nie.

– Jesteś pewien, mecenasie Wade?

– Jestem pewien.

– Jak to możliwe? Przecież pan Rupert przez trzydzieści lat był rejonowym rzeczoznawcą firmy Southern Mutual na całą północ stanu Missisipi. Twoja kancelaria reprezentowała kupę firm ubezpieczeniowych, w tym Southern Delta Mutual. I ty chcesz nam wcisnąć, że nie znałeś pana Ruperta?

Podszedł o jeszcze jeden krok. Wymierzył jeszcze jeden policzek.

– Nie znałem.

W górę uniósł się kolejny palec.

– Kłamstwo numer pięć – oznajmił Cranwell swojej ławie przysięgłych. – A może sześć? Już mi się myli.

Stanley przygotował się na kolejny cios, ale nic się nie stało. Cranwell znowu podszedł do szafki i zdjął z górnej szuflady kolejne cztery segregatory.

– Mecenasie Wade, to prawie dwa tysiące stron łgarstw – oznajmił, kładąc segregatory jeden na drugim. Stanley nabrał powietrza i je wypuścił. Poczuł ulgę, bo choć na chwilę zdołał uniknąć przemocy. Wpatrując się w tanie linoleum pod butami, przyznał w duchu, że znowu wpadł w pułapkę, w którą dawało się schwytać tylu ludzi wykształconych czy dobrze sytuowanych. Wmawiali sobie, że cała reszta jest głupia i prymitywna, a ten Cranwell okazał się inteligentniejszy od większości prawników z miasta i o niebo lepiej przygotowany.

Uzbrojony w plik łgarstw Cranwell był już gotów przedstawiać następne.

– Mecenasie Wade, oczywiście jeszcze nawet nie tknęliśmy kłamstw doktora Trane'a. Pewnie zaraz powiesz, że to jego problem, nie twój.

– To on zeznawał, a nie ja – odparł Stanley za szybko.

Cranwell roześmiał się brzydko.

– Ładnie. Był twoim klientem. Wezwałeś go do złożenia zeznań, tak?

– Tak.

– Ale zanim złożył te zeznania, na długo przed tym, to pomogłeś mu się przygotować, co ma mówić przed ławą przysięgłych, co?

– Tak mają robić adwokaci.

– Dziękuję. Czyli że adwokaci mają przygotowywać do kłamstw.

To nie było pytanie, a Stanley nie miał zamiaru dyskutować. Cranwell przerzucił kilka stron akt.

– Tutaj mam przykład kłamstw doktora Trane'a. Tak przynajmniej mówił nasz spec od medycyny, wspaniały facet, wciąż pracuje w zawodzie, nie stracił prawa do jego wykonywania, nie był ani alkoholikiem, ani narkomanem i nie uciekł ze stanu. Pamiętasz go, mecenasie Wade?

– Tak.

– Doktor Parkin, wspaniały facet. Rzuciłeś się na niego jak jakieś zwierzę, rozerwałeś na strzępy przed ławą przysięgłych, a jak usiadłeś, byłeś zadowolonym z siebie małym skurwielem. Becky, pamiętasz to?

– Pewnie że tak – przytaknęła Becky.

– No to co doktor Parkin powiedział na temat dobrego doktora Trane'a. Powiedział, że jak Becky pierwszy raz przyjechała do szpitala, Trane źle zdiagnozował skurcze porodowe. Nie powinien jej odsyłać do domu, w którym była jeszcze trzy godziny, zanim wróciła do szpitala, a doktor Trane pojechał sobie do domu i poszedł spać. Odesłał ją, bo uznał, że według danych z paska monitoringu płodu nie jest potrzebna żadna interwencja. A tak naprawdę źle je odczytał. Kiedy Becky już była w szpitalu, a doktor Trane też tam wreszcie dotarł, to przez kilka godzin podawał pitocin, bo nie potrafił zdiagnozować zagrożenia płodu, a nie potrafił, bo znowu nie umiał odczytać pasków monitoringu. A one czarno na białym pokazywały, że stan Michaela coraz bardziej się pogarsza. Nie zorientował się, że pitocin powoduje nadmierne pobudzenie i nadmierne skurcze macicy, potem jeszcze spaprał poród próżniociągiem, a na koniec zrobił cesarskie cięcie o trzy godziny za późno. A jak zrobił cesarskie cięcie za późno, to dopuścił do zamartwicy i niedotlenienia tkanek, a jak stwierdził doktor Parkin, można było zapobiec tej zamartwicy i niedotlenieniu, jakby się zrobiło cesarskie cięcie w porę i tak jak trzeba. Pamiętasz coś z tego, mecenasie Wade?

– Tak, pamiętam.

– A pamiętasz, że przedstawiałeś to ławie przysięgłych jako fakt, bo przecież jako świetny adwokat zawsze przedstawiasz tylko fakty, że to wszystko nieprawda, a doktor Trane przestrzega najwyższych standardów zawodowych, ple, ple, ple?

– Panie Cranwell, czy to było pytanie?

– Nie. Ale teraz spróbuj odpowiedzieć. Czy powiedziałeś w mowie końcowej, że doktor Trane to jeden z najlepszych lekarzy, jakich znasz, prawdziwa gwiazda naszej społeczności, lider, człowiek, któremu powierzyłbyś swoją rodzinę, wspaniały lekarz, którego czcigodni przedstawiciele Ford County powinni chronić? Pamiętasz to, mecenasie Wade?

– To było osiem lat temu. Ja naprawdę nie potrafię sobie przypomnieć.

– No to spójrzmy na stronę tysiąc pięćset czterdziestą siódmą, tom piąty. – Cranwell wyciągnął segregator i przerzucił kartki. – Chcesz sobie przeczytać te swoje błyskotliwe słowa, mecenasie Wade? Tutaj są. Ja je ciągle czytam. Popatrzmy i niech kłamstwa mówią same za siebie. – Podsunął segregator Stanleyowi pod nos, ale on pokręcił głową i odwrócił wzrok.

Może sprawił to hałas, może dławiące napięcie wypełniające pokój, a może po prostu zerwane obwody uszkodzonych połączeń nerwowych, ale Michael nagle ożył. Zaczęły nim szarpać skurcze, od stóp do głów, całe ciało zadygotało, szybko i gwałtownie. Becky bez słowa podbiegła do syna i zaczęła się nim zajmować ze sprawnością nabraną z latami doświadczenia. Jim na chwilę zapomniał o mecenasie Wadzie, podszedł do łóżka, które drżało, zgrzytając nienaoliwionymi przegubami i sprężynami. Z tyłu pokoju pojawił się Doyle. Teraz Michaelem i jego skurczami zajmowała się cała trójka Cranwellów. Becky mruczała uspokajające słowa, delikatnie trzymając chłopca za przeguby, a Jim wsunął mu między zęby miękki wkład z gumy. Doyle ocierał głowę brata wilgotnym ręcznikiem.

– Już dobrze braciszku – powtarzał. – Już dobrze.

Stanley patrzył tak długo, jak był w stanie, a potem pochylił się, opierając łokcie na kolanach, położył podbródek na dłoniach i wbił wzrok w czubki butów. Po lewej miał czterech mężczyzn, strzegących go jak wartownicy o kamiennych twarzach. Zrozumiał, że już nieraz oglądali takie skurcze. W pokoju robiło się coraz bardziej gorąco. Poczuł, że znowu poci mu się kark. Nie pierwszy raz pomyślał o żonie. Mijała już druga godzina od uprowadzenia. Zastanawiał się, co ona teraz robi. Może śpi na sofie, gdzie spędziła ostatnie cztery dni, walcząc z grypą, popijając soki i łykając większą porcję pastylek niż zazwyczaj. No tak, pewnie teraz ledwie żyła, ale może zauważyła, że, jeśli da się tak powiedzieć, Stanley spóźnia się z obiadem. Jeżeli nie spała, pewnie teraz dzwoniła do niego na komórkę, ale przecież zostawił to cholerstwo w teczce, w samochodzie. Zresztą poza pracą zawsze starał się ją ignorować. Codziennie przez wiele godzin wisiał na słuchawce i nie cierpiał, jak mu się zawracało głowę po wyjściu z kancelarii. Ale żona raczej się nie niepokoiła. Dwa razy w miesiącu do późna siedział z chłopakami, pijąc w klubie, i to jej nigdy nie martwiło. Gdy dzieci poszły już do college'u, Stanley i jego żona szybko oduczyli się życia według zegarka. Nikt się nie przejmował powrotem do domu o godzinę później (nigdy wcześniej).

Słuchając, jak grzechocze łóżko, a Cranwellowie krzątają się przy Michaelu, Stanley uznał, że bardzo małe są szanse, żeby po bocznych drogach krążyli teraz szukający go policjanci. Czy ktoś na parkingu Rite Price zauważył porwanie i swoim doniesieniem postawił policję na nogi? Wade stwierdził, że to nawet możliwe, ale teraz i tak nie znalazłby go nawet tysiąc gliniarzy z psami.

Pomyślał o swoim testamencie. Dzięki partnerowi z kancelarii był aktualny. Pomyślał też o dwojgu swoich dzieci, ale nie potrafił się na nich długo skupić. Zastanawiał się, jaki będzie jego koniec. Miał nadzieję, że szybki i że nie będzie bolało. Przezwyciężył pragnienie spierania się z samym sobą, czy to wszystko to nie jakiś sen. Zmarnowałby tylko energię.

Łóżko znieruchomiało. Jim i Doyle cofnęli się, a pochylona nad chłopcem Becky mruczała cicho i wycierała mu wargi.

– Wyprostuj się – warknął nagle Cranwell. – Wyprostuj się i patrz na niego!

Stanley zrobił, co mu kazano. Jim otworzył dolną szufladę szafki, zaczął szperać w kolejnej kupie papierów. Becky, milcząc, skuliła się w fotelu, z jedną dłonią wciąż na stopie Michaela.

Jim wyjął kolejny dokument. Wszyscy czekali, a on kartkował go przez chwilę.

– Mecenasie Wade, spytam się ciebie jeszcze o ostatnią rzecz. Mam teraz w ręku takie podsumowanie, które przesłałeś Sądowi Najwyższemu Stanu Missisipi. W tym podsumowaniu starasz się jak cholera, żeby utrzymano w mocy orzeczenie ławy przysięgłych, korzystne dla doktora Trane'a. Jak teraz na to patrzę, to nie rozumiem, czym się niepokoiłeś. Według naszego adwokata Sąd Najwyższy w dziewięćdziesięciu procentach spraw staje po stronie lekarzy. I to pewnie dlatego nie zaproponowałeś nam uczciwej ugody przedsądowej, co? Nie bałeś się, że przegrasz proces, bo wiedziałeś, że Sąd Najwyższy odrzuciłby orzeczenie korzystne dla Michaela. Wiedziałeś, że Trane i firma ubezpieczeniowa w końcu wygrają. Michaelowi należała się uczciwa ugoda, ale byłeś przekonany, że system nie pozwoli ci przegrać. W każdym razie na przedostatniej stronie podsumowania napisałeś coś takiego – to twoje własne słowa, mecenasie Wade, zacytuję je: „Proces został przeprowadzony uczciwie, z zaangażowaniem. Był zażarty, obie strony prawie nie godziły się na ustępstwa. Ława przysięgłych pozostawała uważna, czujna, dociekliwa i w pełni poinformowana. Werdykt wydano po rzeczowym i świadomym rozważeniu sprawy. Wyrok stanowi przykład czystej sprawiedliwości, jest decyzją, którą nasz system sądowy powinien się szczycić".

Po tych słowach Cranwell cisnął dokumentem w stronę szafki.

– No i zgadnij, co się stało? – zapytał. – Nasz kochany Sąd Najwyższy przyznał ci rację. Biedny mały Michael niczego nie dostał. Żadnej rekompensaty. Nie było żadnej kary dla naszego drogiego doktora Trane'a. Nic a nic...

Podszedł do łóżka, przez chwilę głaskał Michaela, a potem się odwrócił i wściekle popatrzył na Stanleya.

– Jeszcze ostatnie pytanie, mecenasie Wade. I lepiej się dobrze zastanów, zanim odpowiesz, bo twoja odpowiedź może być naprawdę ważna. Popatrz na tego biednego chłopaka, na to kalekie dziecko, którego kalectwu można było zapobiec, i powiedz nam, mecenasie Wade, czy to jest sprawiedliwość, czy tylko kolejne zwycięstwo w sądzie? Bo jedno z drugim ma niewiele wspólnego.

Wszyscy patrzyli na Stanleya. Siedział przygarbiony, na niewygodnym krześle, z opuszczonymi ramionami, i wydawał się jeszcze bardziej cherlawy. Spodnie miał wciąż mokre, spiczaste czubki butów się stykały, podeszwy oblepiało zaschnięte błoto. Nieruchomym wzrokiem patrzył prosto przed siebie, na rozczochraną gęstwinę czarnych włosów nad okropnym czołem Michaela Cranwella. Arogancja, upór, zaprzeczenie.

To wszystko mogło sprawić, że go zastrzelą. Chociaż i tak się nie łudził, że doczeka świtu. Wcale nie miał ochoty trzymać się dawnych poglądów i tego, czego go nauczono. Jim miał rację. Przed rozprawą firma ubezpieczeniowa Trane'a chciała przedstawić hojną propozycję ugody, ale Stanley Wade się nie zgadzał. W Ford County rzadko kiedy przegrywał proces przed ławą przysięgłych. Miał opinię twardego wojownika, który nigdy się nie poddaje i nie dąży do ugody. Zresztą jego zadufanie potęgowała przychylność Sądu Najwyższego.

– Nie mamy całej nocy – przypomniał Cranwell.

Och, a co? – pomyślał Stanley. A dlaczego miałbym przyspieszać egzekucję? Jednak tylko zdjął okulary i przetarł oczy. Były wilgotne, nie ze strachu, ale po strasznym spotkaniu z jedną ze swoich ofiar. A ile było innych? Dlaczego postanowił oprzeć swoją karierę na kantowaniu takich ludzi?

Wytarł nos w rękaw, poprawił okulary.

– Przepraszam – powiedział. – Myliłem się.

– Spróbuj jeszcze raz – zaproponował Cranwell. – Sprawiedliwość czy zwycięstwo w sądzie?

– To nie była sprawiedliwość, panie Cranwell. Bardzo przepraszam.

Jim starannie i metodycznie poodkładał segregatory i tekst podsumowania na ich miejsca w szufladach szafki. Zasunął je. Kiwnął głową na czterech mężczyzn, którzy ruszyli w stronę drzwi. Cranwell szepnął coś Becky, w pokoju nagle zaczęła się krzątanina. Doyle powiedział coś mężczyźnie wychodzącemu na końcu. Drzwi otwierały się i zamykały. Jim złapał Wade'a za ramię i podniósł z krzesła.

– Idziemy – warknął.

Teraz, kiedy już oddalali się od przybudówki i przechodzili obok domu, na dworze było o wiele ciemniej. Minęli czterech mężczyzn, kręcących się przy szopach z narzędziami, a kiedy Stanley spojrzał na ich ciemne sylwetki, usłyszał wyraźnie „łopaty".

– Wsiadaj – rozkazał Jim, wpychając Stanleya do tego samego forda pikapa, co wcześniej. Znowu pojawił się pistolet, Cranwell pomachał nim przed nosem adwokata.

– Jeden głupi ruch i go użyję – obiecał.

Zatrzasnął drzwi, powiedział coś pozostałym mężczyznom. Rozległo się kilka ściszonych głosów, omawiano to, co teraz będzie. Potem otworzyły się drzwi kierowcy, Jim wskoczył do środka, z pistoletem w dłoni. Wycelował w Stanleya.

– Połóż obie dłonie na kolanach. Jak choćby ruszysz ręką, wcisnę ci to w nerkę i pociągnę za spust. Wywali ci solidną dziurę z drugiej strony. Kapujesz?

– Tak – odparł Stanley, wbijając paznokcie w kolana.

– Nie ruszaj rękami. Naprawdę nie mam chęci brudzić sobie samochodu, jasne?

– Dobrze, dobrze.

Wyjechali po żwirowym podjeździe, a kiedy zaczęli oddalać się od domu, Stanley dostrzegł, że ruszyła za nimi druga furgonetka. Cranwell pewnie już powiedział wszystko, co chciał, bo teraz nie odzywał się ani słowem. Pędzili przez noc, przy każdej okazji zmieniając drogę. Z gruntowej na asfaltową, potem znowu na gruntową, najpierw na północ, później na południe, wschód, zachód. Stanley nie patrzył na pistolet, ale wiedział, że Jim trzyma broń w pogotowiu, prawą ręką, a lewą prowadzi. Wade cały czas mocno ściskał kolana, bojąc się, że każdy jego ruch może zostać uznany za niewłaściwy. Lewa nerka i tak go bolała. Był pewien, że drzwi są zablokowane, nie zdoła otworzyć ich szarpnięciem. Zresztą i tak cały zdrętwiał ze strachu.

W prawym lusterku widział reflektory, nisko sunące smugi świateł drugiej furgonetki, która, jak sądził, wiozła pluton egzekucyjny z łopatami. Znikały za zakrętami i wzgórzami, ale zawsze pojawiały się znowu.

– Gdzie jedziemy? – zapytał w końcu.

– Ty pewnie jedziesz do piekła.

To wyjaśniało wszystko. Stanley zastanawiał się, co jeszcze mógłby powiedzieć. Skręcili na żwirową drogę, najwęższą jak do tej pory. To tutaj, pomyślał Wade. Z obu stron gęsty las. Na milę wokół żadnego domu. Szybka egzekucja. Szybki pogrzeb. Nikt się nigdy nie dowie. Tymczasem przejechali nad jakimś strumieniem, droga stała się szersza.

Człowieku, powiedz coś.

– Panie Cranwell, zrobi pan, co pan zechce, ale mnie naprawdę jest bardzo przykro z powodu Michaela – oznajmił Stanley, ale był pewien, że jego słowa brzmią równie kiepsko, jak sam się czuł. Może teraz i przytłaczały go wyrzuty sumienia, ale dla Cranwellów wyrzuty sumienia nie miały żadnego znaczenia. Zostały mu tylko słowa. – Chciałbym pomóc w pokryciu części wydatków.

– Proponujesz pieniądze?

– Coś w tym rodzaju. Dlaczego nie? Nie jestem bogaty, ale nieźle mi się powodzi. Mógłbym pomóc, może nawet pokryć koszt pielęgniarki.

– Czyli że ma być tak, że ja zawiozę cię teraz do domu, całego i zdrowego, a jutro wpadnę do twojej kancelarii, żeby sobie pogadać o twojej nagłej chęci pomocy Michaelowi. Może wypijemy sobie jakąś kawę, może zjemy po pączku. Normalnie, jak dwaj starzy kumple. Ani słowa o dzisiejszym wieczorze. Sporządzisz umowę, podpiszemy ją, uściśniemy sobie dłonie, potem wyjdę i zaczną przychodzić czeki.

Stanley nawet nie umiał zareagować na absurd czegoś takiego.

– Wiesz co, Wade, jesteś małą żałosną gnidą. Teraz to byś powiedział każde kłamstwo, żeby tylko ocalić dupę. A jakbym się jutro pojawił u ciebie w kancelarii, to by już na mnie czekało dziesięciu gliniarzy z kajdankami. Zamknij się, Wade, bo tylko pogarszasz swoją sytuację. Rzygać mi się chce od tych twoich kłamstw.

Jak mógłby jeszcze bardziej pogorszyć swoją sytuację? Ale się nie odezwał. Zerknął na pistolet. Był odbezpieczony. Ciekawe, ile ofiar w swoich ostatnich strasznych chwilach widziało broń, od której miały zginąć?

Nagle najciemniejsza z dróg w najgęstszym lesie wspięła się na niewielki pagórek, a drzewa po obu stronach mknącego pikapa zaczęły rzednąć. Pojawiły się za nimi światła. Dużo świateł. Świateł miasta. Droga skończyła się wjazdem na szosę i kiedy skręcili na południe, Stanley zobaczył oznakowanie szosy stanowej numer 374, starej krętej trasy łączącej Clanton z Karraway. Pięć minut później wjechali do miasta, a potem, zygzakując, dotarli do jego południowej części. Stanley chłonął znajome widoki – szkoła z prawej, kościół z lewej, tania galeria handlowa, której właściciela bronił kiedyś w sądzie. Wrócił do Clanton, do domu i niemal ogarnęła go euforia. Był oszołomiony, ale szczęśliwy, że ciągle żyje i jest w jednym kawałku.

Drugi samochód nie wjechał za nimi do miasta.

Jedną przecznicę przed Rite Price Cranwell skręcił na parking małego sklepu meblowego. Zatrzymał pikapa, wyłączył światła, a potem podniósł pistolet i powiedział:

– Słuchaj no, mecenasie Wade. Nie winię cię za to, co się stało z Michaelem, ale winię za to, co się stało z nami. Jesteś łajdakiem i nawet nie masz pojęcia, ile przez ciebie wycierpieliśmy.

Przejechał za nimi jakiś samochód, Cranwell na chwilę opuścił broń. Potem mówił dalej:

– Możesz iść do gliniarzy, kazać mnie aresztować, wsadzić do pudła i tak dalej, ale nie wiem, ilu znajdziesz świadków. Możesz mi narobić kłopotów, ale tamci faceci będą gotowi. Zrobisz coś głupiego i z miejsca tego pożałujesz.

– Nic nie zrobię, obiecuję. Tylko mnie wypuść.

– Twoje obietnice nic nie znaczą. Idź sobie, Wade, idź do domu, a jutro wracaj do tej swojej kancelarii. Znajdź sobie jakichś kolejnych biedaków, żeby ich zadeptać. Powiedzmy, że teraz mamy zawieszenie broni, ja i ty, aż do śmierci Michaela.

– A potem co?

Jim tylko się uśmiechnął i przysunął broń bliżej.

– Idź, Wade. Otwórz drzwi, wyłaź i zostaw nas w spokoju.

Stanley wahał się tylko przez chwilę. Szybko wyszedł, zostawiając pikapa za plecami. Skręcił za róg, wśród ciemności znalazł chodnik i zobaczył neon Rite Price. Miał ochotę pobiec, uciekać, ale za sobą niczego nie słyszał. Zerknął do tyłu. Cranwell zniknął.

Idąc szybkim krokiem do swojego samochodu, zastanawiał się, co powie żonie. Dwugodzinne spóźnienie na kolację należało jakoś wytłumaczyć.

I to na pewno będzie kłamstwo.

Kasyno

Najambitniejszym kanciarzem w Clanton był handlarz traktorami, Bobby Carl Leach. Zaczynając od dużego wysypanego żwirem placu koło szosy na północ od miasta, Bobby Carl zbudował imperium, które w różnych okresach obejmowało podnajem koparek i spychaczy, park samochodów do transportu dłużyc, dwie smażalnie sumów Jedz Ile Możesz, motel, kawałek lasu, w którym szeryf znalazł plantację marihuany, oraz kilkanaście nieruchomości – głównie puste budynki rozsiane wokół Clanton. Większość z nich ostatecznie się spaliła. Podpalenia ciągnęły się za Bobbym Carlem podobnie jak spory sądowe. Pozwy nie były mu obce, ba, wręcz lubił się przechwalać, ilu to prawnikom daje zajęcie. Dzięki swojej barwnej przeszłości, pełnej ciemnych interesów, rozwodów, audytów urzędu skarbowego, oszukańczych roszczeń ubezpieczeniowych i niedoszłych aktów oskarżenia przynajmniej dla miejscowej izby adwokackiej Bobby Carl był sam w sobie niewielką giełdą pracy. I chociaż zawsze ocierał się o kłopoty, nigdy nie prowadzono przeciwko niemu poważnego dochodzenia. Z czasem ta umiejętność wymykania się prawu ugruntowała jego reputację i większość mieszkańców Clanton uwielbiała powtarzać i ubarwiać opowieści o interesach Bobby'ego Carla.

Jeśli chodzi o samochód, to upodobał sobie cadillaca deville'a, zawsze rdzawoczerwonego koloru, nowiutkiego i bez najmniejszej skazy. Co dwanaście miesięcy wymieniał go na najnowszy model. Nikt inny nie ośmielał się prowadzić takiego
samego wozu. Raz kupił rolls-royce'a, jedynego w promieniu
dwustu mil, ale miał go niespełna rok. Kiedy uświadomił sobie, że tak niezwykły pojazd robi niewielkie wrażenie na miejscowych, postanowił się go pozbyć. Nie mieli pojęcia, gdzie go
wyprodukowano i ile kosztował. Żaden mechanik w mieście
nie chciał go tknąć palcem, co w sumie nie miało znaczenia,
bo i tak nie znaleźliby do niego części.

Bobby Carl nosił kowbojskie buty z niebezpiecznie spicza-
stymi noskami, wykrochmalone białe koszule i ciemne trzy-
częściowe garnitury, których kieszenie zawsze były wypchane
gotówką. I każdy strój zdobiła zadziwiająca kolekcja złotych
przedmiotów – ciężkie zegarki, masywne łańcuchy na szyi,
bransolety, klamry pasków, spinki do kołnierzyka i do krawata. Bobby Carl zbierał złoto tak jak niektóre kobiety kolekcjo-
nują buty. Złote wykończenia miały jego samochody, sprzęty
w biurze, teczki, noże, ramki portretów, nawet armatura w ła-
zience. Lubił też brylanty. Urząd skarbowy nie mógł rejestrować takiego ruchomego majątku i czarny rynek był dla Bobby'ego Carla naturalnym miejscem zakupów.

Przy całej jarmarczności jego publicznego wizerunku starannie chronił życie prywatne. Żył spokojnie w dziwacznym
nowoczesnym domu wśród wzgórz na wschód od Clanton
i fakt, że tak niewiele osób widziało jego rezydencję, podsy-
cał plotki, według których prowadzono w niej wszelkiego rodzaju nielegalne i niemoralne działania. W tych pogłoskach
było trochę prawdy. Mężczyzna o jego statusie naturalnie
przyciągał kobiety lżejszych obyczajów, a Bobby Carl kochał

panie. Z kilkoma się ożenił, chociaż zawsze tego żałował. Lubił gorzałkę, ale nigdy w nadmiarze. Miał zwariowanych przyjaciół, urządzał hałaśliwe przyjęcia, ale nie zawalił nawet godziny pracy z powodu kaca. Pieniądze były zbyt ważne.

Każdego ranka o piątej, nie wyłączając niedziel, jego deville robił szybką rundę wokół gmachu sądu Ford County, w śródmieściu Clanton. Sklepy i biura zawsze były ciemne i puste, co sprawiało mu ogromną przyjemność. Niech sobie śpią. Bankierzy, prawnicy, pośrednicy w handlu nieruchomościami i kupcy, którzy go obgadywali, skrycie zazdroszcząc mu pieniędzy, nigdy nie pracowali o piątej rano. Napawał się ciemnością i spokojem, brakiem konkurencji o tak wczesnej porze. Po rundzie honorowej jechał do biura, które mieściło się przy jego placu z traktorami i było niewątpliwie największe w hrabstwie. Zajmowało całą drugą kondygnację starego budynku z czerwonej cegły wzniesionego tu przed Pearl Harbor. Zza zaciemnionych szyb Bobby Carl mógł mieć na oku swoje traktory, a także obserwować ruch na szosie.

Sam, ale zadowolony mimo tak wczesnej pory, zaczynał każdy ranek od dzbanka mocnej kawy, który wypijał, czytając gazety. Prenumerował każdy możliwy dziennik – z Memphis, Jackson, Tupelo – a także tygodniki z okolicznych hrabstw. Czytając i popijając ze smakiem kawę, przeglądał gazety w poszukiwaniu nie wiadomości, ale okazji – budynków na sprzedaż, terenów rolnych, powstających i zamykanych fabryk, licytacji, upadłości, likwidacji, przedstawianych ofert, fuzji banków, zapowiadanych prac publicznych. Ściany gabinetu pokrywały plany geodezyjne i fotografie lotnicze miasteczek i hrabstw. W swoim komputerze miał miejscowe katastry. Wiedział, kto płaci podatki od nieruchomości, od jak dawna i ile i przed świtem, kiedy wszyscy spali, zbierał i archiwizował te informacje.

Jego największą słabością, bardziej zgubną niż kobiety i whisky, był hazard. Miał za sobą długą i nieprzyjemną historię pobytów w Las Vegas, w klubach pokera i kontaktów z bukmacherami sportowymi. Regularnie stawiał poważne sumy na psich wyścigach w zachodnim Memphis i raz omal nie zbankrutował w czasie rejsu wycieczkowego na Bermudy. A kiedy w Missisipi, zupełnie nieoczekiwanie, pojawiły się kasyna, jego imperium zaczęło się niepokojąco zadłużać. Tak czy owak, tylko jeden miejscowy bank chciał prowadzić z Bobbym Carlem interesy i kiedy wybrał z niego wszystkie swoje pieniądze, aby pokryć straty poniesione przy stołach do gry w kości, był zmuszony zastawić w Memphis część złota, aby zapłacić pensje. A potem spłonął należący do niego budynek. Bobby Carl wymusił na przedsiębiorstwie ubezpieczeniowym ugodę i kryzys finansowy został chwilowo zażegnany.

✦

Indianie Choctaw otworzyli jedyne kasyno na lądzie stałym w całym stanie. Znajdowało się w Neshoba County, dwie godziny jazdy na południe od Clanton, i właśnie tam pewnej nocy Bobby Carl po raz ostatni rzucił kośćmi. Przegrał małą fortunę i kiedy w stanie wskazującym jechał do domu, poprzysiągł sobie, że już nigdy nie będzie grał. Koniec z tym. Hazard jest dla frajerów. Spryciarze nie bez powodu co rusz otwierają nowe kasyna.

A Bobby Carl uważał się za spryciarza.

Zrobił szybkie rozeznanie i odkrył, że Departament Spraw Wewnętrznych formalnie uznał pięćset sześćdziesiąt dwa plemiona rdzennych Amerykanów w całym kraju, ale w stanie Missisipi tylko Choctawów. W stanie było kiedyś wielu Indian – mieszkało tu przynajmniej dziewiętnaście du-

Kasyno

żych plemion – ale większość z nich wysiedlono do Oklahomy w latach trzydziestych XIX wieku. Pozostały jedynie trzy tysiące Choctawów, którzy nieźle żyli dzięki kasynu.

Potrzebna była konkurencja. Dalsze badania wykazały, że swego czasu drugim co do liczebności plemieniem byli Yazoo i na długo przed przybyciem białego człowieka ich terytoria obejmowały całą północną część obecnego stanu Missisipi, w tym również Ford County. Bobby Carl zapłacił parę baksów firmie prowadzącej badania historii rodów, która sporządziła podejrzane drzewo genealogiczne, rzekomo dowodzące, że pradziadek jego ojca był w jednej szesnastej Yazoo.

Zaczął powstawać biznesplan.

Trzydzieści mil na zachód od Clanton, na granicy Polk County, znajdował się wiejski sklep spożywczy, którego właścicielem był stary mężczyzna o nieco ciemnej skórze, z długimi zaplecionymi w warkoczyki włosami i turkusem na każdym palcu. Znano go jako Wodza Larry'ego przede wszystkim dlatego, że podawał się za czystej krwi Indianina i twierdził, że ma na to dokumenty. Należał do plemienia Yazoo, był z tego dumny i aby przekonać ludzi o swoim pochodzeniu, poza jajkami i zimnym piwem miał na składzie wszelkiego rodzaju tanie indiańskie wyroby i pamiątki. Obok szosy stało tipi chińskiej produkcji, a w klatce przy drzwiach siedział stary, nieruchawy czarny niedźwiedź. Jako że U Wodza był jedynym sklepem w promieniu dziesięciu mil, osiągał przyzwoite obroty dzięki miejscowym, sprzedaży paliwa i zdjęciom pstrykanym przez przypadkowych turystów.

Wódz Larry był swego rodzaju aktywistą. Rzadko kiedy się uśmiechał i sprawiał wrażenie, że dźwiga brzemię swojego cierpiącego i zapomnianego ludu. Pisał gniewne listy do kongresmenów, gubernatorów i biurokratów, a ich odpowiedzi przypinał do ściany za kasą. Przy najmniejszej prowokacji wygłaszał zaciekłe tyrady przeciwko najnowszym krzywdom, które spotkały „jego lud". Historia była jego konikiem; chciał i potrafił godzinami barwnie rozprawiać o kradzieży „jego ziemi". Większość miejscowych wiedziała, że płacąc za towary, należy ograniczać komentarze do minimum. Ale niektórzy lubili przysunąć sobie krzesło i pozwolić Wodzowi gadać.

Przez dwadzieścia lat Wódz Larry szukał innych potomków Yazoo w okolicy. Większość z tych, do których pisał, nie miała pojęcia o swoim indiańskim dziedzictwie, a już na pewno nie chciała mieć z nim nic wspólnego. Byli całkowicie zasymilowani, żyli w społecznościach i małżeństwach mieszanych i nic nie wiedzieli o jego wersji składu ich puli genów. Stali się białymi! Bądź co bądź, to było Missisipi i nawet odrobina indiańskiej krwi oznaczała coś dużo bardziej gorszego niż niewinne igraszki przodków z tubylcami. Spośród tych, którzy zadali sobie trud odpisania na listy, niemal wszyscy utrzymywali, że są pochodzenia anglosaskiego. Dwóch zagroziło mu procesami, a jeden, że go zabije. Ale Wódz Larry działał dalej i kiedy skrzyknął zbieraninę złożoną z dwóch tuzinów zdesperowanych dusz, ogłosił odrodzenie narodu Yazoo i wystąpił z wnioskiem do Departamentu Spraw Wewnętrznych.

Minęły lata. W rezerwatach na terenie całego kraju pojawił się hazard i indiańskie ziemie nagle zyskały na wartości.

Kiedy Bobby Carl uznał, że jest w jakiejś części Yazoo, dyskretnie się zaangażował. Z pomocą znanej kancelarii prawniczej w Tupelo przyciśnięto kogo trzeba w Waszyngtonie i Yazoo otrzymali oficjalny status plemienia. Nie mieli ziemi, ale prawo tego od nich nie wymagało.

Ziemię miał Bobby Carl. Czterdzieści akrów krzaków i sosen kawałek dalej szosą od tipi Wodza Larry'ego.

Kiedy z Waszyngtonu przyszedł oficjalny statut, dumni członkowie nowego plemienia zebrali się na tyłach sklepu Wodza na ceremonię. Zaprosili miejscowego kongresmena, ale był zajęty na Kapitolu. Zaprosili gubernatora, ale nie odpowiedział. Zaprosili innych urzędników stanowych, ale wezwały ich ważniejsze obowiązki. Zaprosili miejscowych polityków, ale oni również ciężko pracowali gdzie indziej. Pojawił się jedynie jakiś podrzędny blady podsekretarz z Departamentu Spraw Wewnętrznych i przekazał dokumenty. Yazoo, przeważnie tak samo bladolicy jak ten urzędnik, mimo wszystko byli pod wrażeniem chwili. Nikt nie był zaskoczony, kiedy Larry'ego jednogłośnie wybrano na dożywotniego wodza. Nie wspomniano o uposażeniu. Ale była mowa o domu, o kawałku ziemi, na którym będą mogli zbudować biuro albo główną siedzibę, będą mieli swoją „ojczyznę".

Następnego dnia rdzawoczerwony deville wjechał na żwirowy parking koło sklepu Wodza. Bobby Carl nie znał Wodza Larry'ego i nigdy nie był w jego sklepie. Popatrzył na lipne tipi, zauważył łuszczącą się farbę na ścianach, uśmiechnął się szyderczo na widok antycznych dystrybutorów, zatrzymał się przy klatce z niedźwiedziem na tyle długo, by ustalić, że zwierzę rzeczywiście żyje, a potem wszedł do środka, aby spotkać się ze współplemieńcem.

Na szczęście Wódz w ogóle nie słyszał o Bobbym Carlu. W przeciwnym razie być może sprzedałby mu dietetyczną oranżadę i go pożegnał. Po kilku łykach, kiedy stało się całkowicie jasne, że klient nie ma zamiaru odejść, Wódz powiedział:

– Pan z tych stron?

– Z innej części hrabstwa – odparł Bobby Carl, dotykając fałszywej włóczni, stanowiącej część wyposażenia wojownika

Apaczów, wystawionego na stojaku niedaleko kontuaru. – Gratulacje z okazji statutu – dodał.

Wódz natychmiast wyprężył pierś i obdarzył Bobby'ego uśmiechem.

– Dziękuję. Skąd pan wiedział? Z gazety?

– Nie, tylko o tym słyszałem. Jestem częściowo Yazoo.

Po tych słowach uśmiech natychmiast zniknął i Wódz wpił się czarnymi oczami w kosztowny wełniany garnitur Bobby'ego Carla, kamizelkę, wykrochmaloną białą koszulę, krzykliwy krawat w tureckie wzory, złote bransolety, złoty zegarek, złote spinki do mankietów, złotą klamrę paska i kowbojskie buty z noskami jak groty włóczni. Potem przyjrzał się włosom – farbowanym, z trwałą, z której sterczały drobne pasemka, wijąc się nad uszami. Oczy były niebieskozielone jak u Irlandczyka i rozbiegane. Wódz, oczywiście, wolałby kogoś, kto bardziej przypominałby jego samego, kogoś, kto miałby choć odrobinę charakterystycznych cech rdzennego Amerykanina. Ale w tych czasach musiał brać, co dawali. Pula genów stała się tak mała, że liczyła się tylko deklaracja, iż jest się Yazoo.

– To prawda – naciskał Bobby Carl i dotknął wewnętrznej kieszeni marynarki. – Mam dokumenty.

Wódz machnął ręką.

– Nie, nie trzeba. Miło mi, panie...

– Leach, Bobby Carl Leach.

Jedząc kanapkę, Bobby Carl wyjaśnił, że dobrze zna wodza narodu Choctaw, i zasugerował, aby obaj wielcy ludzie się spotkali. Wódz Larry od dawna zazdrościł Choctawom ich pozycji i starań, by zachować swoje dziedzictwo. Czytał także o ich szalenie dochodowym kasynie, z którego wpływy szły na utrzymanie plemienia, budowę szkół i klinik oraz stypendia dla pragnącej studiować młodzieży. Humanitarny Bobby Carl rozwodził się nad społecznym rozwojem Choctawów, którzy zawdzięczali mądremu wykorzystaniu namiętności białych do hazardu i picia.

Następnego dnia pojechali na wycieczkę po rezerwacie Choctawów. Bobby Carl prowadził, mówił bez przerwy i zanim dojechali do kasyna, przekonał Wodza Larry'ego, że oni sami, dumni Yazoo, mogliby skopiować to przedsięwzięcie i zapewnić dobrobyt młodemu narodowi. Tak się dziwnie złożyło, że wódz Choctawów był zajęty innymi sprawami, ale jeden z podwładnych bez zbytniego zapału oprowadził ich po okazałym kasynie i hotelu, a także po dwóch osiemnastodołkowych polach golfowych, centrum konferencyjnym i prywatnym lądowisku. Wszystko to znajdowało się w bardzo wiejskiej i zapuszczonej części Neshoba County.

– Boi się konkurencji – szepnął Wodzowi Larry'emu Bobby Carl, gdy ich przewodnik pokazywał im wszystko bez cienia entuzjazmu.

W drodze powrotnej Bobby Carl przedstawił swój projekt. Przekaże Yazoo czterdziestoakrową parcelę. Plemię nareszcie będzie miało dom! A na tej ziemi zbudują kasyno. Bobby Carl znał architekta, przedsiębiorcę budowlanego i bankiera, znał miejscowych polityków i było jasne, że dawno to wszystko zaplanował. Wódz Larry był zbyt oszołomiony i naiwny, by zadawać wiele pytań. Przyszłość nagle zaczęła wyglądać bardzo obiecująco i pieniądze miały z tym niewiele wspólnego. Ważny był szacunek. Wódz Larry marzył o domu dla swojego ludu, miejscu, w którym jego bracia i siostry mogliby żyć, prosperować i spróbować odzyskać swoje dziedzictwo.

Bobby Carl również marzył, ale jego marzenia miały niewiele wspólnego z chwałą dawno zapomnianego plemienia.

Umowa była taka, że za połowę udziałów w kasynie ofiaruje czterdzieści akrów, zabezpieczy finansowanie kasyna i zatrudni prawników, żeby zadowolić nieingerujące i rozkojarzone organa nadzorujące. Ponieważ kasyno miało stanąć na indiańskiej ziemi, procedury prawne w istocie były nieskomplikowane. Hrabstwo i stan z całą pewnością nie mogły im przeszkodzić, co jasno wynikało z dotychczasowego orzecznictwa w całym kraju.

Na koniec długiego dnia, przy bezalkoholowych drinkach na tyłach sklepu Wodza, dwaj współplemieńcy uścisnęli sobie dłonie i wznieśli toast za przyszłość.

Czterdziestoakrowa parcela zmieniła właścicieli, spychacze wyrównały każdy jej cal, prawnicy ruszyli do ataku, bankier wreszcie przejrzał na oczy i po miesiącu Clanton wstrząsnęła hiobowa wieść, że w Ford County powstaje kasyno. Przez wiele dni w kawiarniach przy placu huczało od plotek, a w gmachu sądu i biurach w śródmieściu właściwie nie mówiono o niczym innym. Od samego początku łączono ze skandalem nazwisko Bobby'ego Carla i fakt ten nadawał plotkom złowieszczą wiarygodność. To było coś w jego stylu, niemoralne i dochodowe przedsięwzięcie, do którego ktoś taki jak on przystąpiłby z zapałem. Publicznie zaprzeczał pogłoskom, a potwierdzał je prywatnie, zdradzając informację każdemu, kogo uważał za godnego jej dalszego rozpowszechniania.

Kiedy dwa miesiące później wylano pierwszy beton, nie było uroczystego wbicia łopaty przez miejscowych przywódców, przemówień z obietnicami miejsc pracy, żadnego pozowania przed kamerami. Z założenia nie było to żadne wydarzenie i gdyby nie początkujący dziennikarz, który dostał cynk, rozpoczęcie budowy nie zostałoby zauważone. Jednakże w następnym numerze „Ford County Times", na pierwszej stronie znalazła się wielka fotografia gruchy z betonem i stojących wokół niej robotników. Nagłówek darł się wniebogłosy: *Oto nadchodzi kasyno*. Krótka relacja dodawała niewiele szczegółów, przede wszystkim dlatego, że nikt nie chciał mówić. Wódz Larry był zbyt zajęty za ladą z mięsem. Bobby Carl Leach wyjechał w sprawie niecierpiącej zwłoki. Biuro do spraw Indian w Departamencie Spraw Wewnętrznych było wyjątkowo niechętne do współpracy. Natomiast anonimowe źródło informacji potwierdziło nieoficjalnie, że otwarcie kasyna nastąpi „mniej więcej za dziesięć miesięcy".

Artykuł i zdjęcie na pierwszej stronie potwierdzały plotki i w mieście zawrzało. Kaznodzieje baptystów zorganizowali się i w następną niedzielę zbombardowali zgromadzenia wiernych straszliwymi oskarżeniami hazardu oraz wszelkiego związanego z nim zła. Wzywali wiernych do czynu. Piszcie listy! Dzwońcie do urzędników, których wybraliście! Baczcie na sąsiadów, czy aby nie popełnili grzechu hazardu. Nie można dopuścić, aby ten rak toczył ich społeczność. Indianie znowu atakują.

Następny numer „Timesa" był pełen wrzaskliwych listów do redakcji i ani jeden nie popierał pomysłu budowy kasyna. Szatan nacierał i wszyscy przyzwoici ludzie powinni „ustawić wozy w krąg", aby odeprzeć jego zakusy. Kiedy rada hrabstwa zebrała się jak zwykle w poniedziałek rano, musiała przenieść się do głównej sali sądu, żeby wystarczyło miejsca dla rozwścieczonego tłumu. Pięciu członków rady schowało się za prawnikiem, który usiłował wyjaśnić zebranym, że hrabstwo w żaden sposób nie może zatrzymać budowy kasyna. Sprawa leży w gestii władz federalnych, koniec kropka. Yazoo zostali oficjalnie uznani. Posiadają ziemię. Indianie zbudowali kasyna w co najmniej dwudziestu sześciu stanach, najczęściej pomimo protestów mieszkańców. Grupy zatroskanych obywateli wnosiły powództwa i przegrały je wszystkie.

– Czy to prawda, że za tym przedsięwzięciem stoi Bobby Carl Leach? – spytał ktoś.

Dwie noce wcześniej prawnik pił z Bobbym Carlem. Nie mógł zaprzeczyć temu, co podejrzewało całe miasto.

– Tak sądzę – odparł ostrożnie. – Ale nie mamy uprawnień, by wiedzieć o tym kasynie wszystko. A poza tym pan Leach jest z pochodzenia Yazoo.

Po sali przetoczyła się fala rechotliwego śmiechu, po której nastąpiły buczenie i gwizdy.

– Podawałby się za karła, gdyby mógł na tym zarobić! – wrzasnął ktoś i wywołało to jeszcze więcej śmiechu, więcej gwizdów.

Wrzeszczeli, buczeli i gwizdali przez godzinę, ale ostatecznie z zebranych uszła para. Stało się oczywiste, że hrabstwo nie może nic zrobić, by nie dopuścić do otwarcia kasyna.

I tak to poszło. Kolejne listy do redakcji, następne kazania, telefony do obieralnych urzędników, kilka aktualizacji w gazetach. W miarę jak upływały tygodnie i miesiące, opozycja traciła zainteresowanie tematem. Bobby Carl przyczaił się i rzadko go widywano w mieście. Ale każdego ranka był od siódmej rano na placu budowy, wrzeszczał na kierownika i groził, że kogoś wywali.

✼

Kasyno Jack Szczęściarz zostało ukończone nieco ponad rok po nadejściu z Waszyngtonu statutu Yazoo. Wszystko w nim było tandetne. Sala gier była pospiesznie zaprojektowanym połączeniem trzech prefabrykowanych metalowych budynków stłoczonych razem i ozdobionych fałszywymi fasadami z białej cegły i mnóstwem neonów. Towarzyszył mu pięćdziesięciopokojowy hotel zaprojektowany tak, aby możliwie najbardziej dominował nad okolicą. Dzięki sześciu kondygnacjom z małymi ciasnymi pokojami po czterdzieści dziewięć dolarów i dziewięćdziesiąt pięć centów za noc był to najwyższy budynek w hrabstwie. W wystroju kasyna przeważały motywy z Dzikiego Zachodu – kowboje i Indianie, karawany wozów, rewolwerowcy, saloony i tipi. Ściany były obwieszone jaskrawymi obrazami przedstawiającymi westernowe bitwy, w których Indianie, jeżeli ktoś zadał sobie trud, by to zauważyć, mieli lekką przewagę pod względem zadawanych przeciwnikowi strat. Podłogi pokrywały cienkie tandetne dywany ozdobione kolorowymi motywami koni i bydła. Panowała atmosfera jak w hałaśliwym centrum kongresowym, które sklecono naprędce, by przyciągnąć graczy. Za większą część projektu odpowiadał sam Bobby Carl. Personel przeszedł przyspieszone szkolenie. „Sto nowych miejsc pracy", ripostował Bobby Carl każdemu, kto krytykował kasyno. Wódz Larry nosił ceremonialny strój Yazoo, a przynajmniej własną wersję tego stroju. Jego stałe zajęcie polegało na tym, że kręcił się po sali i rozmawiał z klientami, aby dać im poczucie, że są na prawdziwym indiańskim terytorium. Z dwóch tuzinów oficjalnych Yazoo piętnastu zgłosiło się do pracy. Dostali opaski na głowy oraz pióra i nauczono ich, jak rozdawać karty w blackjacku, jednej z najbardziej dochodowych gier.

Mieli wiele planów na przyszłość – pole golfowe, centrum konferencyjne, kryty basen i tak dalej – ale najpierw musieli trochę zarobić. Potrzebowali graczy.

Otwarcie odbyło się bez fanfar. Bobby Carl wiedział, że kamery, dziennikarze i zbyt wielki rozgłos mogą wystraszyć wielu ciekawskich, w związku z czym Szczęśliwy Jack otworzył podwoje po cichu. Ogłoszenia zamieszczone w gazetach okolicznych hrabstw obiecywały większe szanse na wygraną, szczęśliwsze automaty oraz „największą salę do pokera w stanie Missisipi". Było to bezczelne kłamstwo, ale nikt nie ośmieliłby się go publicznie podważyć. Początkowo interes kręcił się słabo. Miejscowi rzeczywiście trzymali się z daleka. Większość gości była z okolicznych hrabstw i niewielu pierwszych graczy miało ochotę zostać na noc. Piętrowy hotel stał pusty. Wódz Larry właściwie nie miał z kim rozmawiać, kiedy kręcił się po sali.

Minął tydzień i po Clanton rozeszła się pogłoska, że kasyno ma kłopoty. Znawcy problemu perorowali w kawiarniach wokół placu. Paru śmiałków przyznało, że odwiedzili Szczęśliwego Jacka, i z radością doniosło, że lokal świeci pustkami. Kaznodzieje piali z zachwytu z ambon – szatan został wygnany. Indianie zostali pokonani po raz kolejny.

Po dwóch tygodniach mało efektownej działalności Bobby Carl uznał, że pora na machlojkę. Znalazł starą przyjaciółkę, która nie miała nic przeciwko temu, aby jej twarz pojawiła się na pierwszych stronach gazet, i ustawił automaty tak, żeby na dolarowy żeton wygrała oszałamiającą sumę czternastu tysięcy dolarów. Kolejny figurant, tym razem z Polk County, wygrał osiem tysięcy na „najszczęśliwszych automatach po tej stronie Las Vegas". Dwójka szczęściarzy pozowała do zdjęć razem z Wodzem Larrym, który uroczyście wręczył im ogromnie powiększone czeki, a Bobby Carl zapłacił za pełnostronicowe ogłoszenia w ośmiu tygodnikach, w tym również w „Ford County Times".

Pokusa natychmiastowego wzbogacenia się była nie do zwalczenia. Dochody podwoiły się, potem potroiły. Po sześciu tygodniach Szczęśliwy Jack wyszedł na swoje. Hotel oferował darmowe pokoje w weekendowych pakietach i często nie było wolnych miejsc. Autokary z turystami zaczęły przyjeżdżać z innych stanów. Billboardy w całym północnym Missisipi zachwalały wspaniałe życie w Szczęśliwym Jacku.

✿

Stellę omijało wspaniałe życie. Miała czterdzieści osiem lat, była matką dorosłej córki i żoną mężczyzny, którego już nie kochała. Kiedy przed laty wyszła za Sidneya, wiedziała, że jest nudny, cichy, nieszczególnie przystojny i mało ambitny, a teraz, kiedy zbliżała się do pięćdziesiątki, nie mogła sobie przypomnieć, dlaczego ją zainteresował. Romantyzm i pożądanie nie przetrwały długo i kiedy urodziła im się córka, już tylko zachowywali pozory. W swoje trzydzieste urodziny Stella zwierzyła się siostrze, że w istocie nie jest szczęśliwa. Siostra, po jednym rozwodzie i z drugim w planach, poradziła, żeby rzuciła Sidneya i znalazła mężczyznę z osobowością, kogoś, kto cieszy się życiem, najlepiej majętnego. Zamiast tego Stella hołubiła córkę i w tajemnicy zaczęła brać pigułki antykoncepcyjne. Myśl o kolejnym dziecku z choć odrobiną genów Sidneya nie była kusząca.

Od tej pory minęło osiemnaście lat i córka się wyprowadziła. Sidney przytył kilka kilogramów, siwiał, był coraz nudniejszy i prowadził jeszcze bardziej siedzący tryb życia. Pracował jako analityk w średniej wielkości firmie zajmującej się ubezpieczeniami na życie, gdzie zbierał dane i zadowalał się tym, że rok w rok robił swoje i marzył o cudownym życiu na emeryturze, które, jak wierzył z jakiegoś powodu, miało być dużo atrakcyjniejsze niż pierwszych sześćdziesiąt pięć lat. Stella jednak wiedziała lepiej. Doskonale zdawała sobie

sprawę, że Sidney, czy to pracując zawodowo, czy na emeryturze, pozostanie takim samym, nieznośnie myszowatym
człowiekiem, którego idiotyczne codzienne rytuały nigdy się
nie zmienią i ostatecznie doprowadzą ją do szaleństwa.

Chciała się uwolnić.

Wiedziała, że Sidney nadal ją kocha, nawet uwielbia, ale
nie mogła odwzajemnić jego uczuć. Przez lata usiłowała przekonać samą siebie, że ich małżeństwo wciąż opiera się na miłości, że jest związkiem nieromantycznym, ale stabilnym, który przetrwa dziesięciolecia. W końcu jednak wyzbyła się tego
zgubnego złudzenia.

Było jej przykro, że złamie mu serce, ale co tam, w końcu
mu przejdzie.

Zrzuciła dziesięć kilogramów, przyciemniła włosy, zaczęła
się nieco mocniej malować i rozważała zafundowanie sobie
nowych piersi. Sidney obserwował to z rozbawieniem. Jego
urocza żoneczka wyglądała dziesięć lat młodziej. Ależ z niego
szczęściarz!

Jego szczęście ulotniło się jednak, kiedy pewnego wieczoru
wrócił do pustego domu. Większość mebli była na miejscu, ale
nie jego żona. Jej szafy były puste. Zabrała trochę bielizny po-
ścielowej oraz sprzętów kuchennych, ale nie była zachłanna. Tak
naprawdę Stella nie chciała od Sidneya niczego poza rozwodem.

Papiery leżały na stole kuchennym – wspólny wniosek
o rozwód z powodu niezgodności charakterów. Już przygotowany przez adwokata! To była zasadzka. Płakał, kiedy go czytał,
a potem płakał jeszcze bardziej nad jej dość zwięzłym, dwu-
stronicowym pożegnaniem. Przez jakiś tydzień kłócili się przez
telefon, on swoje, ona swoje i tak bez końca. Błagał ją, żeby
wróciła. Odmówiła, powiedziała, że wszystko skończone, więc
proszę, podpisz papiery i przestań się mazać.

Od lat mieszkali na przedmieściu małego, opustoszałego miasteczka Karraway, idealnego dla mężczyzny takiego jak Sidney. Stella jednak miała dosyć. Teraz przeniosła się do Clanton, stolicy hrabstwa, większego miasta z wiejskim klubem i kilkoma barami. Mieszkała ze starą przyjaciółką, spała w suterenie i szukała pracy. Sidney próbował ją znaleźć, ale go unikała. Ich córka zadzwoniła z Teksasu i szybko stanęła po stronie matki.

Dom, zawsze dość cichy, przypominał teraz grobowiec i Sidney nie mógł tego wytrzymać. Wypracował rytuał: z nastaniem zmierzchu ruszał do Clanton i jeździł wokół placu i po ulicach, rozglądając się, w rozpaczliwej nadziei, że zobaczy żonę, a ona jego i jej okrutne serce zmięknie, a życie znów będzie piękne. Ani razu jej nie ujrzał, ale wciąż jeździł, również po okolicach miasta.

Pewnej nocy minął sklep Wodza Larry'ego i skręcił na zatłoczony parking kasyna Szczęśliwy Jack. Może tu ją znajdzie. Może tak rozpaczliwie pragnęła jaskrawych świateł i ciekawego życia, że zniżyła się do odwiedzin tak tandetnego miejsca. To była tylko myśl, tylko pretekst, by zobaczyć rozrywkę, o której wszyscy mówili. Czy komuś się kiedykolwiek śniło, że w zapyziałym Ford County powstanie kasyno? Sidney chodził po tandetnym dywanie, porozmawiał z Wodzem Larrym, obserwował, jak grupa pijanych ćwoków przegrywa pensje w kości, z szyderczym uśmiechem patrzył, jak żałosne stare pryki wpychają swoje oszczędności do kantujących automatów, i przez chwilę słuchał koszmarnego wyjca country, który na małej scenie z tyłu sali usiłował bezskutecznie naśladować Hanka Williamsa. Kilka imprezowiczek w średnim wieku i z solidną nadwagą kołysało się i ospale przebierało nogami na parkiecie przed orkiestrą. Prawdziwe diablice, normalnie. Stelli tu nie było. Nie było jej też w barze, w bufecie ani w sali do pokera. Sidney w jakimś sensie poczuł ulgę, ale serce wciąż miał złamane.

Od lat nie grał w karty, ale pamiętał podstawowe zasady oczka, gry, której nauczył go ojciec. Krążył wokół stołów do blackjacka przez pół godziny, aż w końcu zdobył się na odwagę, wsunął na krzesło przy pięciodolarowym stole i rozmienił banknot dwudziestodolarowy. Grał przez godzinę i wygrał osiemdziesiąt pięć dolarów. Następny dzień poświęcił na studiowanie zasad blackjacka: podstawowych strategii, podwajania, dzielenia par, wad i zalet dodatkowego zakładu. Następnego wieczoru wrócił do tego samego stołu i wygrał ponad czterysta dolarów. Studiował dalej i w trzecią noc grał trzy godziny, pił tylko czarną kawę i wyszedł z tysiącem siedmiuset pięćdziesięcioma dolarami. Uznał, że gra jest prosta i jasna. Istniał optymalny sposób rozgrywania każdego rozdania, oparty na tym, co pokazywał krupier, i wystarczyło trzymać się reguł rachunku prawdopodobieństwa, by wygrać sześć na dziesięć rozdań. Jeżeli dodać wypłatę dwa do jednego za blackjacka, ta gra dawała najlepsze szanse na pobicie kasyna.

Dlaczego więc tak wielu ludzi przegrywało? Sidney był zbulwersowany brakiem wiedzy innych graczy i ich idiotycznymi zakładami. Pity bez przerwy alkohol nie pomagał, ale w krainie, gdzie picie było zwalczane i wciąż uchodziło za jeden z grzechów głównych, łatwy dostęp do gorzały w Szczęśliwym Jacku był dla wielu pokusą nie do odparcia.

Sidney analizował, grał, pił darmową czarną kawę przynoszoną przez kelnerki serwujące koktajle i grał znowu. Kupił książki, samouczki na wideo i nauczył się liczenia kart, trudnej strategii, która często działała cudownie, ale i sprawiała, że gracza wyrzucano z większości kasyn. A co najważniejsze nauczył się dyscypliny niezbędnej, by grać zgodnie z chłodną oceną swoich szans – rezygnować, kiedy przegrywał, i radykalnie zmieniać zakłady, kiedy talia stawała się coraz cieńsza.

Przestał jeździć do Clanton i szukać żony, a zamiast tego udawał się prosto do Szczęśliwego Jacka, gdzie najczęściej grał godzinę lub dwie i zabierał do domu przynajmniej tysiąc dolarów. Im więcej wygrywał, tym częściej dostrzegał chmurne spojrzenia kierowników sali. Napakowani młodzi ludzie w tanich garniturach, ochroniarze, jak się domyślał, jakby nieco uważniej mu się przyglądali. Konsekwentnie odmawiał wystąpienia o „członkostwo w klubie", które dawało wszelkiego rodzaju darmowe przywileje tym, którzy grali regularnie i ostro. Nie chciał się w żaden sposób rejestrować. Jego ulubioną książką była *Jak rozbić bank w kasynie*, której autor, były gracz, głosił potrzebę stosowania kamuflażu i podstępu. Nigdy nie noś tych samych ubrań, biżuterii, kapeluszy, czapek i okularów. Nigdy nie graj przy jednym stole dłużej niż godzinę. Nigdy nie podawaj swojego nazwiska. Przyprowadź przyjaciela i powiedz mu, żeby mówił do ciebie Frank, Charlie albo jakoś inaczej. Od czasu do czasu obstawiaj głupio. Zamawiaj różne drinki, ale trzymaj się z daleka od alkoholu. Powód jest prosty. Prawo pozwalało każdemu kasynu po prostu wyprosić gracza. Jeżeli podejrzewają, że liczysz karty lub oszukujesz albo jeżeli za dużo wygrałeś i mają tego dość, mogą cię wykopać. Nie muszą podawać powodu. Zmieniając tożsamość, trzymasz ich w niepewności.

Sukcesy w grze dały Sidneyowi nowy cel w życiu, ale w mroku nocy wciąż budził się i wyciągał rękę, szukając Stelli. Sędzia orzekł rozwód. Żona nie miała zamiaru wrócić, ale mimo wszystko wyciągał do niej rękę, wciąż marzył o kobiecie, którą zawsze kochał.

Stelli nie doskwierała samotność. Wieści o nowej przystojnej rozwódce w mieście rozeszły się szybko i nie minęło wiele czasu, a znalazła się na przyjęciu, na którym spotkała osławionego Bobby'ego Carla Leacha. Choć nieco starsza od większości kobiet, za którymi się uganiał, wydała mu się atrakcyjna i seksowna. Oczarował ją sprawdzonymi komplementami i zdawał się chłonąć każde jej słowo. Następnego wieczoru zjedli razem kolację i zaraz po deserze poszli do łóżka. Choć Bobby Carl był brutalny i wulgarny, uznała to doświadczenie za ożywcze. Było tak cudownie odmienne od zawsze takiego samego, nudnego seksu, jaki musiała znosić z Sidneyem.

Wkrótce Stella dostała dobrze płatną posadę asystentki-sekretarki pana Leacha, jako ostatnia w długim szeregu kobiet, które znalazły się na liście płac z powodów innych niż ich talenty organizacyjne. Ale jeżeli pan Leach oczekiwał, że ograniczy się do odbierania telefonów i striptizu na żądanie, paskudnie się przeliczył. Szybko dokonała przeglądu jego imperium i nie znalazła praktycznie nic ciekawego. Drewno, ziemia, podnajem nieruchomości, sprzęt rolniczy i tanie motele były równie nudne, jak Sidney, zwłaszcza w porównaniu z blichtrem kasyna. Szczęśliwy Jack był wprost dla niej stworzony i wkrótce zarekwirowała gabinet nad salą gier. Bobby Carl kręcił się tam późnymi wieczorami, trzymając w ręce dżin z tonikiem, wpatrując się w niezliczone monitory i licząc swoje pieniądze. Stella objęła stanowisko dyrektora do spraw operacyjnych i zaczęła planować rozbudowę sali jadalnej i być może budowę krytego basenu. Miała mnóstwo pomysłów i Bobby Carl był zadowolony, że ma bezproblemową towarzyszkę do łóżka, która z równą pasją podchodzi do interesów.

Kasyno

W Karraway do Sidneya wkrótce dotarły plotki, że jego ukochana Stella związała się z tym łajdakiem Leachem i to go jeszcze bardziej przygnębiło. Czuł się chory. Myślał o morderstwie, potem o samobójstwie. Marzył o zaimponowaniu Stelli i jej odzyskaniu. Kiedy dowiedział się, że prowadzi kasyno, przestał tam bywać. Ale nie przestał grać. Zamiast tego rozszerzył działalność i spędzał długie weekendy w kasynach w Tunica County nad Missisipi. Wygrał czternaście tysięcy dolarów w czasie maratońskiej sesji w kasynie Choctawów w Neshoba County, a także został wyproszony z Grand Casino w Biloxi po tym, jak wyczyścił dwa stoły na sumę trzydziestu ośmiu tysięcy dolarów. Wziął tydzień urlopu i pojechał do Vegas, gdzie co cztery godziny grał w innym kasynie i wyjechał z miasta z ponad sześćdziesięcioma tysiącami dolarów wygranej. Rzucił pracę i spędził dwa tygodnie na Bahamach, zgarniając stosy studolarowych żetonów w każdym kasynie we Freeport i Nassau. Kupił samochód turystyczny i podróżował po kraju, wyszukując rezerwaty z kasynami. W kilkunastu, które znalazł, wszyscy byli szczęśliwi, kiedy wyjeżdżał. Potem spędził miesiąc w Vegas, gdzie pobierał nauki przy prywatnym stole największego nauczyciela na świecie, człowieka, który napisał *Jak rozbić bank w kasynie*. Indywidualne szkolenie kosztowało Sidneya pięćdziesiąt tysięcy dolarów, ale było warte każdego centa. Instruktor przekonał go, że ma talent, wewnętrzną dyscyplinę i silne nerwy, cechy niezbędne, by zawodowo grać w blackjacka. Takie pochwały były rzadkością.

✢

Po czterech miesiącach Szczęśliwy Jack zadomowił się na miejscowej scenie. Wszelki opór przeciwko niemu osłabł – kasyno najwyraźniej nie miało zamiaru zniknąć. Stało się popularnym miejscem spotkań klubów obywatelskich, zjazdów klasowych, wieczorów kawalerskich; nawet odbyło się w nim kilka ślubów. Wódz Larry zaczął planować budowę siedziby głównej Yazoo i patrzył z zachwytem, jak jego plemię się rozrasta. Ludzie niegdyś niechętnie przyjmujący sugestie, jakoby mieli indiańskich przodków, teraz z dumą przyznawali, że w ich żyłach płynie krew Yazoo. Większość chciała dostać pracę i kiedy Wódz zaproponował, by mieli udział w zyskach pod postacią comiesięcznych zasiłków, plemię rozrosło się do ponad stu członków.

Bobby Carl oczywiście zgarniał swoją część wpływów, ale jeszcze nie stał się chciwy. Wręcz przeciwnie – po namowach Stelli pożyczył więcej pieniędzy, aby sfinansować budowę pola golfowego i centrum konferencyjnego. Bank był mile zaskoczony ciągłym napływem gotówki i szybko zwiększył kredyt. Sześć miesięcy po otwarciu Szczęśliwy Jack miał dwa miliony dolarów długu i nikogo to nie niepokoiło.

W ciągu dwudziestu sześciu lat spędzonych z Sidneyem Stella nigdy nie wyjeżdżała z kraju i widziała tylko niewielką część Stanów Zjednoczonych. Pomysł jej męża na wakacje sprowadzał się do wynajętego tanio domku plażowego na Florydzie, nigdy na dłużej niż pięć dni. Jej nowy facet za to uwielbiał łodzie i rejsy i dlatego wpadła na pomysł walentynkowego rejsu na Karaiby dla dziesięciu szczęśliwych par. Rozreklamowała konkurs, ustawiła losowanie tak, żeby wygrało kilkoro jej nowych przyjaciół i paru Bobby'ego Carla, a następnie ogłosiła wyniki w kolejnym wielkim ogłoszeniu w miejscowych gazetach. No i pojechali. Bobby Carl ze Stellą, grupka kadry kierowniczej kasyna (Wódz Larry odmówił ku ich wielkiej uldze) i dziesięć szczęśliwych par wyruszyli limuzynami z Clanton do portu lotniczego w Memphis. Stamtąd polecieli do Miami i razem z czterema tysiącami innych osób wsiedli na statek, aby odbyć kameralny rejs po wyspach.

Kiedy byli poza krajem, rozpoczęła się masakra w dniu świętego Walentego*. Sidney zjawił się w Szczęśliwym Jacku w walentynkową noc – Stella obiecała w reklamach najprzeróżniejsze romantyczne podarki i w kasynie panował tłok. Sidney był Sidneyem, ale wyglądał zupełnie inaczej niż podczas poprzedniej wizyty w kasynie. Ufarbowane na ciemno włosy zwisały w długich strąkach na uszy. Nie golił się od miesiąca i potraktował brodę tą samą tanią farbą, której użył na włosach. Na nosie miał przyciemnione, wielkie okrągłe okulary w szylkretowej oprawce, przez które trudno było dostrzec jego oczy. Włożył skórzaną kurtkę motocyklową i dżinsy, na sześć palców włożył pierścienie z różnych metali i z rozmaitymi kamieniami. Na głowie miał zadziwiający czarny beret przekrzywiony na lewo. Z myślą o siedzących przy monitorach na górze chłopakach z ochrony ozdobił grzbiety obu dłoni obscenicznymi zmywalnymi tatuażami.

Nikt nigdy nie widział takiego Sidneya.

Spośród dwudziestu stołów do blackjacka tylko trzy były przeznaczone dla grających wysoko. Stawka minimalna wynosiła tu sto dolarów i stoły te zazwyczaj nie były oblegane. Sidney usiadł przy jednym z nich, cisnął plik pieniędzy i oznajmił: „Pięć tysięcy w studolarowych żetonach". Krupier uśmiechnął się, wziął pieniądze i rozłożył je na stole. Szef sali w skupieniu zaglądał mu przez ramię. Wokół wymieniano spojrzenia i kiwano

---

* Autor odwołuje się do stanowiącego element amerykańskiego „miejskiego folkloru" słynnego zabójstwa siedmiu ważnych członków gangu Bugsa Morana, jedynego pozostałego przy życiu rywala Ala Capone, dokonanego 14 lutego 1929 roku w garażu SMC Cartage Company w Chicago (przyp. tłum.).

głowami, a oczy obserwujące salę z piętra się ożywiły. Przy stole było jeszcze dwóch innych graczy i właściwie nie zwrócili na Sidneya uwagi. Obaj pili i zostało im tylko kilka żetonów.

Sidney grał jak amator i w dwadzieścia minut przegrał dwa tysiące dolarów. Szef sali rozluźnił się, nie było powodu do obaw.

– Ma pan kartę klubową? – spytał Sidneya.

– Nie – padła sucha odpowiedź. – I nie proponujcie mi jej.

Dwaj pozostali gracze odeszli od stołu i Sidney zaczął realizować swój plan. Grając na trzech miejscach i obstawiając po pięćset dolarów na każdym, szybko odzyskał dwa tysiące i dołożył do sterty żetonów kolejne cztery i pół tysiąca. Szef sali trochę się przechadzał i starał się nie gapić. Kiedy krupier tasował karty, kelnerka przyniosła wódkę z sokiem pomarańczowym, drinka, w którym Sidney maczał usta, ale prawie go nie pił. Grając na czterech miejscach po tysiąc dolarów na każdym, po następnych piętnastu minutach wyszedł na czysto, a potem wygrał po kolei sześć rozdań, zgarniając ogółem dwadzieścia cztery tysiące. Studolarowych żetonów było za dużo, by je szybko przesuwać, powiedział więc: „Przejdźmy na te fioletowe". Stół miał tylko dwadzieścia tysiącdolarowych żetonów. Krupier był zmuszony ogłosić przerwę, a jego szef posłał po więcej pieniędzy.

– Może zje pan kolację? – zapytał dość nerwowo.

– Nie jestem głodny – odparł Sidney. – Ale skoczę do toalety.

Po wznowieniu gry Sidney, wciąż siedzący samotnie przy stole i przyciągający uwagę kilku gapiów, grał na czterech miejscach po dwa tysiące na każdym. Przez piętnaście minut wychodził na swoje, a potem zerknął na szefa sali i nagle zapytał:

– Mógłbym zmienić krupiera?

– Oczywiście.

– Wolałbym kobietę.

– Żaden problem.

Młoda Latynoska podeszła do stołu i bąknęła cicho: „Powodzenia". Sidney nie odpowiedział. Grał po tysiąc dolarów na czterech miejscach, przegrał trzy rozdania z rzędu, podniósł stawki do trzech tysięcy i wygrał następne cztery rozdania.

Kasyno przegrało ponad sześćdziesiąt tysięcy dolarów. Jak do tej pory rekordową wygraną w blackjacka w Szczęśliwym Jacku było sto dziesięć tysięcy dolarów w jedną noc. Dokonał tego lekarz z Memphis, po to tylko, by przegrać wszystko i o wiele więcej następnej nocy. „Niech wygrywają", lubił powtarzać Bobby Carl. „I tak wszystko odzyskamy".

– Chciałbym lody – rzucił Sidney mniej więcej w kierunku szefa sali, który natychmiast strzelił palcami.

– Jaki smak?

– Pistacjowe.

Wkrótce pojawił się plastikowy pucharek z łyżeczką i Sidney dał kelnerce w napiwku swój ostatni studolarowy żeton. Wziął trochę lodów do ust i postawił po pięć tysięcy na czterech miejscach. Gra o dwadzieścia tysięcy dolarów w jednym rozdaniu była rzadkością i wiadomość szybko rozeszła się po kasynie. Za jego plecami zebrał się tłum, ale Sidney nawet tego nie zauważył. Wygrał siedem z następnych dziesięciu rozdań i był o sto dwa tysiące do przodu. Gdy krupierka tasowała kolejne talie, Sidney powoli jadł lody i tylko patrzył na karty.

Przy nowej talii różnicował stawki od dziesięciu do dwudziestu tysięcy. Kiedy wygrał kolejnych osiemdziesiąt tysięcy, szef sali podszedł i powiedział:

– Dość tego. Pan liczy karty.

– Myli się pan – odparł Sidney.

– Dajcie mu grać – powiedział ktoś za jego plecami, ale szef sali go zignorował.

Krupierka nie mieszała się do sporu.

– Liczy pan – powtórzył szef sali.

– To nie jest zabronione – odparował Sidney.

– Nie, ale my ustalamy własne zasady.

– Gadasz pan pierdoły – burknął Sidney i znowu zajął się lodami.

– Dość tego. Proszę wyjść.

– Doskonale. Chcę gotówkę.

– Wypiszemy czek.

– Nie, do diabła. Przyszedłem z gotówką i wyjdę z gotówką.

– Zechce pan pójść ze mną?

– Dokąd?

– Załatwmy to u kasjera.

– Świetnie. Ale żądam gotówki.

Tłum obserwował, jak wychodzili. W gabinecie kasjera Sidney okazał fałszywe prawo jazdy, według którego był Jackiem Browningiem z Dothan w stanie Alabama. Kasjer i szef sali wypełnili stosowny formularz dla skarbówki i po zaciekłej dyskusji Sidney wyszedł z kasyna z płóciennym workiem bankowym wypełnionym stoma osiemdziesięcioma czterema tysiącami dolarów w studolarowych banknotach.

Wrócił następnego wieczoru w ciemnym garniturze i białej koszuli z krawatem. Wyglądał zupełnie inaczej. Broda, długie włosy, pierścienie, tatuaże, beret i durnowate okulary zniknęły. Głowę miał gładko ogoloną, nosił cienkie, szare wąsiki i okulary do czytania w drucianej oprawie. Wybrał inny stół z innym krupierem. Szef sali z ubiegłej nocy miał dziś wolne. Sidney położył pieniądze na stole i poprosił o dwadzieścia cztery żetony tysiącdolarowe. Grał dwadzieścia minut, wygrał dwanaście rozdań z piętnastu i poprosił o prywatny stół. Szef sali zaprowadził go do małego pokoju niedaleko stołów do pokera. Ochroniarze tkwili na posterunkach piętro wyżej i obserwowali każdy ruch.

– Poproszę żetony za dziesięć tysięcy – oznajmił Sidney. – I krupiera mężczyznę.

Żaden problem.

– Coś do picia?

– Sprite'a i trochę precli.

Wyciągnął więcej pieniędzy z kieszeni i po wymianie przeliczył żetony. Było ich dwadzieścia. Grał jednocześnie na trzech miejscach i po kwadransie miał trzydzieści dwa żetony. Podszedł jeszcze jeden szef sali oraz kierownik dyżurny, stanęli za krupierem i przyglądali się ponuro.

Sidney przeżuwał precle, jakby grał na automacie za dwa dolary. Stawiał jednak po dziesięć tysięcy na każdym miejscu. Potem po dwadzieścia tysięcy, by następnie wrócić do dziesięciu. Kiedy talia się kończyła, nagle obstawił wszystkich sześć miejsc po pięćdziesiąt tysięcy. Krupier odkrył piątkę, swoją najgorszą kartę. Sidney spokojnie podzielił dwie siódemki i podwoił stawkę na mocnej dziesiątce. Krupier odsłonił królową, a następnie bardzo powoli wyciągnął następną kartę. To była dziewiątka, razem dwadzieścia cztery punkty. Fura. Rozdanie przyniosło Sidneyowi równo czterysta tysięcy i szef sali był gotów zemdleć.

– Może powinniśmy zrobić przerwę – zaproponował kierownik.

– Hm, najpierw skończmy talię, potem zrobimy przerwę – odparł Sidney.

– Nie – stwierdził kierownik.

– Chyba chcecie się odkuć, co?

Krupier zawahał się i rzucił kierownikowi rozpaczliwe spojrzenie. Gdzie podziewa się Bobby Carl, kiedy jest potrzebny?

– Rozdawaj – powiedział Sidney z uśmiechem. – To tylko pieniądze. Do diabła, nigdy nie wyszedłem z kasyna z forsą w kieszeni.

– Można wiedzieć, jak się pan nazywa?

– Jasne. Sidney Lewis. – Wyjął portfel i rzucił na stół prawdziwe prawo jazdy. Nie dbał o to, że poznają jego prawdziwe nazwisko. Nie miał zamiaru wrócić. Kierownik i szefowie sali uważnie oglądali dokument, byle tylko zyskać na czasie.

– Był już pan u nas? – spytał kierownik.

– Kilka miesięcy temu. Zaczniemy w końcu grać? Co to za kasyno? Proszę rozdać karty.

Kierownik niechętnie oddał prawo jazdy, a Sidney zostawił je na stole obok piętrzącej się sporej góry żetonów. Kierownik wolno kiwnął głową krupierowi. Sidney miał po jednym żetonie za dziesięć tysięcy na każdym miejscu i szybko dodał do każdego cztery następne. Nagle w grze było trzysta tysięcy dolarów. Jeśli wygra na połowie miejsc, będzie grał dalej. Jeśli przegra, skończy i wyjdzie z zarobionymi w dwie noce sześciuset tysiącami, przyjemną sumką, która w ogromnym stopniu zaspokoi żądzę odwetu na Bobbym Carlu Leachu.

Karty wolno padały na stół i krupier odsłonił swoją szóstkę. Sidney podzielił dwa walety – odważne posunięcie, przed którym przestrzegała większość ekspertów – i zrezygnował z dalszych rozdań. Krupier odsłonił drugą kartę; dziewiątka. Sidney nie zmienił wyrazu twarzy, ale kierownik i obaj szefowie sali pobledli. Przy piętnastu punktach krupier miał obowiązek dobrać i zrobił to z wielkimi oporami. Wyciągnął siódemkę. Dwadzieścia dwa punkty. Fura.

Kierownik skoczył do przodu i powiedział.

– Widziałem. Pan liczy karty. – Wytarł z czoła krople potu.

– Chyba pan żartuje – odparł Sidney. – Co za spelunę tu prowadzicie?

– Koniec, kolego – oznajmił kierownik i spojrzał na dwóch krzepkich ochroniarzy, którzy nagle zmaterializowali się za Sidneyem. Ten spokojnie włożył precla do ust i zaczął go głośno gryźć. Uśmiechnął się do kierownika oraz szefów sali i postanowił zakończyć na tym noc.

– Chcę gotówkę – rzekł.

– Może być z tym kłopot – stwierdził kierownik.

Odeskortowali Sidneya na piętro, do gabinetu kierownika, gdzie za zamkniętymi drzwiami zebrało się całe towarzystwo. Nikt nie usiadł.

– Żądam gotówki – oświadczył Sidney.

– Damy panu czek – zaproponował kierownik.

– Nie macie gotówki, prawda? – powiedział drwiąco Sidney. – To marne kasyno nie ma dość gotówki, żeby wypłacić wygraną.

– Mamy pieniądze – zaprotestował bez przekonania kierownik. – I z przyjemnością wystawimy czek.

Sidney spojrzał gniewnie na niego, na dwóch szefów sali i dwóch ochroniarzy, a następnie rzekł.

– Czek okaże się bez pokrycia, prawda?

– Nie, skądże, ale proszę wstrzymać się z realizacją przez siedemdziesiąt dwie godziny.

– Wystawiony na jaki bank?

– Kupiecki w Clanton.

O dziewiątej rano następnego dnia Sidney i jego adwokat weszli do Banku Kupieckiego na placu w Clanton i zażądali spotkania z prezesem. Kiedy znaleźli się w jego gabinecie, Sidney wyjął czek z kasyna Szczęśliwy Jack na sumę dziewięćset czterdzieści pięć tysięcy dolarów z datą późniejszą o trzy dni. Prezes dokładnie go obejrzał, otarł twarz i oświadczył łamiącym się głosem:

– Bardzo mi przykro, ale nie możemy honorować tego czeku.

– A za trzy dni? – zapytał adwokat.

– Poważnie wątpię.

– Rozmawiał pan z kasynem?

– Tak, kilka razy.

Godzinę później Sidney i jego adwokat weszli do kancelarii sądu Ford County i złożyli wniosek o wystawienie tymczasowego nakazu sądowego niezwłocznego zamknięcia Szczęśliwego Jacka i spłaty długu. Sędzia Willis Bradhaw wyznaczył nadzwyczajną rozprawę sądową na dziewiątą następnego ranka.

❦

Bobby Carl pospiesznie zszedł ze statku w Portoryko i pognał na samolot do Memphis. Późnym wieczorem dotarł do Ford County wypożyczonym u Hertza małym samochodem i pojechał prosto do kasyna, gdzie zastał zaledwie kilku graczy i jeszcze mniej pracowników, którzy wiedzieli cokolwiek o tym, co zdarzyło się poprzedniej nocy. Kierownik zwolnił się i przepadł bez śladu. Jeden z szefów sali, którzy mieli do czynienia z Sidneyem, też podobno uciekł z hrabstwa. Bobby Carl zagroził, że zwolni wszystkich poza Wodzem Larrym, przerażonym panującym chaosem. O północy Bobby Carl spotkał się z prezesem banku oraz zespołem prawników i jego niepokój urósł niewyobrażalnie.

Stella została na statku wycieczkowym, ale nie była w stanie się dobrze bawić. Wcześniej, kiedy pośród ogólnego chaosu Bobby Carl wrzeszczał do telefonów i ciskał przedmiotami, usłyszała, jak krzyczy: „Stanley Lewis! Kim u diabła jest Stanley Lewis?"

Nic nie powiedziała, w każdym razie nic o znanym jej Stanleyu Lewisie, i nie mogła uwierzyć, że jej były mąż zdołał rozbić bank w kasynie. Mimo wszystko czuła się bardzo nieswojo i kiedy statek zacumował w George Town na Wielkim Kajmanie, wzięła taksówkę na lotnisko i poleciała do domu.

❦

Sędzia Bradshaw powitał tłum w sali sądowej. Podziękował za przybycie i zaprosił na przyszłe rozprawy. A potem zapytał adwokatów, czy są gotowi do procedowania.

Bobby Carl, wymizerowany, nieogolony, z zaczerwienionymi oczami, siedział przy jednym stole ze swoimi trzema adwokatami oraz Wodzem Larrym, który nigdy dotąd nawet się nie zbliżył do sali sądowej i był tak zdenerwowany, że po prostu zamknął oczy i wyglądał, jakby medytował. Bobby Carl sal sądowych widział w życiu wiele, był jednak równie zestresowany. Wszystko, co posiadał, zastawił pod pożyczkę bankową i teraz przyszłość kasyna, podobnie jak wszystkich innych aktywów, była poważnie zagrożona.

Jeden z jego adwokatów wstał szybko i oświadczył:

– Tak, wysoki sądzie, jesteśmy gotowi, ale wnieśliśmy wniosek o oddalenie pozwu z powodu braku jurysdykcji. Ta sprawa podlega sądowi federalnemu, a nie stanowemu.

– Czytałem państwa wniosek – odparł sędzia Bradshaw i było oczywiste, że nie spodobało mu się, co wyczytał. – Utrzymuję jurysdykcję.

– W takim razie jeszcze dziś rano wniesiemy sprawę do sądu federalnego.

– Nie mogę panom zabronić wnoszenia czegokolwiek.

Większość swojej kariery zawodowej sędzia Bradshaw poświęcił na rozpatrywanie nieprzyjemnych sporów pomiędzy zwaśnionymi parami i przez te wszystkie lata nabrał głębokiej niechęci do przyczyn rozwodów. Alkohol, narkotyki, cudzołóstwo, hazard – jego styczność z poważnymi występkami nie miała końca. Uczył w szkółce niedzielnej przy kościele metodystów i miał zdecydowane poglądy na to, co jest dobre, a co złe. Hazard uważał za rzecz ohydną i był uszczęśliwiony, że może zadać mu cios.

Adwokat Sidneya dowodził głośno i zdecydowanie, że kasyno było niedokapitalizowane i utrzymywało niewystarczające rezerwy gotówki, co stanowiło nieustanne zagrożenie dla innych graczy. Zapowiedział, że o piątej tego popołudnia wniesie formalny pozew, jeżeli kasyno nie ureguluje długu wobec jego klienta. Do tego czasu kasyno powinno być zamknięte.

Sędziemu Bradshawowi pomysł wyraźnie się spodobał.

Podobnie zebranym w sali. Wśród widzów było sporo kaznodziejów i ich zwolenników, co do jednego porządnych, zarejestrowanych wyborców, którzy zawsze wspierali sędziego Bradshawa, a teraz szczęśliwi i radośni upajali się możliwością zamknięcia kasyna. To był cud, o który się modlili. I chociaż w duchu potępiali Sidneya Lewisa za jego grzeszne uczynki, nie mogli go nie podziwiać – miejscowego chłopaka – za to, że doprowadził kasyno do bankructwa. Dalej, Sidney!

W toku rozprawy okazało się, że Szczęśliwy Jack dysponował około czterystu tysiącami dolarów gotówką, a poza tym miał fundusz rezerwowy w wysokości pięciuset tysięcy dolarów zabezpieczony skryptem dłużnym. Wezwany na świadka Bobby Carl przyznał także, że przez pierwszych siedem miesięcy dochód kasyna wynosił przeciętnie około osiemdziesięciu tysięcy dolarów miesięcznie i systematycznie rósł.

Po męczącej pięciogodzinnej rozprawie sędzia Bradshaw orzekł, że kasyno ma niezwłocznie zapłacić całą sumę dziewięciuset czterdziestu pięciu tysięcy dolarów, i zamknął je do czasu uregulowania długu. Polecił również szeryfowi, aby zablokował wjazd z szosy stanowej do kasyna i aresztował każdego gracza, który usiłowałby wejść do środka. Adwokaci występujący w imieniu Szczęśliwego Jacka pognali do sądu federalnego w Oksfordzie i złożyli wniosek o ponowne rozpatrzenie powództwa. Rozprawa miała być wyznaczona za kilka dni. Zgodnie z obietnicą Sidney złożył powództwa w sądzie zarówno stanowym, jak i federalnym.

Przez kilka następnych dni kolejne powództwa wędrowały tam i z powrotem. Sidney wytoczył sprawę firmie ubezpieczeniowej, która wystawiła list zastawny, a potem bankowi. Bank, nagle zaniepokojony o dwa miliony, które pożyczył Szczęśliwemu Jackowi, stracił entuzjazm do niedawno jeszcze niezwykle atrakcyjnego biznesu. Wezwał do natychmiastowego spłacenia pożyczki i wytoczył sprawę narodowi Yazoo, Wodzowi Larry'emu i Bobby'emu Carlowi Leachowi. Ci wystąpili z kontrpozwem, oskarżając bank o wszelkiego rodzaju nieuczciwe praktyki. Lawina sporów sądowych zelektryzowała miejscowych prawników, z których większość zaciekle walczyła o to, żeby coś z tego uszczknąć dla siebie.

Kiedy Bobby Carl dowiedział się, że mąż, z którym niedawno rozwiodła się Stella, jest tym właśnie Sidneyem,
oskarżył ją, że była z nim w zmowie, i wyrzucił z pracy. Podała go do sądu. Mijały dni, Szczęśliwy Jack pozostawał zamknięty. Dwa tuziny nieopłacanych pracowników wystąpiło
z powództwami. Federalne organy nadzorcze wystosowały
wezwania. Sędzia federalny nie chciał uczestniczyć w tym
bałaganie i odrzucił wnioski kasyna o ponowne rozpatrzenie
powództwa.

Po miesiącu gorączkowych manewrów prawnych do głosu doszła rzeczywistość. Przyszłość kasyna wyglądała fatalnie.
Bobby Carl przekonał Wodza Larry'ego, że nie mają wyboru
i muszą wystąpić o ogłoszenie upadłości. Dwa dni później
Bobby Carl niechętnie zrobił to samo. Po dwudziestu latach
machlojek i balansowania na granicy prawa w końcu stał się
bankrutem.

Sidney był w Las Vegas, kiedy zadzwonił jego adwokat.
Miał wspaniałą wiadomość. Firma ubezpieczeniowa postanowiła zaspokoić roszczenia Sidneya w pełnej wysokości listu
zastawnego – pięciuset tysięcy dolarów. Co więcej, zamrożone
konta Szczęśliwego Jacka miały zostać odblokowane tylko na
tyle, żeby umożliwić wystawienie mu kolejnego czeku na cze-
rysta tysięcy dolarów. Sidney natychmiast wskoczył do swojego
samochodu i w trakcie triumfalnej podróży powrotnej do Ford
County oskubał trzy indiańskie kasyna.

❧

Ulubionymi podpalaczami Bobby'ego Carla była para mał-
żeńska z Arkansas. Kontakt został nawiązany, pieniądze prze-
szły z rąk do rąk. Przekazany został zestaw planów budynku

i komplet kluczy. Nocna ochrona kasyna została zwolniona. Odcięto dopływ wody. Budynek nie miał systemu zraszaczy, ponieważ prawo budowlane tego nie wymagało.

O trzeciej w nocy, kiedy na miejsce przybyła Ochotnicza Straż Pożarna ze Springdale, Szczęśliwy Jack płonął jak pochodnia. Jego metalowe konstrukcje się topiły. Inspektorzy później podejrzewali podpalenie, ale nie znaleźli śladów benzyny ani innych środków zapalających. Za przyczynę pożaru uznali wyciek i wybuch gazu ziemnego. W czasie późniejszej rozprawy sądowej śledczy firmy ubezpieczeniowej przedstawili dokumenty, z których wynikało, że zbiorniki gazu ziemnego w kasynie zostały z nieznanych przyczyn napełnione tydzień przed pożarem.

Wódz Larry wrócił do sklepu i wpadł w głęboką depresję. Po raz kolejny plemię zniszczyła chciwość białego człowieka. Jego naród poszedł w rozsypkę i nigdy się nie odrodzi.

Sidney jakiś czas kręcił się po Karraway, ale zmęczyło go wielkie zainteresowanie oraz plotki. Odkąd rzucił pracę i rozbił bank kasyna, ludzie oczywiście uważali go za zawodowego gracza, prawdziwie rzadki okaz na prowincji Missisipi. I chociaż Sidney nie pasował zupełnie do obrazu łajdaka hazardzisty, jego nowy styl życia był tematem, któremu nie sposób było się oprzeć. Wszyscy wiedzieli, że jest jedynym człowiekiem w mieście, który ma milion dolarów, i to powodowało ogromne problemy. Objawili się starzy przyjaciele. Samotne kobiety w każdym wieku kombinowały, żeby się z nim spotkać. Wszystkie instytucje dobroczynne pisały listy i błagały o pieniądze. Córka w Teksasie bardziej zaangażowała się w jego życie i bardzo szybko przeprosiła, że w czasie sprawy rozwodowej stanęła po stronie matki. Kiedy wystawił przed domem tabliczkę „Na sprzedaż", Karraway prawie nie mówiło o niczym innym. Najdłużej powtarzano plotkę, że przeprowadza się do Las Vegas.

Sidney czekał.

Godzinami grał w pokera online, a kiedy się znudził, jeździł swoim samochodem turystycznym do kasyn w Tunica albo na wybrzeżu Zatoki Meksykańskiej. Wygrywał więcej, niż tracił, ale uważał, by nie zwracać na siebie zbytniej uwagi. Dwa kasyna w Biloxi wiele miesięcy wcześniej zakazały mu wstępu. Za każdym razem wracał do Karraway, chociaż tak naprawdę chciał stąd na zawsze wyjechać.

Czekał.

Pierwszy ruch wykonała jego córka. Pewnej nocy zadzwoniła, gadała całą godzinę i pod koniec niezbornej rozmowy wyrwało jej się, że Stella jest samotna, smutna i naprawdę tęskni za życiem z Sidneyem. Według córki Stellę dręczyły wyrzuty sumienia i strasznie zależało jej na tym, żeby pogodzić się z jedynym człowiekiem, którego zawsze będzie kochała. Kiedy Sidney słuchał paplaniny córki, uświadomił sobie, że bardziej potrzebuje Stelli, niż jej nie lubi. Mimo to nic nie obiecywał.

Następny telefon był bardziej konkretny. Córka podjęła próbę zorganizowania spotkania rodziców – miało to być coś w rodzaju pierwszego kroku na drodze do unormowania stosunków. Gotowa była wrócić do Karraway i w razie potrzeby wystąpić w roli mediatora. Pragnęła jedynie, aby rodzice znowu byli razem. Dziwne, pomyślał Sidney, że nie wyrażała takich życzeń, zanim rozbiłem bank w kasynie.

Po mniej więcej tygodniu zmagań z sobą pewnego wieczoru Stella przyszła na herbatę. W czasie długiego, pełnego emocji spotkania wyznała swoje grzechy i błagała o wybaczenie. Następnego wieczoru wróciła na kolejną rozmowę. Za trzecim razem poszli do łóżka i Sidney znów był zakochany.

Kasyno

Nic nie mówiąc o małżeństwie, zapakowali rzeczy do samochodu i wyjechali na Florydę. Niedaleko Ocala Seminole otworzyli wspaniałe nowe kasyno i Sidney miał wielką ochotę je zaatakować. Czuł się szczęściarzem.

Cały ten Raymond

*P*an McBride miał swój zakład tapicerski w starej lodowni przy Lee Street, parę przecznic od placu w centrum Clanton. Do przewożenia kanap i foteli w tę i z powrotem używał białej furgonetki Forda z napisem „Tapicer McBride" namalowanym grubymi czarnymi literami nad numerem telefonu i adresem. Furgonetka, zawsze czysta i nigdzie się niespiesząca, była stałym elementem krajobrazu w Clanton, a pan McBride był dobrze znany, bo był jedynym tapicerem w mieście. Rzadko pożyczał swój samochód komukolwiek, choć proszono go o to częściej, niżby mu się to podobało. Zwykle odpowiadał grzecznie: „Nie, mam parę dostaw".

Leonowi Graneyowi powiedział jednak „tak", i to z dwóch powodów. Po pierwsze, okoliczności towarzyszące tej prośbie były dość niezwykłe, a po drugie, szef Leona w fabryce lamp był dalekim kuzynem pana McBride'a. Układy w małym miasteczku są jakie są, tak więc o czwartej po południu pewnej upalnej środy pod koniec lipca Leon Graney przyjechał zgodnie z umową pod zakład tapicerski.

Większość Ford County słuchała radia i wszyscy dobrze wiedzieli, że u Graneyów sprawy nie mają się za dobrze.

Pan McBride podszedł z Leonem do furgonetki i wręczył mu kluczyki, mówiąc:

– Uważaj na nią.

Leon wziął kluczyki.

– Jestem bardzo zobowiązany.

– Zatankowałem do pełna. Powinno ci wystarczyć na jazdę w tę i z powrotem.

– Ile jestem winien?

Pan McBride pokręcił głową i splunął w żwir koło samochodu.

– Nic. Ja stawiam. Wystarczy, jak odprowadzisz ją z pełnym bakiem.

– Wolałbym coś zapłacić – zaprotestował Leon.

– Nie.

– No to dziękuję.

– Potrzebuję jej na jutro do południa.

– Będzie na czas. Mogę zostawić swój wóz? – Leon wskazał głową starego japońskiego pikapa wciśniętego między dwa
samochody po drugiej stronie parkingu.

– Nie ma sprawy.

Leon otworzył drzwi i wsiadł do furgonetki. Włączył silnik,
ustawił siedzenie i lusterka. Pan McBride podszedł do drzwi
kierowcy, zapalił papierosa bez filtra i patrzył na Leona.

– Wiesz, niektórym to się nie podoba – stwierdził.

– Dziękuję, ale większość ma to gdzieś – odparł Leon. Nie
miał głowy ani nastroju do gadania.

– Ja tam myślę, że to nie w porządku.

– Dziękuję. Wrócę przed południem – powiedział Leon cicho, wycofał i zniknął w głębi ulicy. Usiadł wygodnie, sprawdził hamulce i dodał trochę gazu, żeby sprawdzić moc. Dwadzieścia minut później był daleko od Clanton, głęboko wśród
wzgórz na północy hrabstwa. Za Pleasant Ridge droga prze-
chodziła w szutrówkę, domy były mniejsze i bardziej rozpro-

szone. Leon skręcił w krótki podjazd, który kończył się przy pudełkowatym domu z chwastami przy drzwiach i dachem ze smołowanych gontów domagających się wymiany. To był dom Graneyów, miejsce, gdzie wychował się razem ze swoimi braćmi, jedyny stały punkt w ich smutnym i chaotycznym życiu. Do bocznych drzwi prowadziła sklecona byle jak pochylnia ze sklejki, żeby jego matka, Inez Graney, mogła wjeżdżać i wyjeżdżać w swoim wózku inwalidzkim.

Zanim Leon wyłączył silnik, otworzyły się boczne drzwi i Inez wjechała na pochylnię. Za nią pojawiła się zwalista postać jej średniego syna Butcha, który ciągle mieszkał z matką, bo nigdy nie mieszkał nigdzie indziej, przynajmniej nie na wolności. Szesnaście ze swoich czterdziestu sześciu lat spędził za kratkami i wyglądał jak na przestępcę przystało – długi kucyk, kołki w uszach, długi gęsty zarost, potężne bicepsy i kolekcja tandetnych tatuaży wydzierganych przez więziennego artystę za papierosa. Pomimo swojej przeszłości Butch pchał wózek z matką bardzo delikatnie i troskliwie, przemawiając do niej łagodnie, kiedy zjeżdżali po pochylni.

Leon patrzył i czekał, a potem obszedł furgonetkę i otworzył podwójne drzwi. Razem z Butchem delikatnie podnieśli matkę i posadzili ją w środku. Butch przesunął ją do przodu, do konsoli rozdzielającej dwa fotele przyśrubowane do podłogi. Leon przymocował wózek inwalidzki taśmą do pakowania, którą zostawił ktoś od McBride'a, a kiedy Inez była już zabezpieczona, jej chłopcy wsiedli na swoje miejsca. Podróż się rozpoczęła. Po chwili byli znów na asfalcie i ruszyli w długą noc.

Inez miała siedemdziesiąt dwa lata, troje dzieci, co najmniej czworo wnucząt i była podupadającą na zdrowiu, samotną starą kobietą, która już nawet nie pamiętała, kiedy ostatnio przytrafiło jej się coś dobrego. Chociaż uważała się za samotną od prawie trzydziestu lat, nie była – a przynajmniej nic o tym nie wiedziała – oficjalnie rozwiedziona z nędzną kreaturą, typem, który właściwie ją zgwałcił, kiedy miała siedemnaście lat, ożenił się z nią, kiedy miała osiemnaście, spłodził z nią trzech synów, a wreszcie miłosiernie zniknął z powierzchni ziemi. Kiedy czasem się modliła, nigdy nie zapomniała o żarliwej prośbie, aby Bóg trzymał Erniego jak najdalej od niej, trzymał go tam, gdzie zaprowadziło go jego pożałowania godne życie, o ile nie dobiegło kresu w jakiś bolesny sposób, o czym, prawdę mówiąc, marzyła, lecz nie ośmielała się prosić Pana. Wciąż obwiniała Erniego o wszystko – swoje słabe zdrowie, biedę, nędzne życie, osamotnienie, brak przyjaciół, a nawet pogardę własnej rodziny. Ale najcięższą winą Erniego było podłe traktowanie trzech synów. Porzucenie ich było o wiele bardziej miłosierne niż ciągłe bicie.

Zanim jeszcze wjechali na autostradę, wszyscy troje musieli zapalić.

– Myślisz, że McBride'owi będzie przeszkadzało, jak sobie zapalimy? – zapytał Butch. Palił trzy paczki dziennie i na okrągło sięgał do kieszeni.

– Ktoś i tak tu palił – zauważyła Inez. – Śmierdzi jak w wędzarni. Leon, klimatyzacja włączona?

– Tak, ale nie czuć przy otwartych oknach.

Nie przejmując się dłużej tym, co pan McBride myśli sobie o paleniu w furgonetce, wkrótce wszyscy troje wypuszczali kłęby dymu. Ciepły wiatr wpadał przez otwarte okna, a że nie miał jak wylecieć przez okna z tyłu, wracał z szumem na przód i owiewał trójkę Graneyów, którzy gapili się na drogę i palili zawzięcie, najwyraźniej nie zwracając uwagi na nic, co mijają na wąskiej drodze. Butch i Leon niedbale strzepywali popiół za okna, za to Inez delikatnie strząsała go do złożonej dłoni.

– Ile kazał ci zabulić McBride? – spytał Butch.

Leon pokręcił głową.

– Nic. Nawet napełnił bak. Powiedział, że się z tym nie zgadza. Stwierdził, że wielu to się nie podoba.

– Już mu wierzę.

– Ja też.

Kiedy papierosy zostały wypalone, Leon i Butch zamknęli okna i pomajstrowali trochę przy klimatyzacji i wywietrznikach. Dmuchnęło gorące powietrze i minęło parę minut, zanim upał zelżał. Wszyscy troje byli mokrzy od potu.

– Dobrze ci tam z tyłu? – zapytał Leon, spoglądając przez ramię i uśmiechając się do matki.

– W porządku. Dziękuję. Klimatyzacja działa?

– Tak, już robi się chłodniej.

– Nic a nic nie czuję.

– Chcesz stanąć na wodę sodową albo coś innego?

– Nie. Jedźmy.

– Strzeliłbym piwko – powiedział Butch i, jak było do przewidzenia, Leon z miejsca pokręcił głową, a Inez rzuciła stanowczo: „Nie".

– Żadnego picia – stwierdziła i zakończyła sprawę. Kiedy przed laty Ernie zostawił rodzinę, zabrał tylko strzelbę, trochę ciuchów i cały prywatny zapas alkoholu. Był agresywnym pijakiem i chłopcy do tej pory nosili blizny, na ciele i duszy. Leon, najstarszy, bardziej odczuł jego brutalność niż młodsi bracia i od małego alkohol kojarzył mu się z awanturami ojca sadysty. Nie brał kropli do ust, chociaż z czasem dorobił się własnych nałogów. Za to Butch tankował ostro od wczesnej młodości, ale nigdy go nie ciągnęło, żeby przemycać alkohol do domu matki. Raymond, najmłodszy, wziął przykład z Butcha, nie z Leona.

Aby zmienić tak nieprzyjemny temat, Leon zapytał matkę, co słychać u jej przyjaciółki z sąsiedztwa, starej panny, która od lat umierała na raka. Inez ożywiła się, jak zawsze gdy rozmowa schodziła na choroby i kuracje – zarówno sąsiadów, jak i jej samej. Klimatyzacja wreszcie zaczęła robić swoje i wilgotny upał w furgonetce zaczął odpuszczać. Kiedy Butch przestał się pocić, sięgnął do kieszeni, wyciągnął papierosa, zapalił i trochę opuścił szybę. Temperatura od razu podskoczyła. Wkrótce palili już wszyscy troje, szyby opuszczały się coraz niżej, aż powietrze znów stało się gęste od upału i dymu.

Kiedy skończyli, Inez powiedziała do Leona:

– Raymond dzwonił dwie godziny temu.

To nie była żadna niespodzianka. Raymond dzwonił teraz na okrągło na koszt odbiorcy, i to nie tylko do matki. Telefon Leona dzwonił tak często, że jego żona (trzecia) w ogóle nie podnosiła słuchawki. Wielu innych w mieście również nie chciało płacić za rozmowy.

– Co mówił? – zapytał Leon, tylko po to, żeby coś odpowiedzieć. Dokładnie wiedział, co mógł mówić Raymond, może nie dosłownie, ale na pewno w ogólnym zarysie.

– Że sprawy nie wyglądają za dobrze i pewnie będzie musiał zwolnić tych adwokatów, co miał do tej pory, żeby móc wziąć następnych. Znasz Raymonda. Mówi adwokatom, co mają robić, a oni aż wyłażą ze skóry.

Nie odwracając głowy, Butch zerknął na Leona, a Leon zerknął na Butcha. Nic nie powiedzieli – bo niby co mieli powiedzieć.

– Mówił, że jego nowi adwokaci są z firmy z Chicago, co ma tysiąc prawników. Wyobrażasz sobie? Tysiąc prawników, co pracują dla Raymonda. A on im mówi, co mają robić.

Kolejna wymiana spojrzeń na przednich siedzeniach. Inez miała zaćmę i ograniczone pole widzenia. Gdyby zobaczyła, jak popatrzyli na siebie jej dwaj starsi synowie, nie byłaby zadowolona.

– Mówił, że właśnie odkryli nowe dowody, co powinny być przedstawione na procesie, ale nie były, bo gliny i prokuratorzy je schowali, a z tymi nowymi dowodami Raymond uważa, że ma duże szanse na nowy proces tu, w Clanton. Ale nie jest pewien, czy chce procesu właśnie tu i że może lepiej przenieść go gdzie indziej. Myśli o jakimś miejscu w Delcie, bo w Delcie mają więcej czarnych ławników, a mówi, że w takich sprawach czarni są bardziej wyrozumiali. A ty co myślisz, Leon?

– Jasne, że w Delcie jest więcej czarnych – stwierdził Leon.

Butch mamrotał coś pod nosem, ale trudno powiedzieć co.

– Mówił, że nie ufa nikomu w Ford County, a już na pewno nie prawu i sędziom. Bóg świadkiem, że nigdy nam nie odpuszczali.

Leon i Butch bez słowa pokiwali głowami. Prawo w Ford County nieźle dokopało im obu. Butchowi o wiele bardziej niż Leonowi. I chociaż przyznawali się do winy, żeby dostać łagodniejszy wyrok, zawsze byli przekonani, że się ich prześladuje tylko dlatego, że są Graneyami.

– Ale nie wiem, czy dam radę wytrzymać jeszcze jeden proces. – Inez mówiła ciszej.

Leon miał na końcu języka, że szanse Raymonda na nowy proces są bardziej niż marne i że gada o tym nowym procesie już ponad dziesięć lat. Butch chciał powiedzieć mniej więcej to samo, dodać, że rzygać mu się chce od pieprzenia Raymonda o adwokatach, procesach i nowych dowodach i że chłopak już dawno powinien przestać obwiniać wszystkich naokoło i zacząć zachowywać się jak mężczyzna.

Ale żaden się nie odezwał.

– I mówił, że żaden z was nie wysłał mu jego stypendium za ostatni miesiąc. To prawda?

Przejechali pięć mil, zanim Inez spytała znowu:

– Ej, wy tam z przodu! Raymond mówił, że nie wysłaliście mu jego stypendium za czerwiec, a teraz mamy już lipiec. Zapomnieliście?

Leon zaczął pierwszy.

– Zapomnieliśmy? – wyrzucił z siebie. – Jak mieliśmy zapomnieć? Gada tylko o tym. Codziennie dostaję list, czasami dwa, nie żebym wszystkie czytał, ale w każdym jęczy o stypendium. „Dzięki za pieniądze, braciszku". „Nie zapomnij o pieniądzach, Leon, liczę na ciebie, wielki bracie". „Muszę mieć pieniądze, żeby zapłacić adwokatom, wiesz, ile te pijawki potrafią zaśpiewać". „Wciąż nie widzę stypendium za ten miesiąc, braciszku".

– Co to, do diabła, jest to całe stypendium? – wypalił z prawej strony Butch, niespodziewanie ostro.

– W *Websterze* jest, że to stała albo regularna płatność – wyjaśnił Leon.

– Znaczy forsa, no nie?

– Tak.

– To dlaczego nie może powiedzieć czegoś jak: „Wyślij mi tę cholerną forsę". Albo „Gdzie ta pieprzona kasa?" Dlaczego musi używać tych wymyślnych słów?

– Rozmawialiśmy o tym tysiące razy – stwierdziła Inez.

– No co? To ty wysłałeś mu słownik – przypomniał Butchowi Leon.

– To było z dziesięć lat temu. I błagał mnie o to.

– Ale wciąż go ma i wciąż go męczy, wyszukuje słowa, których na oczy nie widzieliśmy.

– Ciekawe, czy jego adwokaci nadążają za jego słownikiem? – myślał głośno Butch.

– Ej, wy tam, próbujecie zmienić temat – oświadczyła Inez. – Czemu w zeszłym miesiącu nie wysłaliście mu stypendium?

– Myślałem, że wysłałem – odparł Butch bez przekonania.

– Nie wierzę – powiedziała.

– Czek jest na poczcie – stwierdził Leon.

– W to też nie wierzę. Umówiliśmy się, że każde z nas będzie mu wysyłać sto dolarów co miesiąc, przez dwanaście miesięcy w roku. Chociaż tyle możemy zrobić. Wiem, jest ciężko, najbardziej mnie, bo mam tylko zasiłek. Ale wy, chłopcy, macie robotę i moglibyście przynajmniej wycisnąć po sto dolców, żeby wasz braciszek mógł kupić sobie przyzwoite żarcie i płacić adwokatom.

– Musimy to znów wałkować? – spytał Leon.

– Słyszę to codziennie – dodał Butch. – Jeśli nie od Raymonda przez telefon albo w listach, to od mamy.

– Coś ci się nie podoba? – wypaliła Inez. – Źle ci się mieszka? Siedzisz u mnie za darmo i jeszcze jęczysz?

– Daj spokój – wtrącił się Leon.

– A kto się tobą opiekuje? – bronił się Butch.

– Odpuśćcie już sobie. To się robi nudne.

Cała trójka odetchnęła głęboko, a potem zaczęła wyciągać papierosy. Po długim, spokojnym dymku rozpoczęli następną rundę. Inez zaczęła od sympatycznego:

– Ja tam nie opuściłam żadnego miesiąca. I jeśli sobie przypominacie, nigdy nie opuściłam żadnego miesiąca, kiedy obaj siedzieliście w Parchman.

Leon chrząknął i rąbnął dłonią w kierownicę:

– Mamo, to było dwadzieścia pięć lat temu – powiedział ze złością. – Po co znowu to wyciągasz? Od kiedy wyszedłem na warunkowe, nie miałem nawet mandatu za przekroczenie prędkości. – Butch, którego przestępcza biografia była o wiele barwniejsza niż Leona i który dalej był na warunkowym, nic nie powiedział.

– Nigdy nie opuściłam żadnego miesiąca – powtórzyła.

– Daj spokój.

– A czasami to było dwieście dolarów na miesiąc, bo o ile dobrze pamiętam, siedzieliście obaj jednocześnie. Chyba miałam fart, że nie miałam was wszystkich trzech za kratkami. Nie dałabym rady zapłacić za światło.

– Myślałem, że ci adwokaci pracują za darmo. – Butch próbował odwrócić uwagę od swojej osoby i skierować na cel niezwiązany bezpośrednio z rodziną.

– Bo pracują za darmo – wyjaśnił Leon. – To się nazywa praca dla dobra publicznego i podobno wszyscy adwokaci powinni trochę tak popracować. Zdaje się, że te wielkie firmy, co prowadzą takie sprawy, nie biorą za to kasy.

– No to co Raymond robi z trzystoma dolcami na miesiąc, jeśli nie buli adwokatom?

– Już o tym rozmawialiśmy – przypomniała Inez.

– Na pewno wydaje majątek na pióra, papier, koperty i znaczki – odparł Leon. – Mówi, że pisze dziesięć listów na dzień. Do diabła, buli ponad setkę miesięcznie tylko za to.

– A jeszcze napisał osiem powieści – dodał szybko Butch. – Czy dziewięć, mamo? Nie pamiętam.

– Dziewięć.

– Dziewięć powieści, parę tomów wierszy, kupę opowiadań, setki piosenek. Pomyśleć tylko, ile papieru przerabia – ciągnął Butch.

– Robisz sobie jaja z Raymonda? – zapytała Inez.

– Skąd!

– Sprzedał jedno opowiadanie – przypomniała.

– Jasne. Co to było za pismo? „Hot Rodder"? Zapłacili mu czterdzieści baksów za opowiadanie o facecie, który ukradł tysiąc kołpaków na koła. Mówią, że piszesz o tym, na czym się znasz.

– A ile ty sprzedałeś opowiadań? – spytała.

– Żadnego, bo żadnego nie napisałem, a nie napisałem, bo wiem, że nie mam talentu do pisania. Jeśli i do mojego braciszka by dotarło, że nie ma za grosz talentów artystycznych, zaoszczędziłby trochę forsy i nie męczyłby setek ludzi tymi swoimi bzdetami.

– To bardzo okrutne.

– Nie, mamo, to bardzo uczciwe. A jakbyś ty też była z nim uczciwa dawno temu, może przestałby pisać. Ale nie. Czytasz jego książki, jego wiersze, jego opowiadania i mówisz mu, że są świetne. No to pisze dalej, z dłuższymi słowami, dłuższymi zdaniami, dłuższymi akapitami, aż w końcu prawie za cholerę nie możemy zrozumieć, co pisze.

– To znaczy, że to moja wina?

– Nie do końca.

– Pisanie to jego terapia.

– Byłem tam i nie widziałem, żeby pisanie komuś pomogło.

– Mówi, że jemu pomaga.

– Te książki pisze się ręcznie czy na maszynie? – wtrącił się Leon.

– Na maszynie.

– Kto je przepisuje?

– Musi płacić jakiemuś facetowi w bibliotece prawniczej – wyjaśniła Inez. – Dolara od strony, a jedna książka miała ponad osiemset stron. Ale ją przeczytałam, każdziutkie słowo.

– I zrozumiałaś każdziutkie słowo? – zainteresował się Butch.

– Większość. Ze słownikiem. Dobry Boże, nie wiem, skąd ten chłopak bierze te wszystkie słowa.

– I Raymond wysyła te swoje książki do Nowego Jorku, żeby je tam wydali, tak? – naciskał Leon.

– Tak, a oni je odsyłają – odpowiedziała. – Chyba też nie potrafią zrozumieć jego wszystkich słów.

– A wydawałoby się, że ci w Nowym Jorku powinni rozumieć, o co mu chodzi – oznajmił Leon.

– Nikt nie rozumie, o co mu chodzi – zauważył Butch. – W tym problem z Raymondem pisarzem, Raymondem poetą, Raymondem więźniem politycznym, Raymondem tekściarzem i Raymondem prawnikiem. Nikt, kto ma równo pod sufitem, nie ma bladego pojęcia, o co chodzi Raymondowi, jak zaczyna pisać.

– Czyli – ciągnął Leon – większa część forsy Raymonda idzie na jego karierę literacką. Papier, znaczki, przepisywanie, kopiowanie, wysyłanie do Nowego Jorku i z powrotem. Tak, mamo?

– Chyba tak.

– I wątpliwe, czy jego stypendium faktycznie idzie na adwokatów.

– Bardzo wątpliwe – potwierdził Butch. – I nie zapominaj o jego karierze muzycznej. Wydaje forsę na struny do gitary i nuty. A teraz pozwalają więźniom wypożyczać taśmy. No i Raymond stał się śpiewakiem bluesowym. Słuchał B.B. Kinga i Muddy'ego Watersa i z tego, co pisze, umila w nocy czas swoim kumplom z bloku śmierci sesjami bluesa.

– A tak, wiem. Pisał mi o tym w swoich listach.

– Zawsze miał dobry głos – oznajmiła Inez.

– Ja tam nigdy nie słyszałem, jak śpiewa – stwierdził Leon.

– Ja też – dodał Butch.

Cały ten Raymond

Byli na obwodnicy Oksfordu, dwie godziny od Parchman. Furgonetka tapicera najwyraźniej najlepiej się sprawdzała przy sześćdziesiątce na godzinę, ale jak się trochę przyspieszyło, przednie koła zaczynały telepać. Nie było pośpiechu. Na zachód od Oksfordu wzgórza stawały się bardziej płaskie – Delta była już niedaleko. Inez rozpoznała po prawej mały biały wiejski kościółek obok cmentarza – wyglądał, jakby wcale się nie zmienił przez wszystkie te lata, kiedy jeździła do więzienia stanowego. Ciekawe, ile innych kobiet z Ford County zrobiło tyle wypraw. Znała odpowiedź. Leon zapoczątkował tę tradycję wiele lat temu trzydziestomiesięczną odsiadką, a wtedy przepisy pozwalały jej odwiedzać syna w każdą pierwszą niedzielę miesiąca. Czasem woził ją Butch, a czasem płaciła synowi sąsiada, ale nigdy nie opuściła żadnej wizyty i zawsze wiozła ze sobą krówki z masła orzechowego i dodatkową pastę do zębów. Sześć miesięcy po tym, jak Leon wyszedł na warunkowe, to on woził ją na odwiedziny u Butcha. A potem Butch i Raymond siedzieli jednocześnie, ale w różnych blokach, z różnymi przepisami.

Potem Raymond zabił zastępcę szeryfa i zamknęli go w bloku śmierci, gdzie obowiązywały zupełnie inne przepisy.

Nawet najbardziej nieprzyjemne czynności, jeśli je często powtarzać, stają się znośne i Inez Graney nauczyła się wyczekiwać tych wizyt. Całe hrabstwo potępiało jej synów, ale matka nigdy by ich nie opuściła. Była przy nich, kiedy się rodzili, i była przy nich, kiedy ich bito. Cierpiała podczas ich procesów i rozpraw o zwolnienia warunkowe i mówiła każdemu, kto chciał słuchać, że to dobrzy chłopcy, tylko skrzywdzeni przez człowieka, za którego wyszła. To wszystko jej wina. Gdyby wyszła za przyzwoitego człowieka, jej dzieci mogłyby mieć normalne życie.

– Myślisz, że ta kobieta tam będzie? – zapytał Leon.

– Boże, Boże – jęknęła Inez.

– Niby czemu miałaby przepuścić przedstawienie? – odparł Butch. – Na pewno będzie się gdzieś tam kręcić.

– Boże, Boże.

„Tą kobietą" była Tallulah, świruska, która pojawiła się w ich życiu kilka lat wcześniej i zdołała zmienić złą sytuację w jeszcze gorszą. Poprzez jedną z grup przeciwników kary śmierci skontaktowała się z Raymondem, który odpowiedział – jak to on – rozwlekłym listem pełnym zapewnień o niewinności, narzekaniu na złe traktowanie i tradycyjnego bzdurzenia o kwitnącej karierze literackiej i muzycznej. Wysłał jej parę wierszy, sonetów miłosnych i dostała na jego punkcie obsesji. Spotkali się w rozmównicy bloku śmierci i zakochali się w sobie przez grubą pancerną szybę. Raymond zaśpiewał parę bluesowych kawałków i Tallulah odpłynęła. Były rozmowy o małżeństwie, ale te plany trzeba było zawiesić do czasu, aż wymiar sprawiedliwości stanu Georgia wykona wyrok śmierci na aktualnym małżonku Tallulah. Po krótkiej żałobie przyjechała do Parchman na dziwaczną ceremonię nieznaną prawu żadnego stanu ani żadnej doktrynie religijnej. Tak czy siak, Raymond był zakochany i dzięki tej inspiracji jego cudowne listy osiągnęły nowe szczyty. Rodzina została uprzedzona, że Tallulah zamierza odwiedzić Ford County i poznać teściową i szwagrów. Rzeczywiście przyjechała, ale oni nie chcieli jej poznać, więc zamiast ich odwiedziła „Ford County Times" i uszczęśliwiła gazetę swoimi niezbornymi myślami, opiniami o ciężkiej doli biednego Raymonda Graneya i obietnicami, że nowe dowody oczyszczą go z zarzutu zabójstwa zastępcy szeryfa. Oświadczyła też, że oczekuje dziecka Raymonda, a jej ciąża to efekt kilku małżeńskich spotkań, jakie umożliwiano teraz skazanym na śmierć.

Tallulah była materiałem na pierwszą stronę, z fotografią i tak dalej, ale dziennikarz wykazał dość rozsądku i sprawdził wszystko w Parchman. Osadzonym nie pozwalano na wizyty małżeńskie, zwłaszcza tym z wyrokiem śmierci. I nie było żadnego oficjalnego świadectwa ślubu. Niezrażona Tallulah dalej prowadziła kampanię w imieniu Raymonda i posunęła się nawet do tego, że zawiozła kilka jego grubaśnych maszynopisów do Nowego Jorku, gdzie znów zostały odrzucone przez wydawców choć trochę znających się na rzeczy. Z czasem zniknęła z oczu, chociaż Inez, Leon i Butch żyli w przerażeniu, że gdzieś kiedyś może przyjść na świat jeszcze jeden Graney. Przepisy o małżeńskich wizytach przepisami, ale znali Raymonda. Mógł coś wykombinować.

Dwa lata później Raymond poinformował rodzinę, że on i Tallulah będą się rozwodzić, a żeby przeprowadzić rozwód jak należy, potrzebuje pięciuset dolarów. To zapoczątkowało kolejną paskudną rundę awantur i wyzwisk, a pieniądze zebrano dopiero, kiedy zagroził samobójstwem, zresztą nie po raz pierwszy. Wkrótce po wysłaniu czeków Raymond oznajmił w liście wspaniałą wiadomość, że pogodzili się z Tallulah. Nie zaproponował, że zwróci pieniądze Inez, Butchowi i Leonowi, chociaż wszyscy troje to sugerowali. Raymond odmówił – jego nowi adwokaci potrzebowali kasy, żeby wynająć biegłych i prywatnych detektywów.

Leona i Butcha wkurzało, że brat uważa, że wszystko to mu się należy, jakby oni, jego rodzina, byli mu winni pieniądze, bo jest prześladowany. Na początku jego pobytu w więzieniu i Leon, i Butch przypomnieli Raymondowi, że nie przysłał im ani centa, kiedy to oni siedzieli. Skończyło się kolejnym nieprzyjemnym epizodem z Inez w roli mediatora.

Siedziała skulona, nieruchoma w swoim wózku, z płóciеnną torbą na kolanach. Kiedy przestała myśleć o Tallulah, otworzyła torbę i wyjęła najnowszy list Raymonda. Otworzyła białą zwykłą kopertę całą zapisaną jego zawijasami i rozłożyła dwie kartki żółtego papieru.

Najdroższa Mamo,

staje się coraz bardziej ewidentnym i wymownym, że nieefektywne i niewydolne, tak, wręcz letargiczne machinacje naszego tendencyjnego i haniebnego, tak, a wręcz skorumpowanego systemu prawnego, definitywnie i nieodwołalnie sprawiły, że zwrócił on na mnie swoje obmierzłe i nikczemne spojrzenie.

Inez zrobiła wdech, a potem znów przeczytała pierwsze zdanie. Większość słów wyglądała znajomo. Po latach czytania z listem w jednej ręce i słownikiem w drugiej była zdumiona, jak bardzo wzbogaciło się jej słownictwo.

Butch obejrzał się, zobaczył list, pokręcił głową, ale nic nie powiedział.

Jednakowoż po raz kolejny zostanie unicestwione i zniweczone i pozostawione w stanie totalnego i dokumentnego upokorzenia postanowienie stanu Missisipi wytoczenia krwi z Raymonda T. Graneya. Ponieważ zaaranżowałem i zaangażowałem usługi młodego prawnika o zadziwiających predyspozycjach, niepospolitego adwokata przemyślnie wybranego przeze mnie z nieprzebranego legionu jurystów, którzy całkiem dosłownie rzucają się do moich stóp.

Kolejna przerwa, kolejne szybkie czytanie jeszcze raz. Inez ledwo nadążała.

Nic dziwnego, że adwokat o tak wyrafinowanych i perfekcyjnych, tak, wręcz osobliwych talentach i kunsztach nie może trudzić się i efektywnie orędować w mojej sprawie bez adekwatnej rekompensaty.

– Co to jest rekompensata? – spytała.
– Przeliteruj – poprosił Butch.
Przeliterowała powoli i cała trójka zastanawiała się nad słowem. Te ćwiczenia umiejętności lingwistycznych stały się tak codzienne jak rozmowy o pogodzie.
– Jak go użył? – zapytał Butch, więc przeczytała ostatnie zdanie.
– Forsa – powiedział Butch i Leon szybko się z nim zgodził. Tajemnicze słowa Raymonda często miały związek z pieniędzmi.
– Niech zgadnę. Ma nowego adwokata i znowu potrzebuje forsy, żeby mu zapłacić.
Inez zignorowała go i czytała dalej.

Z wielką więc awersją, a wręcz bojaźnią desperacko upraszam cię i suponuję, abyś sprokurowała całkiem uzasadnioną kwotę 1500 dolarów, która bezpośrednio znajdzie zastosowanie do mojej obrony i bezspornie oswobodzi mnie i uwolni i inaczej mówiąc ocali mój tyłek. No, mamuśku, wybiła godzina, aby rodzina podała sobie dłonie i metaforycznie ustawiła wozy w obronny krąg. Twoje kunktatorstwo, tak, a wręcz niesubordynacja zostaną uznane za feralne zaniedbanie.

– Co to takiego „niesubordynacja"? – spytała.
– Przeliteruj – poprosił Leon. Przeliterowała „niesubordynacja", a potem „feralne" i po niezwykle ospałej dyskusji stało się oczywiste, że żadne z nich nie ma najmniejszego pojęcia, o co chodzi.

Jedna ostatnia uwaga, zanim przejdę do bardziej na-
glącej korespondencji – Butch i Leon znowu zaniedbali
moje stypendium. Ich najnowsze perfidie dotyczą miesiąca
czerwca, a już minęła połowa lipca. Proszę, nękaj, mole-
stuj, szykanuj, pastw się i wierć dziurę w brzuchu tym
dwóm jełopom, aż będą honorowali swoje zobowiązania
wobec mojego funduszu obrony.

Jak zawsze słowa miłości przesyła twój
najdroższy i ukochany syn Raymond

Każdy list wysyłany do osadzonego w bloku śmierci czytał
ktoś w kancelarii w Parchman, każdy list wychodzący – również. Inez często współczuła biedakowi wyznaczonemu do
czytania listów Raymonda. Wciąż męczyły Inez, bo wymagały
wysiłku. Bała się, że przepuści coś ważnego.

Listy ją wyczerpywały. Teksty piosenek usypiały. Powieści wywoływały migrenę. Wiersze były nie do przebrnięcia.

Odpisywała dwa razy w tygodniu, zawsze, bo gdyby za-
niedbała swojego najmłodszego syna choćby dzień, mogła się
spodziewać potoku obelg, cztero-, a nawet pięciostronicowego
listu w ostrym tonie, ze słowami często nie do znalezienia nawet w słowniku. A nawet najmniejsze opóźnienie w wysłaniu
stypendium pociągnęłoby za sobą nieprzyjemne telefony na jej
koszt.

Z całej trójki Raymond był najlepszym uczniem, chociaż
żaden nie skończył liceum. Leon był lepszy w sporcie, Butch
w muzyce, ale mały Raymond miał głowę na karku. I udało
mu się dojść do jedenastej klasy, zanim dał się złapać z kra-
dzionym motocyklem i spędził sześćdziesiąt dni w poprawcza-
ku. Miał wtedy szesnaście lat, był pięć lat młodszy od Butcha
i dziesięć od Leona, a już wtedy chłopcy Graneyów cieszyli się

reputacją zręcznych złodziei samochodów. Raymond dołączył do rodzinnego interesu i zapomniał o szkole.

– No to ile chce tym razem? – zapytał Butch.

– Tysiąc pięćset, na nowego adwokata. Powiedział, że obaj nie wysłaliście mu stypendium za ostatni miesiąc.

– Przestań mamo – rzucił ostro Leon i przez długi czas nikt się nie odzywał.

Kiedy rozbito pierwszy gang złodziei samochodów, Leon wziął winę na siebie i odsiedział swoje w Parchman. Po zwolnieniu ożenił się po raz drugi i zdołał wyjść na prostą. Butch i Raymond nie zadali sobie trudu, żeby wyjść na prostą, a nawet rozszerzyli swoją działalność. Opylali kradzioną broń i różne fanty, handlowali marihuaną, pędzili bimber i oczywiście kradli samochody i sprzedawali je w szrotach na północy stanu. Butcha zapuszkowali, kiedy zwinął osiemnastokołowca, który miał być pełen telewizorów Sony, a tak naprawdę przewoził siatkę ogrodzeniową. Telewizory łatwo spuścić. Z siatką było trudniej. Ostatecznie szeryf zrobił nalot na melinę Butcha i znalazł cały bezużyteczny łup. Butch dostał osiemnaście miesięcy i to była jego pierwsza odsiadka w Parchman. Raymond się wywinął i kradł dalej. Pozostał wierny swojej pierwszej miłości – samochodom osobowym i pikapom – i nieźle mu się wiodło, chociaż wszystko przepuszczał na gorzałę, hazard i zadziwiającą liczbę złych kobiet.

Od samego początku złodziejskiej kariery młodych Graneyów nękał wredny zastępca szeryfa, niejaki Coy Childers. Podejrzewał ich o każde wykroczenie i przestępstwo popełnione w hrabstwie. Łaził za nimi. Obserwował ich, śledził, groził i wiele razy aresztował – zarówno za coś, jak i za nic. Spuszczał im łomot w podziemiach aresztu Ford County. Zaciekle protestowali u szeryfa, szefa Coya, ale kto słucha skarg znanych przestępców? A Graneyowie byli już dobrze znani.

Raymond z zemsty ukradł radiowóz Coya i sprzedał go na szrocie w Memphis. Zatrzymał policyjne radio i odesłał je Coyowi w anonimowej paczce. Został aresztowany i pewnie dostałby łomot, gdyby nie interwencja wyznaczonego przez sąd adwokata. Nie było żadnego dowodu, niczego, co wiązałoby go z przestępstwem, poza pewnymi uzasadnionymi podejrzeniami. Dwa tygodnie później, kiedy Raymonda zwolniono, Coy kupił żonie nowiutkiego chevroleta impalę. Raymond natychmiast ukradł go z kościelnego parkingu w czasie środowego nocnego spotkania modlitewnego i sprzedał na szrocie niedaleko Tupelo. Już wtedy Coy otwarcie mówił, że zabije Raymonda Graneya.

Nie było żadnego świadka popełnionego zabójstwa, przynajmniej żadnego, który by się zgłosił. To się stało w piątkową noc na szutrówce w pobliżu podwójnej przyczepy kempingowej, w której mieszkał Raymond ze swoją najnowszą dziewczyną. Według teorii prokuratora Coy zaparkował samochód i po cichu poszedł do przyczepy, żeby postawić Raymondowi zarzuty, może nawet go aresztować. Po wschodzie słońca znaleźli go myśliwi polujący na jelenie. Coy został trafiony dwa razy w czoło z karabinu dużego kalibru i ułożony w zagłębieniu drogi, więc wokół ciała zebrało się dużo krwi. Zdjęcia z miejsca zbrodni przyprawiły dwóch sędziów przysięgłych o wymioty.

Raymond i jego dziewczyna twierdzili, że w tym czasie siedzieli w knajpie, ale najwyraźniej byli jedynymi klientami, bo nie znaleziono żadnego świadka, który by potwierdził ich alibi. Badania balistyczne wykazały, że pociski wystrzelono z kradzionego karabinu, który został upłynniony przez jednego z dawnych wspólników Raymonda i chociaż nie było żadnego dowodu, że Raymond kiedykolwiek posiadał, ukradł czy pożyczył ten karabin, same podejrzenia wystarczyły. Prokurator przekonał ławę przysięgłych o winie Raymonda. Według niego Raymond miał motyw – nienawidził Coya i był bądź co bądź recydywistą. Miał możliwość – Coya znaleziono niedaleko przyczepy Raymonda, a nikt inny nie mieszkał w promieniu wielu mil. I miał narzędzie zbrodni, którym oskarżyciel wymachiwał w sali sądowej – karabin z wojskowym celownikiem optycznym pozwalający widzieć w ciemności, chociaż nie istniał żaden dowód na to, że celownik był zamontowany na karabinie, kiedy zastrzelono z niego Coya.

Raymond miał słabe alibi. Jego dziewczyna, też po odsiadce, była kiepskim świadkiem. Obrońca z urzędu wezwał troje ludzi, którzy mieli zeznać, że słyszeli, jak Coy przysięga, że zabije Raymonda Graneya. Cała trójka nie wytrzymała presji, siedząc na miejscu dla świadków i czując na sobie wściekłe spojrzenie szeryfa i co najmniej dziesięciu jego umundurowanych zastępców. Przede wszystkim jednak linia obrony była dość wątpliwa. Skoro Raymond wierzył, że Coy przychodzi go zabić, to czy w takim razie działał w obronie własnej? Czy Raymond przyznaje się do popełnienia zbrodni? Nie, nie przyznawał się. Upierał się, że nic nie wie i że tańczył w barze, kiedy ktoś inny załatwił Coya.

Wbrew powszechnemu żądaniu opinii publicznej domagającej się skazania Raymonda ława przysięgłych potrzebowała na to dwóch dni.

Rok później federalni zwinęli siatkę dilerów metaamfetaminy i dzięki kilkunastu pospiesznym umowom pozasądowym ustalono, że zastępca szeryfa Coy Childers był głęboko zaangażowany w działalność narkotykowego syndykatu. W Marshall County, sześćdziesiąt mil dalej, popełniono dwa łudząco podobne morderstwa. Świetlana opinia Coya mocno przygasła. Pojawiły się najrozmaitsze plotki, kto naprawdę zabił Coya, chociaż Raymond wciąż pozostawał ulubionym podejrzanym.

Stanowy Sąd Najwyższy jednogłośnie zatwierdził wyrok śmierci. Kolejne apelacje utrzymywały go w mocy i teraz, jedenaście lat później, sprawa dobiegała końca.

Na zachód od Batesville wzgórza ustąpiły miejsca równinom i szosa przecięła pola porośnięte krzakami bawełny i soją. Farmerzy na swoich zielonych johnach deeresach snuli się po szosie, jakby zbudowano ją dla traktorów. Ale Graneyowie się nie spieszyli. Furgonetka jechała dalej – mijając bezczynną odziarniarkę, porzucone szopy i nowe podwójne przyczepy z antenami satelitarnymi i zaparkowane obok wielkie ciężarówki, a od czasu do czasu jakiś ładny dom cofnięty od szosy, żeby jej nie słyszeć. W Marks Leon skręcił na południe i pojechali dalej w głąb Delty.

– Charlene pewnie tam będzie – odezwała się Inez.

– Na bank – odparł Leon.

– Za nic by tego nie przepuściła – dodał Butch.

Charlene była wdową po Coyu, cierpiętnicą, która przyjęła męczeństwo męża z niezwykłym entuzjazmem. Przez te lata zdążyła wstąpić do wszystkich grup zrzeszających ofiary przestępstw, jakie tylko znalazła, stanowych i ogólnokrajowych. Groziła procesami gazetom i osobom, które podważałyby uczciwość Coya. Pisała długie listy do redakcji, domagając się szybszego wymierzenia sprawiedliwości Raymondowi Graneyowi. Nie opuściła żadnej rozprawy, a kiedy sprawę rozpatrywał Piąty Okręgowy Sąd Apelacyjny, pojechała aż do Nowego Orleanu.

– Modliła się o ten dzień – stwierdził Leon.

– No to lepiej niech się dalej modli, bo Raymond powiedział, że nic z tego – odpowiedziała Inez. – Przysięgał mi, że jego adwokaci są o niebo lepsi od tych stanowych i że szykują całe góry dokumentów.

Leon zerknął na Butcha, który zerknął na niego, a potem zapatrzył się na pola bawełny. Gdy słońce w końcu zaszło, przejechali już przez rolnicze Vance, Tutwiler i Rome. O zmierzchu wyroiły się chmary owadów, które uderzały o maskę i przednią szybę. Palili, jadąc z opuszczonymi szybami, i prawie się nie odzywali. Bliskość Parchman zawsze przygnębiała Graneyów – Butcha i Leona z przyczyn oczywistych, a Inez, bo to miejsce przypominało jej o jej błędach wychowawczych.

Parchman było więzieniem o złej sławie, a także farmą i plantacją o powierzchni ponad osiemnastu tysięcy akrów żyznej czarnej gleby, która od dziesięcioleci przynosiła stanowi bawełnę i zyski do momentu, kiedy wtrąciły się sądy federalne i zakazały wykorzystywania pracy niewolniczej. W wyniku innego postępowania sądowego inny sąd federalny zniósł segregację rasową. Kolejne wyroki trochę poprawiły warunki, ale przemoc kwitła jeszcze bardziej.

Jeśli chodzi o Leona, trzydzieści miesięcy w tym miejscu zniechęciło go do przestępstw, a tego właśnie żądali od więzienia praworządni obywatele. Jeśli chodzi o Butcha, pierwszy wyrok udowodnił mu, że może przetrwać kolejny, więc żaden samochód osobowy czy ciężarówka w Ford County nie były bezpieczne.

Płaska szosa numer 3 biegła prosto i ruch był niewielki. Było już prawie ciemno, kiedy furgonetka minęła mały zielony drogowskaz z jednym słowem „Parchman". Przed nimi widać było światła, ruch, coś się działo. Z prawej znajdowała się biała kamienna brama więzienia, a po drugiej stronie szosy, na żwirowym placyku, trwał cyrk. Przeciwnicy kary śmierci mieli ręce pełne roboty. Jedni klęczeli w kręgu i się modlili. Drudzy maszerowali w zwartym szyku, niosąc wymalowane plakaty w obronie Raymonda Graneya. Jedna grupa śpiewała psalm. Inna klęczała wokół księdza, trzymając świece. Dalej przy szosie mniejsza grupka wykrzykiwała hasła popierające karę śmierci i obrzucała wyzwiskami obrońców Graneya. Umundurowani zastępcy szeryfa pilnowali porządku. Ekipy telewizyjne zapamiętale wszystko filmowały.

Leon zatrzymał się przy wartowni pełnej strażników i zaniepokojonych ochroniarzy. Strażnik z podkładką do pisania podszedł do drzwi kierowcy i zapytał:

– Nazwisko?

– Graney, rodzina pana Raymonda Graneya. Leon, Butch i nasza matka, Inez.

Strażnik nic nie zapisał, cofnął się o krok, bąknął: „Zaczekajcie" i odszedł. Trzej inni stali przed furgonetką, przy szlabanie.

– Poszedł po Fitcha – powiedział Butch. – Założysz się?

– Nie – odparł Leon.

Fitch był zastępcą dyrektora, zawodowym klawiszem, któremu ostatnie dni kariery w więziennictwie umilały jedynie ucieczki lub egzekucje. W kowbojskich butach, podrabianym stetsonie i z wielką armatą na biodrze kroczył dumnie po Parchman, jakby był tu właścicielem. Przetrwał kilkunastu dyrektorów i tyle samo wytoczonych mu procesów. Podszedł do furgonetki i głośno oznajmił:

– No, no, chłopcy Graneyów wrócili tu, gdzie ich miejsce. Przyjechaliście naprawić parę mebli, chłopaki? Mamy stare krzesło elektryczne, moglibyście zmienić tapicerkę.

Zarechotał z własnego dowcipu, za nim też rozległy się śmiechy.

– Dobry wieczór, panie Fitch – powiedział Leon. – Przyjechaliśmy z naszą matką.

– Dobry wieczór pani. – Fitch zajrzał do środka. Inez nie odpowiedziała. – Skąd wytrzasnęliście ten samochód? – zapytał.

– Pożyczyliśmy – powiedział Leon. Butch wbił wzrok przed siebie i nie patrzył na Fitcha.

– Gówno tam pożyczyliście. Kiedy ostatni raz coś pożyczaliście? Dam sobie łeb uciąć, że pan McBride właśnie szuka swojej furgonetki. Może powinienem do niego zadzwonić.

– No to już, Fitch – zaproponował Leon.

– Dla ciebie: panie Fitch.

– Może być.

Fitch splunął obficie. Skinął głową, jakby to on i tylko on nad wszystkim panował.

– Wiecie chłopaki, dokąd jedziecie – powiedział. – Bóg świadkiem, że byliście tu dość razy. Jedźcie za tamtym samochodem na zaostrzony. Przeszukają was. – Machnął do strażników przy szlabanie. Szlaban się podniósł i bez słowa minęli Fitcha. Parę minut jechali za nieoznakowanym samochodem pełnym uzbrojonych mężczyzn. Mijali kolejne bloki, oddzielone od siebie, otoczone siatką, z drutem żyletkowym na górze. Butch patrzył na blok, w którym zostawił kilka lat życia. Na jasno oświetlonym polu, „placu zabaw", zobaczył mecz bejsbolowy – nieodłączny dla tego miejsca – i zlanych potem półnagich facetów, zawsze o jeden ostry faul od kolejnej bezmyślnej bijatyki. Spokojniejsi siedzieli przy stołach piknikowych i czekali na kontrolę przed snem o dziesiątej, czekali, aż upał osłabnie, bo wentylacja w środku rzadko kiedy działała, zwłaszcza w lipcu.

Leon jak zwykle zerknął na swój stary blok, ale nie roz-pamiętywał czasu, który tam spędził. Po tylu latach potrafił wymazać psychiczne blizny po fizycznych obrażeniach. Osiemdziesiąt procent osadzonych stanowili czarni i Parch-man było jednym z niewielu miejsc w Missisipi, gdzie to nie biali ustalali zasady.

Blok o zaostrzonych środkach bezpieczeństwa, parterowy budynek w stylu lat pięćdziesiątych, z płaskim dachem i ścia-nami z czerwonej cegły, wyglądał jak budowane wtedy nie-zliczone podstawówki. Otaczało go ogrodzenie z metalowej siatki z drutem żyletkowym i obserwowali strażnicy rozwaleni na wieżyczkach wartowniczych. Ale tej nocy byli czujni i pod-nieceni. Leon zaparkował, gdzie mu kazali, a potem batalion klawiszów o poważnych minach zrewidował jego i Butcha. Wózek z Inez wyniesiono i zawieziono do punktu kontrolne-go, gdzie obszukały ją dwie strażniczki. Odeskortowano ich do wnętrza, przez ileś ciężkich drzwi, obok następnych straż-ników i wreszcie wprowadzono do małego pokoju, w którym nigdy jeszcze nie byli. Sala odwiedzin była gdzie indziej. Dwaj strażnicy zostali z nimi. W pokoju była kanapa, dwa składane krzesła, rząd przedpotopowych szafek na kartoteki – wyglądał jak biuro jakiegoś drobnego urzędasa, którego wygoniono stąd na tę noc.

Dwaj strażnicy ważyli ze dwieście pięćdziesiąt funtów każdy, mieli karki po dwadzieścia kilka cali w obwodzie i obo-wiązkowo ogolone głowy. Po krępujących pięciu minutach w ich towarzystwie Butch miał dość. Zrobił kilka kroków i walnął:

– Co wy dwaj właściwie tu robicie?

– Wykonujemy rozkazy – odparł jeden z klawiszy.

– Czyje?

– Dyrektora.

– Wiecie, jak głupio wyglądacie? My, to znaczy rodzina skazanego, przyjechaliśmy, żeby spędzić parę minut z naszym bratem w tej zasranej dziurze, bez okien, ze ścianami z żużlobetonu, z jednymi drzwiami, a wy tu sterczycie i pilnujecie nas, jakbyśmy byli niebezpieczni. Wiecie, jakie to głupie?

Obydwa karki jakby napęczniały. Obie twarze spurpurowiały. Gdyby Butch był osadzonym, dostałby łomot, ale nie był osadzonym. Był obywatelem, byłym więźniem, i nienawidził każdego gliniarza, szeryfa, strażnika, agenta i ochroniarza w zasięgu wzroku. Każdy w mundurze był jego wrogiem.

– Proszę usiąść, proszę pana – powiedział chłodno jeden z nich.

– Słuchajcie, idioci. Jeśli jeszcze nie kumacie, możecie tak samo dobrze pilnować tego pokoju za drzwiami, jak stercząc w środku. Przysięgam. To prawda. Wiem, że pewnie nie zostaliście aż tak dobrze przeszkoleni, żeby się tego domyślić, ale jeżeli przejdziecie przez drzwi i postawicie swoje wielkie dupska z drugiej strony, dalej będzie bezpiecznie, a my będziemy mieli trochę prywatności. Będziemy mogli rozmawiać o naszym braciszku i nie martwić się, że dwóch błaznów nas podsłuchuje.

– Lepiej sobie odpuść, chłopie.

– No już, po prostu wyjdźcie przez te drzwi, zamknijcie je, gapcie się na nie, pilnujcie ich. Wiem, że dacie radę, chłopcy. Wiem, że będziemy tu bezpieczni.

Oczywiście klawisze nie ruszyli się z miejsca, a Butch usiadł w końcu na składanym krześle obok matki. Po trzydziestu minutach czekania, które trwały całą wieczność, wszedł dyrektor ze swoją świtą i się przedstawił.

– Egzekucja jest wciąż zaplanowana na minutę po północy – oznajmił oficjalnym tonem, jakby mówił o zwykłej odprawie ze swoimi ludźmi. – Powiadomiono nas, aby nie liczyć na telefon z biura gubernatora w ostatniej chwili. – Za grosz współczucia.

Inez ukryła twarz w dłoniach i zaczęła cicho płakać.

Dyrektor mówił dalej:

– Adwokaci jak zawsze podejmują ostatnie interwencje, ale nasi prawnicy poinformowali mnie, że wstrzymanie egzekucji jest mało prawdopodobne.

Leon i Butch gapili się w podłogę.

– W takich przypadkach łagodzimy trochę przepisy. Możecie zostać tu jak długo zechcecie, zaraz przyprowadzimy Raymonda. Przykro mi, że do tego doszło. Jeżeli mógłbym coś zrobić, proszę dać mi znać.

– Zabierz pan stąd tych dwóch palantów – powiedział Butch, wskazując klawiszów. – Chcemy mieć trochę prywatności.

Dyrektor zawahał się, rozejrzał po pokoju, w końcu powiedział:

– W porządku. – Wyszedł i zgarnął strażników. Piętnaście minut później drzwi otworzyły się znowu, do pokoju wpadł uśmiechnięty od ucha do ucha Raymond i podbiegł prosto do matki. Po długim uścisku i kilku łzach objął braci i powiedział, że sprawy idą po ich myśli. Przysunęli krzesła do kanapy i zbili się w gromadkę. Raymond ściskał dłonie matki.

– Dokopaliśmy tym sukinsynom – oznajmił wciąż uśmiechnięty i pewny siebie. – Kiedy tu rozmawiamy, moi adwokaci wypełniają całą kupę wniosków *habeas corpus** i są

---

* Nakaz doprowadzenia zatrzymanego do sądu w celu stwierdzenia legalności aresztowania (przyp. tłum.).

zupełnie pewni, że w ciągu godziny Sąd Najwyższy Stanów Zjednoczonych udzieli *certiorari**.

– Co to znaczy? – spytała Inez.

– To znaczy, że Sąd Najwyższy zgodzi się rozpatrzyć sprawę i termin automatycznie się przesunie. I że pewnie doprowadzimy do nowego procesu w Ford County, chociaż nie wiem, czy chcę, żeby to było tam.

Był w białym więziennym kombinezonie i w tanich gumowych sandałach na bosych stopach. Wyraźnie przytył. Policzki miał okrągłe i pulchne. Wylewał się znad paska. Nie widzieli go sześć tygodni, więc trudno było nie zauważyć. Jak zwykle trajkotał o rzeczach, których nie rozumieli i w które nie wierzyli – przynajmniej Butch i Leon. Raymond od małego miał bujną wyobraźnię, łatwość wysławiania się i wrodzoną niezdolność do mówienia prawdy.

Chłopak potrafił ściemniać.

– W tej chwili walczą dla mnie dwa tuziny adwokatów – oznajmił. – Stan nie daje rady za nimi nadążyć.

– Kiedy dowiesz się czegoś z sądu? – zapytała Inez.

– Lada chwila. Załatwiłem, że sędziowie federalni w Jackson, Nowym Orleanie i Waszyngtonie tylko czekają, żeby skopać stanowi dupę.

Przez jedenaście lat to stan kopał w dupę Raymonda, więc trudno było uwierzyć, że Raymond zdołał właśnie teraz, w ostatniej chwili, odwrócić sytuację. Leon i Butch poważnie kiwali głowami i udawali, że to kupili i wierzą, że nieuniknione wcale się nie zdarzy. Wiedzieli od lat, że ich braciszek zaczaił się na Coya i, praktycznie rzecz biorąc, odstrzelił mu

---

* *Certiorari* (łac.) – dosł. być wysłuchanym – zarządzenie sądu o przekazaniu akt sprawy z sądu niższej instancji w celu ich przejrzenia lub skontrolowania (przyp. tłum.).

łeb z ukradzionego karabinu. Ileś lat temu, na długo zanim Raymond wylądował w bloku śmierci, powiedział Butchowi, że był tak naprany, że właściwie nie pamięta zabójstwa.

– I mamy w Jackson paru łebskich adwokatów, którzy cisną gubernatora, na wypadek gdyby Sąd Najwyższy znowu się spietrał.

Wszyscy troje kiwnęli głowami, ale nikt nie wspomniał o słowach dyrektora.

– Dostałaś mój ostatni list, mamuśku? Ten o nowym adwokacie?

– A pewnie. Czytałam go, jak tu jechaliśmy – odparła, kiwając głową.

– Chciałem go wynająć, jak tylko dostaniemy nakaz wszczęcia nowego procesu. Jest z Mobile i słowo daję, to cholernie wredny chłopak. Ale pogadamy o nim później.

– Pewnie, synku.

– Dziękuję. Posłuchaj, mamuśku. Wiem, że to trudne, ale powinnaś wierzyć we mnie i moich adwokatów. Od ponad roku zajmuję się moją obroną, dyryguję adwokatami, bo tak teraz trzeba, i wszystko się ułoży, mamuśku. Zaufaj mi.

– Ufam, ufam.

Raymond zerwał się z miejsca i z zamkniętymi oczami wyciągnął ręce wysoko nad głową.

– Ćwiczę teraz jogę, mówiłem wam?

Wszyscy troje kiwnęli głowami. W listach Raymonda pełno było szczegółów jego najnowszych fascynacji. Przez te lata musieli przecierpieć jego zachwyty, jak to nawrócił się najpierw na buddyzm, potem na islam, potem na hinduizm, jak odkrywał medytację, kung-fu, aerobik, podnoszenie ciężarów, post i, oczywiście, co robi, żeby stać się poetą, pisarzem, piosenkarzem i muzykiem. Niewiele im oszczędził w swoich listach do domu.

Czymkolwiek była jego najnowsza fascynacja, najwyraźniej zarzucił post i aerobik. Był tak tłusty, że spodnie opinały mu się na siedzeniu.

– Przywiozłaś ciasteczka? – zapytał matkę. Uwielbiał jej ciasteczka z orzechami.

– Nie, skarbie. Przepraszam. Byłam taka skołowana tym wszystkim.

– Zawsze przywozisz ciasteczka.

– Przepraszam.

Cały Raymond. Ochrzaniał matkę za byle co na kilka godzin przed ostatnią drogą.

– To nie zapomnij następnym razem.

– Nie zapomnę, skarbie.

– Aha, i jeszcze coś. Zaraz będzie tu Tallulah. Bardzo chciałaby się z wami spotkać, bo zawsze ją spławialiście. Należy do rodziny, nieważne co o niej myślicie. Zróbcie mi grzeczność w tym nie najlepszym dla mnie momencie, przyjmijcie ją i bądźcie mili.

Leon i Butch nie mogli odpowiedzieć, ale Inez zdołała wykrztusić:

– Tak, kochanie.

– Kiedy wyjdę z tego cholernego miejsca, przeniesiemy się na Hawaje i będziemy mieli dziesiątkę dzieci. Za diabła nie zostanę w Missisipi, nie po tym wszystkim. Więc od teraz jest członkiem rodziny.

Po raz pierwszy Leon zerknął na zegarek i pomyślał, że jeszcze dwie godziny i przyjdzie ulga. Butch też myślał, ale o czymś zupełnie innym. Pomysł, żeby udusić Raymonda, zanim zdołają go uśmiercić władze stanowe, rodził ciekawy dylemat.

Nagle Raymond zerwał się i oznajmił:

– Dobra, słuchajcie. Muszę się spotkać z adwokatami. Będę za pół godziny. – Podszedł do drzwi, otworzył je i wyciągnął ręce po kajdanki. Drzwi zamknęły się i Inez powiedziała:

– Chyba wszystko idzie dobrze?

– Posłuchaj, mamo, lepiej wierzmy dyrektorowi – stwierdził Leon.

– Raymond sam się oszukuje – dodał Butch. Inez znowu zaczęła płakać.

Kapelan, katolicki ksiądz, ojciec Leland, cicho przedstawił się rodzinie. Poprosili go, żeby usiadł.

– Ogromnie mi przykro z powodu tego wszystkiego – powiedział ponuro. – To najgorsze w mojej pracy.

Katolicy byli rzadkością w Ford County i Graneyowie z całą pewnością żadnego nie znali. Spoglądali podejrzliwie na białą koloratkę na jego szyi.

– Próbowałem rozmawiać z Raymondem – ciągnął ojciec Leland. – Ale nie bardzo interesuje go wiara chrześcijańska. Powiedział, że od dziecka nie był w kościele.

– Powinnam go tam częściej zabierać – biadała Inez.

– Prawdę mówiąc, twierdzi, że jest ateistą.

– O Boże, Boże.

Oczywiście Graneyowie już jakiś czas wiedzieli, że Raymond odrzucił wszystkie wierzenia i oświadczył, że Boga nie ma. Tego też dowiadywali się z męczącymi szczegółami z jego rozwlekłych listów.

– My nie chodzimy do kościoła – przyznał Leon.

– Będę się za was modlił.

– Raymond rąbnął samochód żony zastępcy szeryfa z kościelnego parkingu – wtrącił Butch. – Powiedział o tym księdzu?

– Nie. Ostatnio dużo rozmawialiśmy i sporo mi opowiedział. Ale o tym nie.

– Dziękuję ojcu, że był ojciec taki miły dla Raymonda – powiedziała Inez.

– Będę z nim aż do końca.

– No to faktycznie chcą to zrobić? – spytała.

– To byłby cud, gdyby to się nie stało.

– Boże, pomóż nam. – Westchnęła.

– Pomódlmy się – zaproponował ojciec Leland. Zamknął oczy, złożył dłonie i zaczął: – Ukochany Ojcze w niebiosach, proszę wejrzyj na nas w tej godzinie i spraw, aby Duch Święty zstąpił tutaj i przyniósł nam pokój. Obdarz siłą i mądrością adwokatów i sędziów, którzy sumiennie trudzą się w tej chwili. Daj odwagę Raymondowi w czynieniu swych przygotowań. – Przerwał na chwilę i uchylił lewą powiekę. Cała trójka Graneyów gapiła się na niego, jakby miał dwie głowy. Zszokowany zamknął oko i zakończył szybko: – Obdarz Ojcze łaską i wybacz urzędnikom i mieszkańcom stanu Missisipi, albowiem nie wiedzą, co czynią. Amen.

Pożegnał się, a oni czekali kilka minut, aż wróci Raymond. Miał swoją gitarę i jak tylko usiadł na kanapie, brzdąknął kilka akordów. Zamknął oczy, pomruczał, a w końcu zaśpiewał:

> *Mam czas cię zobaczyć, mała,*
> *Mam czas, by do ciebie przyjść.*
> *Mam czas zostać już na dobre,*
> *Lecz nie mam czasu umrzeć dziś.*

– To stary kawałek Mudcata Malone'a – wyjaśnił. – Jeden z moich ulubionych.

> *Mam czas patrzeć, jak się śmiejesz,*
> *Mam czas patrzeć na twe łzy.*

Mam czas cię przytulić, mała,
Lecz nie mam czasu umrzeć dziś.

Czegoś takiego jeszcze nie słyszeli. Butch grał kiedyś na bandżo w bluegrassowej kapeli, ale już dawno dał sobie spokój z muzyką. Nie miał za grosz głosu i tą rodzinną cechą odznaczał się też młodszy brat. Raymond postękiwał boleśnie z gardłową afektacją, która miała brzmieć jak wokal czarnoskórego bluesmana, i to bardzo cierpiącego.

Mam czas zostać twoim tatą,
Mam czas twym chłopakiem być.
Mam czas stać się twym kochankiem,
Lecz nie mam czasu umrzeć dziś.

Kiedy skończył śpiewać, dalej szarpał struny i nawet jako tako trzymał melodię. Ale Butchowi przyszło do głowy, że jak na jedenaście lat ćwiczeń w celi Raymond gra, jakby dopiero zaczynał.

– Jakie to ładne – powiedziała Inez.

– Dzięki, mamuśku. A teraz coś z Małego Benniego Burke'a, pewnie największego ze wszystkich. Jest z Indianoli, wiecie? – Nie wiedzieli. Jak większość białych ze wzgórz, nie mieli bladego pojęcia o bluesie, a obchodził ich jeszcze mniej.

Raymond znów się wykrzywił. Mocniej szarpnął struny.

W poniedziałek się spakowałem
We wtorek powiedziałem cześć
W środę dziewczynę spotkałem
W czwartek już nie było jej
W piątek rano zapłaciłem
Facet mówi: dobrze jest

Bierz tę forsę, powiedziałem
Bo odchodzę nocy tej.

Leon zerknął na zegarek. Prawie jedenasta, jeszcze tylko godzina i się zmyją. Nie był pewien, czy da radę słuchać jeszcze przez godzinę bluesa, ale trudno. Śpiewanie wnerwiało i Butcha, ale siedział nieruchomo z zamkniętymi oczami, jakby zasłuchany w słowa i muzykę.

Mam dość harówy przy bawełnie
Mam dość w kości ciągłej gry
Mam dość całej tej mordęgi
Mam dość, że miłym muszę być
Mam dość pracy za marne grosze
Mam dość użerania się
Ale wszystko jest już za mną
Bo odchodzę nocy tej.

Dalej Raymond zapomniał słów, ale wciąż mruczał melodię. Kiedy wreszcie skończył, może z minutę siedział z zamkniętymi oczami, jakby muzyka przeniosła go w inny świat, w dużo przyjemniejsze miejsce.

– Która godzina, braciszku? – spytał Leona.

– Równo jedenasta.

– Muszę sprawdzić, co u adwokatów. Spodziewają się orzeczenia właśnie teraz.

Postawił gitarę w kącie, zastukał w drzwi i wyszedł. Strażnicy skuli go i odprowadzili. Kilka minut później przyszli z kuchni z uzbrojoną eskortą. Pospiesznie rozłożyli kwadratowy stolik i zastawili go furą jedzenia. Zapachy z miejsca wypełniły pokój i Leonowi i Butchowi zrobiło się słabo z głodu. Od południa nic nie jedli. Inez była zbyt zrozpaczona, żeby myśleć o jedzeniu, ale przepatrzyła, co jest na stole. Smażony sum, frytki, kukurydziane ciasteczka, coleslaw – to na środku. Z prawej – gigantyczny cheeseburger otoczony kolejnym wianuszkiem frytek i drugim z krążków cebuli. Z lewej – pizza średniej wielkości z pepperoni i pęcherzami sera. Tuż przed sumem wielki plaster czegoś, co wyglądało na placek cytrynowy, a obok ciasto czekoladowe na cały talerzyk deserowy. Puchar z lodami waniliowymi ledwo mieścił się na rogu stołu.

Kiedy Graneyowie gapili się na jedzenie, jeden z klawiszy wyjaśnił:

– Na ostatni posiłek dostaje wszystko, co chce.

– Boże, Boże – jęknęła Inez i znowu zaczęła płakać.

Kiedy zostali sami, Butch i Leon usiłowali nie zwracać uwagi na jedzenie w zasięgu ręki, ale aromaty obezwładniały. Sum w cieście smażony na oleju kukurydzianym. Krążki smażonej cebuli. Pepperoni. Powietrze w niewielkim pokoju było przesycone rywalizującymi, ale cudownymi zapachami.

Uczta dla co najmniej czterech osób.

O jedenastej piętnaście wpadł z hałasem Raymond. Czepiał się strażników i nieskładnie wyrzekał na adwokatów. Na widok żarcia zapomniał o swoich problemach i o swojej rodzinie i zajął jedyne miejsce przy stole. Posługując się głównie palcami, wepchnął do ust parę porcji frytek i krążków cebuli i zaczął mówić.

– Piąty Okręgowy właśnie nas udupił, idioci. Nasza petycja o *habeas corpus* była piękna, sam pisałem. Walimy teraz do Waszyngtonu, do Sądu Najwyższego. Mam tam całą firmę prawniczą gotową do ataku. Wszystko idzie dobrze. – Jakoś udawało mu się wpychać jedzenie do ust, przeżuwać i gadać jednocześnie. Inez patrzyła na swoje buty i ocierała łzy. Butch i Leon przyglądali się kafelkom na podłodze i udawali, że cierpliwie słuchają.

– Widzieliście Tallulah? – spytał Raymond, przeżuwając dalej po łyku mrożonej herbaty.

– Nie – odparł Leon.

– Dziwka. Chce wyrwać prawa do wydania mojej historii. Tylko o to jej chodzi. Ale nic z tego. Wszystkie prawa autorskie zostawiam wam trojgu. Co wy na to?

– Fajnie – powiedział Leon.

– Super – dodał Butch.

Ostatni rozdział jego życia zbliżał się do końca. Raymond napisał już autobiografię – dwieście stron – i wszyscy wydawcy w Ameryce ją odrzucili.

Opychał się dalej i wymiatał suma, cheeseburgera i pizzę, bez jakiejś specjalnej kolejności. Jego widelec i palce oblatywały stół, często w zupełnie różne strony: kroił, nadziewał i pakował jedzenie do ust tak szybko, jak mógł przełknąć. Wygłodniały wieprz przy korycie robiłby mniej hałasu. Inez nigdy nie poświęcała wiele uwagi manierom przy stole i jej chłopcy przyswoili sobie wszystkie możliwe złe nawyki. Ale jedenaście lat w bloku śmierci zaprowadziło Raymonda na nowe wyżyny prostactwa.

Ale trzecia żona Leona była dobrze wychowana. Po dziesięciu minutach puściły mu nerwy.

– Musisz tak mlaskać? – warknął.

– Kurde, stary, robisz większy hałas niż koń, co żre kukurydzę – z miejsca włączył się Butch.

Raymond zamarł, spojrzał wściekle na swoich braci i przez kilka napiętych sekund nie bardzo było wiadomo, jak sytuacja się rozwinie. Mogła przerodzić się w klasyczną graneyowską zadymę z mnóstwem przekleństw i epitetów. W poprzednich latach było już kilka paskudnych awantur w rozmównicy bloku śmierci – wszystkie przykre, wszystkie nie do zapomnienia. Ale Raymond, trzeba przyznać, odpuścił.

– To mój ostatni posiłek – powiedział. – A moja własna rodzina mnie opieprza.

– Ja nie – zaprotestowała Inez.

– Dziękuję, mamuśku.

Leon uniósł ręce, jakby się poddawał.

– Przepraszam. Wszyscy jesteśmy trochę spięci.

– Spięci? – zdziwił się Raymond. – Myślisz, że ty jesteś spięty?

– Przepraszam, Ray.

– Ja też – dodał Butch, ale tylko dlatego, że tego oczekiwano.

– Chcesz ciasteczko? – spytał Ray, podając je Butchowi.

Parę minut temu ostatni posiłek był ucztą, której nie można się oprzeć. Ale teraz, po zaciekłym ataku Raymonda, stół był jedną wielką ruiną. Mimo wszystko Butch zjadłby trochę frytek i ciasteczko, ale odmówił. Byłoby coś cholernie niewłaściwego w podżeraniu z ostatniego posiłku skazańca.

– Nie, dziękuję – powiedział.

Raymond odetchnął głęboko i znowu zabrał się do jedzenia, ale już wolniej i ciszej. Dojadł placek cytrynowy i ciasto czekoladowe razem z lodami, beknął, roześmiał się i oświadczył:

– To nie jest mój ostatni posiłek. Obiecuję wam.

Rozległo się stukanie do drzwi. Wszedł strażnik i powiedział:

– Pan Tanner chciałby się z panem zobaczyć.

– Wpuść go – polecił Raymond. – Mój główny adwokat – wyjaśnił dumnie rodzinie.

Pan Tanner był szczupłym, łysiejącym młodzieńcem w wyblakłej marynarskiej kurtce, starych spodniach khaki i jeszcze starszych tenisówkach. Nie nosił krawata. Trzymał gruby plik papierów. Twarz miał wychudzoną, bladą i wyglądał na kogoś, kto potrzebuje porządnie wypocząć. Raymond szybko przedstawił go rodzinie, ale pan Tanner nie zdradzał ochoty, żeby właśnie teraz poznawać nowych ludzi.

– Sąd Najwyższy właśnie nas załatwił – oznajmił ponuro Raymondowi.

Raymond przełknął głośno ślinę i w pokoju zapadła cisza.

– A co z gubernatorem? – spytał Leon. – Z tymi wszystkimi adwokatami, co z nim gadają?

Tanner spojrzał na Raymonda, który oświadczył:

– Wywaliłem ich.

– A z adwokatami w Waszyngtonie? – spytał Butch.

– Ich też wywaliłem.

– A z tą wielką firmą w Chicago? – spytał Leon.

– Ich też wywaliłem.

Tanner spoglądał od jednego Graneya do drugiego.

– To chyba kiepska chwila na zwalnianie swoich adwokatów – zauważył Leon.

– Jakich adwokatów? – zainteresował się Tanner. – Jestem jedynym adwokatem, który pracuje nad tą sprawą.

– Ciebie też zwalniam – oznajmił Raymond. Gwałtownie strącił ze stołu szklankę, rozchlapując herbatę i lód na ścianie. – Weź mnie i zabij! – wrzasnął. – Już mam to gdzieś.

Przez kilka sekund nikt nie oddychał, a potem drzwi nagle się otworzyły i wrócił dyrektor ze swoją świtą.

– Już czas, Raymondzie – powiedział z lekkim zniecierpliwieniem. – Koniec apelacji, a gubernator poszedł spać.

Kiedy do wszystkich dotarło, co powiedział, zapadła długa ciężka cisza. Leon patrzył tępo w ścianę, po której spływała herbata z lodem. Butch spoglądał ze smutkiem na dwa ostatnie ciasteczka. Tanner wyglądał, jakby miał zemdleć.

Raymond odchrząknął i powiedział.

– Chciałbym zobaczyć tego katolickiego facia. Musimy się pomodlić.

– Sprowadzę go – odparł dyrektor. – Możesz spędzić ostatnią chwilę z rodziną, a potem musimy iść.

Dyrektor wyszedł razem ze swoimi pomocnikami. Tanner szybko zrobił to samo.

Raymond się zgarbił i zbladł. Cała brawura i wyzywająca poza zniknęły. Podszedł powoli do matki, ukląkł przed nią i położył głowę na jej kolanach. Pogłaskała go i wytarła oczy, powtarzając: „Boże, Boże".

– Tak mi przykro, mamuśku – wymamrotał Raymond. – Tak mi przykro.

Płakali razem przez chwilę, a Leon i Butch stali obok w milczeniu. Do pokoju wszedł ojciec Leland i Raymond wstał powoli. Oczy miał wilgotne i zaczerwienione, mówił cicho, słabym głosem.

– To chyba już koniec – powiedział do księdza, który ze smutkiem kiwnął głową i poklepał go po ramieniu.

– Będę z tobą w izolatce, Raymondzie – zapewnił. – Odmówimy ostatnią modlitwę, jeżeli zechcesz.

– To chyba niezły pomysł.

Drzwi otworzyły się znowu i wrócił dyrektor.

– Proszę posłuchać – zwrócił się do Graneyów i ojca Lelanda. – To moja czwarta egzekucja i kilku rzeczy się nauczyłem. Po pierwsze, to kiepski pomysł, żeby matka była przy egzekucji. Zdecydowanie sugeruję, pani Graney, żeby została pani w tym pokoju przez następną godzinę, dopóki nie będzie po wszystkim. Przyślę pielęgniarkę, posiedzi tu z panią. Ma środek uspokajający, niech pani go weźmie. Proszę. – Spojrzał na Leona i Butcha, błagając ich wzrokiem. Obaj zrozumieli.

– Będę z nim aż do końca – oświadczyła Inez i załkała tak głośno, że nawet dyrektorowi ciarki przebiegły po plecach.

Butch podszedł do niej i pogłaskał ją po ramieniu.

– Powinnaś tu zostać, mamusiu – powiedział Leon.

Inez załkała znowu.

– Zostanie – zwrócił się do dyrektora. – Tylko dajcie jej tę pigułkę.

Raymond uścisnął obu braci i po raz pierwszy w życiu powiedział, że ich kocha. Przyszło mu to z trudem, nawet w tej koszmarnej chwili. Pocałował matkę w policzek i się pożegnał.

– Bądź mężczyzną – wycedził Butch. Zęby miał zaciśnięte, oczy wilgotne. Objęli się po raz ostatni.

Raymonda wyprowadzono i do pokoju weszła pielęgniarka. Podała Inez pigułkę i kubek wody i po kilku minutach pani Graney osunęła się w swoim wózku. Pielęgniarka usiadła przy niej i powiedziała: „Bardzo mi przykro” do Butcha i Leona.

O dwunastej piętnaście drzwi otworzyły się i strażnik oznajmił:

– Proszę ze mną.

Braci wyprowadzono z pokoju do korytarza pełnego strażników, urzędników i ciekawskich gapiów – szczęściarzy, którzy dostali przepustkę – a potem wyprowadzono głównym wyjściem. Na zewnątrz powietrze było ciężkie, upał nie zelżał. Szybko zapalili papierosy i ruszyli wąskim chodnikiem wzdłuż zachodniego skrzydła bloku o zaostrzonych środkach bezpieczeństwa, obok otwartych okien z grubymi czarnymi kratami. Kiedy bez pośpiechu szli do sali straceń, słyszeli, jak inni skazańcy łomoczą w drzwi cel, wywrzaskują protesty, hałasują najgłośniej jak się da w ostatnim pożegnaniu jednego z nich.

Butch i Leon palili zaciekle i sami mieli ochotę coś wrzasnąć, coś, że są z nimi, że trzymają stronę osadzonych. Ale nie odezwali się ani słowem. Skręcili za róg i zobaczyli mały płaski budynek z czerwonej cegły; przy drzwiach kręcili się strażnicy i ktoś jeszcze. Obok stała karetka. Strażnicy wprowadzili ich bocznymi drzwiami do zatłoczonego pomieszczenia dla świadków. Kiedy weszli, zobaczyli twarze, których się tu spodziewali, ale nie mieli ochoty im się przyglądać. Szeryf Walls był tu, bo tego wymagało prawo. Prokurator – bo chciał. Charlene, cierpiętnicza wdowa po Coyu, siedziała obok szeryfa. Były z nią dwie potężne młode dziewczyny, bez wątpienia jej córki. Część sali dla rodzin ofiar była odgrodzona ścianą z pleksiglasu, mogli przez nią patrzeć wściekle na rodzinę skazańca, ale nie mogli do nich mówić czy im wymyślać. Butch i Leon usiedli na plastikowych krzesłach. Za ich plecami jacyś obcy szurali nogami, a kiedy wszyscy znaleźli się na swoich miejscach, zamknięto drzwi. W części dla świadków panował tłok i upał.

Nic nie było widać. Czarne zasłony przesłaniały okna przed nimi i nie mogli zobaczyć ponurych przygotowań po drugiej stronie. Dobiegały ich dźwięki, nierozpoznawalne odgłosy. Nagle zasłony rozsunęły się gwałtownie i już mieli przed sobą salę straceń, dwanaście na piętnaście stóp, ze świeżo pomalowaną betonową podłogą. W środku stała komora gazowa, srebrny cylinder o ośmiokątnej podstawie, też z oknami, żeby obserwować i stwierdzić zgon.

I tam był Raymond, przymocowany do fotela w komorze gazowej. Głowę unieruchomiła mu ohydna uprząż, zmuszała do patrzenia przed siebie i nie pozwalała widzieć świadków. Wydawało się, że spogląda w górę, gdy dyrektor mówił do niego. Był więzienny prawnik, kilku strażników i oczywiście kat i jego pomocnik. Wszyscy robili swoje, cokolwiek to było, z posępnymi, zdecydowanymi minami, jakby przejmowali się tym całym rytuałem. Tak naprawdę wszyscy byli ochotnikami, poza dyrektorem i adwokatem.

W sali dla świadków wisiał mały głośnik i przekazywał ostatnie dźwięki.

Prawnik podszedł do komory gazowej.

– Raymondzie, prawo nakłada na mnie obowiązek odczytania ci wyroku śmierci. – Uniósł kartkę i zaczął: – Zgodnie z orzeczeniem o twojej winie i wyrokiem śmierci wydanym przez Sąd Okręgowy Ford County niniejszym rzeczony wyrok śmierci zostanie wykonany przy użyciu gazu trującego w komorze gazowej Zakładu Karnego Stanu Missisipi w Parchman. Niech Bóg zlituje się nad twoją duszą. – Cofnął się i podniósł słuchawkę telefonu wiszącego na ścianie. Słuchał przez chwilę i w końcu powiedział: – Nie ma zawieszenia.

– Czy istnieje jakiś powód, dla którego egzekucja nie powinna zostać wykonana? – zapytał dyrektor.

– Nie – odparł prawnik.

– Raymondzie, czy chcesz wygłosić ostatnie słowo?

Głos Raymonda był ledwo słyszalny, ale w idealnej ciszy sali dla świadków jego słowa brzmiały wyraźnie:

– Żałuję tego, co zrobiłem. Proszę o wybaczenie rodzinę Coya Childersa. Mój Bóg mi wybaczył. Skończmy to.

Strażnicy wyszli z sali straceń. Zostali tylko dyrektor i prawnik, którzy odsunęli się jak najdalej od Raymonda. Kat zamknął wąskie drzwi komory gazowej. Pomocnik sprawdził uszczelnienie. Kiedy komora była gotowa, rozejrzeli się po salce – szybka kontrola. Wszystko w porządku. Kat zniknął w małym pomieszczeniu, pokoiku chemicznym, i sprawdził zawory.

Mijały długie sekundy. Świadkowie wstrzymali oddech i gapili się z przerażeniem i fascynacją. Raymond też wstrzymał oddech, ale nie na długo.

Kat umieścił plastikowy zasobnik z kwasem siarkowym w rurze prowadzącej z pokoiku chemicznego do misy na podłodze komory, tuż pod fotelem Raymonda. Nacisnął dźwignię zwalniającą pojemnik. Brzęknęło i prawie każdy się wzdrygnął. Raymond też. Jego palce zacisnęły się na poręczach fotela. Mięśnie się napięły. Minęło kilka sekund, kwas siarkowy połączył się z granulkami cyjanku w misie i zaczęły się wydobywać trujące opary. Kiedy Raymond wreszcie zrobił wydech, bo nie mógł dłużej wstrzymywać oddechu, wciągnął do płuc jak najwięcej trucizny, żeby szybciej załatwić sprawę. Całe ciało zareagowało z miejsca wstrząsami i drgawkami. Ramiona szarpały się do tyłu. Podbródek i czoło napierały na skórzaną uprząż. Ręce i nogi dygotały gwałtownie, gdy opary podnosiły się i gęstniały.

Ciało reagowało i walczyło może z minutę, aż w końcu cyjanek wygrał. Konwulsje osłabły. Głowa znieruchomiała. Palce rozluźniły śmiertelny uścisk na poręczach fotela. Powietrze gęstniało coraz bardziej, a oddech Raymonda coraz bardziej zwalniał, aż ustał zupełnie. Kilka ostatnich drgawek, skurczów mięśni, szarpnięć ręki i wreszcie było po wszystkim.

Zgon ogłoszono o dwunastej trzydzieści jeden. Zaciągnięto czarne zasłony, świadków wyproszono z sali. Na zewnątrz Butch i Leon oparli się o róg budynku z czerwonej cegły i wypalili po papierosie.

W sali straceń otworzono wywietrznik komory i gaz ulotnił się w parne powietrze nad Parchman. Piętnaście minut później strażnicy w rękawiczkach odpięli zwłoki Raymonda i wyciągnęli z komory. Jego ubranie rozcięto, żeby później spalić. Ciało spłukano zimną wodą ze szlaucha, osuszono papierowymi ręcznikami, znów ubrano w biały więzienny kombinezon i włożono do taniej sosnowej trumny.

Leon i Butch siedzieli z matką i czekali na dyrektora. Inez wciąż była pod wpływem środka uspokajającego, ale doskonale wiedziała, co się stało w ciągu ostatnich minut. Obejmowała głowę rękami i płakała cicho, mamrocząc coś od czasu do czasu. Wszedł strażnik i poprosił o kluczyki do furgonetki pana McBride'a. Czas wlókł się bardzo wolno.

W końcu do pokoju wszedł dyrektor, tuż po tym, jak wygłosił oświadczenie dla prasy. Z udawanym smutkiem i współczuciem złożył głupawe kondolencje i poprosił Leona, żeby podpisał jakieś dokumenty. Wyjaśnił, że Raymond zostawił na swoim więziennym koncie prawie tysiąc dolarów i że wyślą czek w ciągu tygodnia. Powiedział, że do furgonetki załadowano trumnę i cztery pudła z rzeczami Raymonda – gitarę, ubrania, książki, korespondencję, prawnicze dokumenty i rękopisy. Mogą już jechać.

Trumnę przesunięto na bok, żeby wtoczyć przez tylne drzwi wózek Inez, i kiedy jej dotknęła, znowu się załamała. Leon i Butch poprzestawiali pudła, zabezpieczyli wózek inwalidzki i znowu przesunęli trumnę. Kiedy wszystko było na swoim miejscu, przejechali za samochodem pełnym strażników przez więzienie, przez bramę i kiedy skręcili na szosę numer 3, minęli ostatnich protestujących. Ekipy telewizyjne odjechały. Leon i Butch zapalili papierosy, ale Inez była zbyt poruszona, żeby palić. Przez całe mile jazdy pomiędzy polami bawełny i soi nikt się nie odzywał. Niedaleko Marks Leon zauważył całodobowy sklep spożywczy. Kupił wodę sodową dla Butcha i duże kawy dla siebie i matki.

Kiedy Delta zniknęła za wzgórzami, poczuli się lepiej.

– Co powiedział na końcu? – spytała Inez z trudem.

– Przeprosił – powiedział Butch. – Poprosił Charlene o wybaczenie.

– Więc się przyglądała?

– A jak. Chyba nie myślisz, że sobie odpuściła.

– Powinnam to widzieć.

– Nie, mamo – zaprotestował Leon. – Powinnaś być wdzięczna do końca życia, że nie widziałaś egzekucji. Zapamiętasz Raymonda z długiego uścisku i miłego pożegnania. Proszę, nie myśl, że coś straciłaś.

– To było straszne – dodał Butch.

– Powinnam to widzieć.

W Batesville minęli fast food z reklamą bułeczek z kurczakiem i całodobową obsługą. Leon zawrócił.

– Muszę do toalety – powiedziała Inez. O trzeciej piętnaście w nocy nie było innych klientów. Butch przywiózł matkę do stolika przy wejściu i jedli w milczeniu. Furgonetka z trumną Raymonda stała niecałe trzydzieści stóp dalej.

Inez zdołała przełknąć kilka kęsów i straciła apetyt. Butch i Leon jedli jak wygłodzeni uchodźcy.

Wjechali do Ford County tuż po piątej rano. Wciąż było ciemno, drogi puste. Pojechali do Pleasant Ridge na północy hrabstwa, do małego kościółka zielonoświątkowców, zatrzymali się na żwirowym parkingu i czekali. Z pierwszymi promieniami słońca usłyszeli w oddali uruchamiany silnik.

– Poczekaj – powiedział Leon do Butcha. Wysiadł z furgonetki i zniknął. Za kościołem był cmentarz, na jego końcu koparka zaczęła kopać grób. Koparka należała do kuzyna szefa. O szóstej trzydzieści z kościoła przyszło kilku mężczyzn i podeszli do miejsca pochówku. Leon podjechał furgonetką i zatrzymał się obok koparki, która już skończyła i teraz po prostu czekała. Mężczyźni wyjęli trumnę z furgonetki. Butch i Leon delikatnie postawili wózek z matką na ziemi i popychali go, idąc za trumną.

Opuścili trumnę na linach, a kiedy stanęła na palikach wbitych w dno, wyciągnęli liny. Kapłan odczytał fragment Pisma Świętego i odmówił modlitwę. Leon i Butch rzucili na trumnę kilka łopat ziemi i podziękowali mężczyznom za pomoc.

Kiedy odjeżdżali, koparka zasypywała grób.

Dom był pusty – żadnych współczujących sąsiadów, żadnych krewnych, z którymi dzieli się żałobę. Wyładowali Inez i zawieźli ją do domu, do jej sypialni. Wkrótce mocno zasnęła. Cztery pudła zostały ustawione w szopie, gdzie ich zawartość zniszczeje z czasem, aż w końcu zniknie razem ze wspomnieniami o Raymondzie.

Postanowiono, że Butch zostanie dziś w domu, żeby opiekować się Inez i przepędzać dziennikarzy. W zeszłym tygodniu było tyle telefonów, że na pewno zjawi się ktoś z aparatem fotograficznym. Butch pracował w tartaku i jego szef rozumiał sytuację.

Leon pojechał do Clanton i zatrzymał się na skraju miasta, żeby zatankować. Równo o ósmej wjechał na parking zakładu tapicerskiego McBride'a i oddał furgonetkę. Pracownik wyjaśnił, że pana McBride'a jeszcze nie ma, pewnie jest jeszcze w kawiarni, zazwyczaj przychodzi do pracy koło dziewiątej. Leon oddał kluczyki, podziękował pracownikowi i odjechał.

Pojechał na wschód od miasta, do fabryki lamp, i podbił kartę o ósmej trzydzieści. Jak zawsze.

Rybie akta

*P*o siedemnastu latach nędznej harówy w kancelarii, której działalność stopniowo ograniczyła się, z jakichś zapomnianych już powodów, do bankructw i rozwodów, to było niezwykłe – nawet po latach – że jeden telefon mógł aż tyle zmienić. Jako zapracowany prawnik, który zajmuje się beznadziejnymi problemami innych, Mack Stafford wykonywał i odbierał najrozmaitsze telefony w sprawach zmieniających ludzkie życie. Telefony, żeby rozpocząć czy zakończyć sprawę rozwodową, telefony, żeby przekazać ponure orzeczenie sądu w sprawie opieki nad dzieckiem, telefony, żeby poinformować uczciwych ludzi, że nie zostaną spłaceni. Nieprzyjemne telefony najczęściej. Nigdy nie brał pod uwagę możliwości, że jeden telefon zdoła tak szybko i dramatycznie doprowadzić do jego własnego rozwodu i bankructwa.

A stało się to w porze lunchu, w ponury, szary i ogólnie rzecz biorąc, leniwy wtorek na początku lutego. Ponieważ było tuż po południu, Mack sam podniósł słuchawkę. Freda, jego sekretarka, wyszła coś pozałatwiać i zjeść kanapkę, a że firemka Macka nie zatrudniała nikogo więcej, musiał sam zostać pod telefonem. Jak się później okazało, fakt, że był sam, miał kluczowe znaczenie. Gdyby telefon odebrała Freda, byłyby pytania, i to mnóstwo. Właściwie większość z tego, co stało się później, nie miałaby miejsca, gdyby siedziała na swoim stanowisku w recepcji, tuż przy drzwiach wejściowych do małego biura znanego jako Kancelaria Prawna Jacoba McKinleya Stafforda.

Po trzecim dzwonku Mack złapał słuchawkę aparatu na swoim biurku, na zapleczu.

– Kancelaria prawna – rzucił szorstko jak zwykle.

Odbierał z pięćdziesiąt telefonów dziennie, najczęściej od wojujących ze sobą małżonków i niezadowolonych wierzycieli. Kiedy musiał odebrać rozmowę nieprzepuszczoną przez Fredę, od dawna nabrał zwyczaju zmieniać głos i nie wymieniać swojego nazwiska. Nienawidził odbierania telefonów od nieproszonych rozmówców, ale musiał przecież prowadzić interesy. Jak wszyscy prawnicy w Clanton, a było ich mnóstwo, nigdy nie wiedział, czy kolejny telefon nie będzie właśnie tym wielkim, grubszą sprawą, która może przyniesie solidne honorarium, a może nawet pozwoli mu rzucić wszystko w diabły. Mack marzył o takim telefonie więcej lat, niż miałby ochotę przyznać.

I w ten chłodny zimowy dzień, gdy w powietrzu wyczuwało się nadchodzący śnieg, taki telefon w końcu zadzwonił.

– Poproszę z panem Mackiem Staffordem – odparł mężczyzna. Mówił z dziwnym akcentem, chyba północnym.

Głos był zbyt elegancki i zbyt odległy, aby zaniepokoić Macka, więc odpowiedział:

– Mack przy telefonie.

– Pan Mack Stafford, adwokat?

– Zgadza się. Z kim mówię?

– Nazywam się Marty Rosenberg i reprezentuję firmę Durban & Lang z Nowego Jorku.

– Z miasta Nowy Jork? – zapytał Mack, o wiele za szybko. Oczywiście, że z miasta Nowy Jork. Chociaż podczas swojej

Rybie akta

praktyki nigdy nawet się nie zbliżył do metropolii, oczywiście że znał Durban & Lang. Każdy prawnik w Ameryce przynajmniej słyszał o tej firmie.

– Zgadza się. Możemy przejść na „ty", Mack? – mówił szybko, ale uprzejmie. Mack wyobraził sobie pana Rosenberga, jak siedzi we wspaniałym gabinecie, z obrazami na ścianach, a stażyści i sekretarki uwijają się, by zaspokoić jego potrzeby. Dysponował taką władzą, a jednak chciał być przyjacielski. Macka ogarnęła fala niepewności, gdy rozglądał się po swoim zapyziałym pokoiku. Ciekawe, czy pan Rosenberg już uznał, że ma do czynienia z jeszcze jednym prowincjonalnym prawnikiem, który musi sam odbierać telefon.

– Jasne. Mów mi „Mack".

– Świetnie.

– Przepraszam, Marty, że odebrałem, ale sekretarka wyszła na lunch. – Mackowi zależało, by oczyścić atmosferę i uświadomić facetowi, że ma do czynienia z prawdziwym prawnikiem, z prawdziwą sekretarką.

– No cóż, zapomniałem, że jesteście godzinę do tyłu – odezwał się Marty z nutką pogardy, dając delikatnie do zrozumienia, że być może dzieli ich o wiele więcej niż tylko godzina.

– W czym mogę ci pomóc? – zapytał Mack, przejmując kontrolę nad rozmową. Starczy już tych pogaduszek. Obaj są zapracowanymi ważnymi adwokatami. Jego umysł pracował na najwyższych obrotach, gdy usiłował przypomnieć sobie jakąś sprawę, akta czy kwestię prawną, która mogłaby zasługiwać na zainteresowanie tak wielkiej i prestiżowej kancelarii.

– No cóż, reprezentujemy szwajcarską spółkę, która niedawno nabyła większościowe udziały w grupie Tinzo z Korei Południowej. Tinzo jest ci chyba dobrze znana?

– Oczywiście – odpowiedział szybko Mack, jednocześnie przetrząsając pamięć w poszukiwaniu choćby wzmianki o Tinzo. Wiedział, że dzwonią, tylko nie bardzo kojarzył, w którym kościele.

– No i zgodnie ze starą dokumentacją Tinzo swego czasu reprezentowałeś jakichś drwali, którzy twierdzili, że odnieśli obrażenia, używając wadliwych pił łańcuchowych wyprodukowanych przez filipińską filię Tinzo.

Ach, to Tinzo! Teraz Mack był już w domu. Przypominał sobie, choć szczegóły nadal mu umykały. Sprawy były stare i niemal zapomniane, bo Mack ze wszystkich sił starał się o nich zapomnieć.

– Straszliwe obrażenia – rzucił mimowolnie. Straszliwe czy nie, nie okazały się aż tak poważne, by skłonić Macka do złożenia pozwu. Podpisał papiery wiele lat temu, ale przestał się nimi interesować, kiedy nie zdołał blefem doprowadzić do szybkiej ugody. Jego teoretyczna wiedza na temat odpowiedzialności cywilnej była w najlepszym wypadku dość fragmentaryczna. Rzeczona piła łańcuchowa Tinzo posiadała imponujące atesty bezpieczeństwa. A co ważniejsze, spory sądowe w sprawie odpowiedzialności cywilnej za wady produktu były skomplikowane, kosztowne, przekraczające jego kompetencje i zazwyczaj wiązały się z procesami, których Mack zawsze starał się unikać. Składanie wniosków rozwodowych i upadłościowych i spisywanie od czasu do czasu testamentu lub aktu notarialnego było wygodne. Przynosiło niewielkie honoraria, ale Mack, jak większość prawników w Clanton, mógł z nich żyć właściwie bez jakiegokolwiek ryzyka.

– Ale nie mamy zarejestrowanych żadnych wniosków o wszczęcie postępowania – oznajmił Marty.

– Jak na razie – odparł Mack z całą pewnością siebie, na jaką było go stać.

– Ile masz tych spraw, Mack?

– Cztery – oświadczył, chociaż nie miał pewności.

– Tak, to wynika i z naszej dokumentacji. Mamy cztery pisma, które wysłałeś do przedsiębiorstwa jakiś czas temu. Ale nie wydaje się, żeby po tej pierwszej korespondencji coś się działo.

– Sprawy są w toku – stwierdził Mack, i w dużej mierze było to kłamstwo. Właściwie sprawy były wciąż otwarte, ale od lat ich nie tykał. Takie akta nazywał rybimi. Im dłużej leżały nietknięte, tym bardziej śmierdziały. – Mamy sześcioletni okres przedawnienia ustawowego – oznajmił zadowolony z siebie, jakby już jutro mógł wziąć się do roboty i rozpocząć sądową walkę na śmierć i życie.

– Muszę przyznać, że to trochę niezwykłe – rzekł z zadumą Marty. – Od ponad czterech lat nic nie pojawiło się w aktach.

Żeby zmienić temat i nie rozmawiać o swoich zaniedbaniach, Mack postanowił przejść do rzeczy.

– O co tu chodzi, Marty?

– Cóż, nasz szwajcarski klient chce wyczyścić sprawy i uwolnić się od możliwie jak największej liczby potencjalnych powództw. To Europejczycy rzecz jasna i nie rozumieją naszego systemu odpowiedzialności cywilnej. Szczerze mówiąc, są nim przerażeni.

– Całkiem słusznie – wtrącił Mack, jakby nieustannie wyciągał wielkie sumy od korporacyjnych winowajców.

– Chcą zamknąć te sprawy i polecili mi zbadać, jaka jest możliwość zawarcia ugody.

Mack zerwał się na równe nogi, ze słuchawką wciśniętą między szczękę a ramię. Puls mu łomotał, ręce szukały rybich akt w stercie śmieci na zapadającej się komodzie za biurkiem. Gorączkowo usiłował odnaleźć nazwiska klientów okaleczonych w wyniku zaniedbań projektowych i produkcyjnych pił łańcuchowych Tinzo. Że co niby? Ugoda? Znaczy się pieniądze od bogatych dla biednych? Nie wierzył własnym uszom.

– Jesteś tam, Mack? – spytał Marty.

– Tak, tak, właśnie przeglądam akta. Popatrzmy... we wszystkich przypadkach chodzi dokładnie o ten sam model piły łańcuchowej – dwudziestoczterocalowy 58X, nazwa handlowa LaserCut, wysokowydajny model przemysłowy, w którym osłona łańcucha okazała się wadliwa i niebezpieczna.

– Otóż to, Mack. Nie dzwonię, żeby się sprzeczać, co mogło być wadliwe. Od tego są procesy. Mówię o ugodzie, Mack. Nadążasz?

Kurde, jasne, że nadążam, niemal wyrwało się Mackowi.

– Oczywiście – oznajmił. – Z przyjemnością porozmawiam o ugodzie. Najwidoczniej masz już coś na myśli. Zamieniam się w słuch. – Znowu siedział, przerzucając dokumenty w poszukiwaniu dat. Modlił się, aby w żadnej z tych naraz tak ważnych spraw nie minął sześcioletni okres przedawnienia ustawowego.

– Owszem, Mack. Mam pewną sumę do zaoferowania, ale muszę cię ostrzec, że mój klient polecił mi, żebym nie negocjował. Jeżeli zdołamy załatwić sprawy szybko i po cichu, wypiszemy czeki. Ale jeżeli zaczną się targi, pieniądze znikną. Czy to jasne, Mack?

Owszem, jasne jak słońce. Pan Marty Rosenberg w swoim pięknym gabinecie wysoko nad Manhattanem nie ma pojęcia, jak szybko, po cichu i tanio Mack może sprawić, że rybie akta znikną. Chętnie przyjmie cokolwiek dadzą. Jego straszliwie okaleczeni klienci już dawno przestali dzwonić.

– Zgoda – powiedział. Marty wszedł na wyższe obroty.

– Oceniamy, że koszty obrony tych spraw przed tutejszym sądem federalnym wyniosłyby sto tysięcy, pod warunkiem że moglibyśmy je połączyć i odbyć tylko jeden proces – oznajmił jeszcze bardziej rzeczowo. – To ewidentnie naciągane, bo sprawy nie zostały wniesione. Szczerze mówiąc, jeżeli uwzględnimy niezwykłą szczupłość materiału dowodowego, wykazanie odpowiedzialności wydaje się bardzo mało prawdopodobne. Dorzućmy kolejne sto tysięcy za uszkodzenia ciała. Pamiętajmy, że żadne z nich nie zostały udokumentowane. Przyjmujemy jednak, że ktoś stracił palce, a ktoś inny dłoń. W każdym razie zapłacimy po sto tysięcy za każde roszczenie, dorzucimy koszty obrony i to, co znajdzie się na stole, wyniesie pół miliona zielonych.

Mackowi opadła szczęka. O mało nie połknął słuchawki. Jak każdy prawnik, miał zamiar zażądać sumy przynajmniej trzy razy większej od zaproponowanej na wstępie przez Marty'ego, ale na razie na kilka sekund odjęło mu mowę.

– Wszystko płatne z góry – ciągnął Marty – poufnie, bez określania odpowiedzialności. Oferta jest ważna przez trzydzieści dni, czyli do dziesiątego marca.

Już propozycja dziesięciu tysięcy dolarów na każde roszczenie byłaby prawdziwą gratką. Mack usiłował złapać oddech. Co tu odpowiedzieć?

– Powtarzam, Mack – perorował dalej Marty – chcemy jedynie wyczyścić konto. Co o tym myślisz?

Co myślę? – zadumał się Mack. Myślę, że moja działka to czterdzieści procent. Rachunek jest prosty. W zeszłym roku zarobiłem jakieś dziewięćdziesiąt pięć tysięcy, z czego połowę pochłonęły koszty stałe – pensja Fredy i rachunki za lokal – co dało mi dochód rzędu czterdziestu sześciu tysięcy – i to przed opodatkowaniem. To, jak sądzę, nieco mniej niż zarobki mojej żony, wicedyrektorki liceum w Clanton. Myślę o różnych rzeczach, niektórych zupełnie nieoczekiwanych, jak na przykład: 1) Czy to dowcip? 2) Kto z mojego roku na prawie może za tym stać? 3) Zakładając, że to wszystko prawda, jak mogę utrzymać hieny z dala od tego cudownego honorarium? 4) Moja żona i córki przepuszczą wszystko w niecały miesiąc. 5) Freda zażąda niezłej premii. 6) Jak mam odezwać się do moich klientów od pił łańcuchowych po tylu latach milczenia? I tak dalej. Myślę o wielu sprawach, panie Rosenberg.

– To bardzo hojna propozycja, Marty – wykrztusił w końcu. – Jestem pewien, że moi klienci będą zadowoleni. – Kiedy emocje opadły, jego mózg znowu zaczął działać, jak należy.

– Dobra. Umowa stoi?

– Cóż, niech pomyślę. Oczywiście muszę omówić to z moimi klientami, to może potrwać kilka dni. Mogę zadzwonić do ciebie za tydzień?

– Oczywiście. Ale zależy nam na jak najszybszym zamknięciu sprawy, więc nie zwlekajmy. A, jeszcze jedno, Mack. Bardzo nam zależy na dyskrecji. Czy zgadzamy się, że utrzymamy te ugody w tajemnicy?

Za takie pieniądze Mack zgodziłby się na wszystko.

– Rozumiem – powiedział. – Nikomu ani słowa. – Mówił to z całkowitym przekonaniem. Już myślał o tych wszystkich ludziach, którzy nigdy nie dowiedzą się o tym losie na loterii.

– Wspaniale. Zadzwonisz do mnie za tydzień?

– Masz to jak w banku, Marty. A, słuchaj, moja sekretarka ma długi język. Byłoby najlepiej, jakbyś tu już nie dzwonił. Ja zadzwonię do ciebie w przyszły wtorek. O której?

– Może o jedenastej czasu wschodniego?

– Masz to jak w banku, Marty.

Rybie akta

Wymienili numery telefonów i adresy i się pożegnali. Według cyfrowego licznika na wyświetlaczu telefonu Macka rozmowa trwała osiem minut i czterdzieści sekund.

Kolejny telefon zadzwonił tuż po poprzednim, ale Mack
nie miał siły podnieść słuchawki. Nie śmiał igrać z losem. Zamiast odebrać, podszedł do drzwi i wystawowego okna, na którym wypisano jego nazwisko. Spojrzał naprzeciwko, na gmach
sądu Ford County, gdzie właśnie jacyś adwokaci przeciętniaki
siedzieli w biurach sędziów na piętrze, przeżuwając zimne
kanapki. Kłócili się o dodatkowe pięćdziesiąt dolarów alimentów i o to, czy żona powinna dostać hondę, a mężuś zadowolić się toyotą. Wiedział, że tam są. Zawsze byli, a on
często tkwił tam razem z nimi. W głębi korytarza, w sekretariacie sądu, inni prawnicy przeglądali akta własności ziemi,
księgi hipoteczne, stare zakurzone plany i wymieniali swoje
wyświechtane dowcipy, żarty i opowiastki, które słyszał tysiące razy. Z rok czy dwa temu ktoś naliczył w Clanton pięćdziesięciu jeden prawników. Wszyscy tłoczyli się w sąsiedz-
twie placu, a okna ich biur wychodziły na budynek sądu.
Jadali w tych samych knajpach, spotykali się w tych samych
kawiarniach, pili w tych samych barach, zabiegali o tych samych klientów i niemal wszyscy mieli te same powody do
narzekania na wybraną profesję. Jakimś cudem dziesięcioty-
sięczne miasto dostarczało wystarczająco dużo spraw, żeby
utrzymać pięćdziesięciu jeden prawników, chociaż tak naprawdę wystarczyłaby mniej niż połowa.

Mack rzadko kiedy czuł się potrzebny. Oczywiście był potrzebny żonie i córkom, chociaż często zastanawiał się, czy nie
byłyby szczęśliwsze bez niego. Ale miasto z potrzebami praw-
nymi mieszkańców poradziłoby sobie doskonale i bez jego pomocy. Prawdę mówiąc, już dawno temu uświadomił sobie, że

gdyby nagle zamknął kancelarię, niewielu by to zauważyło. Żaden klient nie zostałby bez pełnomocnika. Reszta prawników ucieszyłaby się w duchu, gdyby odpadł im jeden konkurent. Po miesiącu nikt w sądzie nie odczułby jego braku. Przez wiele lat ten fakt go smucił. Ale naprawdę przygnębiała go nie teraźniejszość czy przeszłość, ale przyszłość. Perspektywa, że w wieku sześćdziesięciu lat obudzi się pewnego dnia i znowu będzie musiał wlec się do kancelarii – bez wątpienia tej samej kancelarii – i wypełniać te same wnioski o rozwód bez orzekania winy i groszowe upadłości w imieniu ludzi, którzy ledwo byli w stanie opłacić jego skromne honorarium. To wszystko wystarczało, żeby popsuć mu nastrój. Wystarczało, żeby uczynić Macka bardzo nieszczęśliwym człowiekiem.

Chciał się wyrwać. Wyrwać, dopóki wciąż był młody.

Adwokat o nazwisku Wilkins przeszedł chodnikiem, nawet nie zerkając w okno Macka. Był dupkiem, który pracował cztery bramy dalej. Lata temu przy wieczornym drinku z trzema innymi prawnikami, wśród których był i Wilkins, Mackowi rozwiązał się język i wygadał szczegóły wielkiego planu, jak zbić kasę na powództwach związanych z piłami łańcuchowymi. Oczywiście z planu nic nie wyszło i kiedy Mack nie był w stanie przekonać do współpracy żadnego bardziej kompetentnego prawnika procesowego, akta pił łańcuchowych zaczęły śmierdzieć. Wilkins, jak zawsze kawał fiuta, zaczepiał Macka przy innych prawnikach i mówił coś w rodzaju: „Hej Mack, jak ci leci ta wielka sprawa z piłami?" albo „Hej, Mack, już załatwiłeś te powództwa o piły łańcuchowe?" Ale w miarę upływu czasu nawet Wilkins zapomniał o sprawie.

Hej, Wilkins! Stary, zerknij na tę ugodę! Pół miliona zielonych na stole, z tego dwieście tysięcy do mojej kieszeni. Co najmniej tyle, a może i więcej. A ty, Wilkins? Nie zarobiłeś dwustu patyków przez ostatnich pięć lat razem wziętych!

Ale Mack zdawał sobie sprawę, że Wilkins nigdy się o tym nie dowie. Nikt się nie dowie, i bardzo dobrze.

Wkrótce wróci jak zwykle hałaśliwa Freda. Mack pospiesznie zasiadł za biurkiem, wybrał nowojorski numer i poprosił z Martym Rosenbergiem. Kiedy usłyszał głos jego sekretarki, odłożył słuchawkę i się uśmiechnął. Sprawdził swój popołudniowy plan zajęć, równie ponury jak pogoda. Nowa sprawa rozwodowa o drugiej trzydzieści i kolejna w toku o czwartej trzydzieści. Spis piętnastu telefonów, które miał wykonać, w tym ani jednego, który wykonałby z ochotą. Zaniedbane rybie akta gniły na komodzie. Złapał płaszcz i wymknął się tylnymi drzwiami, zostawiając swoją teczkę.

Miał małe bmw ze stu sześćdziesięcioma tysiącami mil na liczniku. Leasing kończył się za pięć miesięcy i Mack już się denerwował, czym będzie jeździł potem. Ponieważ prawnicy, bez względu na to, jak kiepsko im się powodzi, powinni jeździć czymś robiącym wrażenie, już rozglądał się po cichu za czymś nowym, usiłując utrzymywać wszystko w tajemnicy. Żona na pewno nie zaakceptuje tego, co wybierze, a on na pewno nie był gotowy na taką sprzeczkę.

Po piwo wybrał się do Wiejskiego Sklepu Parkera, osiem mil za miastem, w małej dziurze, w której nikt go nie znał. Kupił sześciopak zielonych butelek z importu, a potem pojechał dalej na południe wąskimi bocznymi drogami do miejsca, w którym nie było już żadnego ruchu. Słuchał, jak Jimmy Buffett śpiewa o żeglowaniu, piciu rumu i życiu, o którym Mack marzył od jakiegoś czasu. Latem, zanim rozpoczął studia prawnicze, spędził dwa tygodnie na Bahamach, nurkując z akwalungiem. To była jego pierwsza zagraniczna podróż i teraz marzył o podobnej. W miarę jak z upływem lat coraz bardziej przytłaczała go monotonia praktyki prawniczej, a małżeństwo przynosiło coraz mniej satysfakcji, coraz częściej słuchał Buffetta. Nie miałby nic przeciwko życiu na morzu. Był na to gotów.

Zaparkował na odludnej piknikowej polanie nad jeziorem Chatolla, największym w promieniu pięćdziesięciu mil. Zostawił włączony silnik, ogrzewanie i uchylone okno. Popijał piwo i wpatrywał się w jezioro. W lecie było tu tłoczno, po wodzie pływały małe katamarany, motorówki ciągnęły narciarzy wodnych. Ale w lutym panowały tu pustki.

Wciąż wyraźnie słyszał głos Marty'ego. Wciąż mógł bez trudu odtworzyć ich rozmowę, niemal słowo po słowie. Mack mówił do siebie, a potem śpiewał razem z Buffettem.

To było jego pięć minut. Życiowa szansa, która nigdy się nie powtórzy. Mack w końcu przekonał sam siebie, że to nie sen, że pieniądze są na wyciągnięcie ręki. Wszystko sobie obliczył, a potem znowu... i znowu.

Zaczął prószyć śnieg. Płatki topiły się po zetknięciu z ziemią. Nawet perspektywa dwóch cali śniegu fascynowała miasto. Teraz, kiedy w powietrzu wirowały pojedyncze płatki, Mack wiedział, że dzieci wyglądają przez szkolne okna, ciesząc się na myśl o skróconych lekcjach i zabawie w domu. Jego żona pewnie właśnie dzwoni do kancelarii, żeby dać mu znać, żeby odebrał dziewczynki. Freda go szuka. Mack zasnął po trzecim piwie.

Przegapił spotkanie o drugiej trzydzieści i zupełnie się tym nie przejął. Nie stawił się również na to o wpół do piątej. Zachował jedno piwo na powrót. Kwadrans po piątej wszedł tylnymi drzwiami do kancelarii i stanął twarzą w twarz z wyjątkowo rozgorączkowaną sekretarką.

– Gdzie byłeś? – chciała wiedzieć Freda.

– Zrobiłem sobie przejażdżkę – odpowiedział, zdejmując płaszcz i wieszając go w korytarzu.

Weszła za nim do gabinetu i stanęła z rękami na biodrach, zupełnie jak jego żona.

– Opuściłeś dwa spotkania, z Maddenami i Garnerami, i wcale nie byli tym zachwyceni. Cuchniesz jak browar.

– W browarze robią piwo, prawda?

– Tak sądzę. Właśnie przeszło ci koło nosa tysiąc dolarów.

– I co z tego? – Opadł na fotel, zrzucając z biurka kilka teczek.

– Co z tego? To, że potrzebujemy wszystkich honorariów, jakie możemy zdobyć. Nie jesteś w tak dobrej sytuacji, żeby rezygnować z klientów. W zeszłym miesiącu nie zarobiliśmy na pokrycie kosztów, a ten jest jeszcze gorszy – mówiła szybko, wysokim piskliwym głosem. Wylewał się z niej gromadzony godzinami jad. – Na moim biurku leży plik rachunków, a na koncie nie ma forsy. Bank, w którym masz drugie konto, chciałby zobaczyć, jak spłacasz linię kredytową, którą z niezrozumiałych powodów postanowiłeś otworzyć.

– Jak długo tu pracujesz, Freda?

– Pięć lat.

– I starczy. Spakuj swoje rzeczy i wynoś się. Ale już.

Gwałtownie nabrała powietrza. Podniosła obie dłonie do ust.

– Zwalniasz mnie? – zdołała wykrztusić.

– Nie. Obcinam koszty. Ograniczam wydatki.

Zachichotała nerwowo.

– A kto będzie odbierał telefony, pisał na maszynie, płacił rachunki, porządkował akta, zajmował się klientami i chronił cię przed kłopotami? – odparowała szybko.

– Nikt.

– Jesteś pijany, Mack.

– Nie dość pijany.

– Nie przetrwasz beze mnie.

– Proszę, po prostu wyjdź. Nie mam zamiaru się sprzeczać.

– Przepuścisz wszystko – warknęła.

– Już przepuściłem.

– A teraz tracisz rozum.

– To swoją drogą. Proszę.

Wyszła naburmuszona. Mack położył stopy na biurku. Przez dziesięć minut trzaskała szufladami i tupała głośno po sekretariacie.

– Jesteś wrednym skurwysynem, wiesz? – wrzasnęła wreszcie.

– Masz zupełną rację. Do widzenia.

Drzwi wejściowe trzasnęły i zapadła cisza. Pierwszy krok został zrobiony.

Godzinę później znów wyszedł z biura. Było ciemno i zimno, a śnieg dał za wygraną. Macka wciąż suszyło i nie miał ochoty iść do domu. I nie chciał, żeby widzieli go w którymś z trzech barów w centrum Clanton.

Motel Riviera był na wschód od miasta, przy szosie do Memphis. Nora z lat pięćdziesiątych, z maleńkimi pokojami, z których część można było wynająć na godziny, małą kawiarnią i niewielkim barem. Mack usiadł przy barze i zamówił beczkowe piwo. Z szafy grającej leciało country, z telewizora nad barem uniwersytecka koszykówka, goście byli zwykłą zbieraniną podróżnych bez grosza i znudzonych miejscowych, wszyscy dobrze po pięćdziesiątce. Nie rozpoznał nikogo poza barmanem, weteranem, którego nazwisko wyleciało mu z głowy. Mack właściwie nie był stałym bywalcem Riviery.

Poprosił o cygaro i zapalił. Popijając piwo, po paru minutach wyjął mały notes i zaczął pisać. Żeby ukryć większość finansowego bałaganu przed żoną, zarejestrował swoje biuro jako spółkę z o.o. – najnowszy krzyk mody wśród prawników. Był jedynym właścicielem spółki, i to na niej wisiała większość jego długów. Linia kredytowa w wysokości dwudziestu pięciu tysięcy dolarów funkcjonowała już od sześciu lat i nie wykazywała żadnych oznak redukcji zadłużenia. Dwie karty kredytowe kancelarii, na pokrycie drobnych wydatków zarówno służbowych, jak i prywatnych, też miały maksymalnie wykorzystane limity w wysokości dziesięciu tysięcy dolarów i funkcjonowały tylko dzięki spłatom minimalnym. I jeszcze zwykłe biurowe płatności za sprzęt. Największym obciążeniem sp. z o.o. był kredyt hipoteczny na sto dwadzieścia tysięcy, zaciągnięty osiem lat temu na zakup budynku biurowego, wbrew dość głośnym protestom żony. Miesięczna rata wynosiła tysiąc czterysta dolarów i w najmniejszym stopniu nie redukował tego obciążenia pustostan na piętrze. Kupując budynek, Mack był pewien, że zdoła komuś wynająć tę powierzchnię.

Tego cudownego pochmurnego lutowego dnia Mack od dwóch miesięcy zalegał w spłacie hipoteki.

Zamówił kolejne piwo i podsumował swoje opłakane finanse. Mógł ogłosić upadłość, przekazać akta zaprzyjaźnionemu prawnikowi i odejść jako wolny człowiek – bez zakłopotania czy upokorzenia, ponieważ on, Mack Stafford, nie zostanie tu, by ludzie wytykali go palcami i obgadywali za plecami.

Kancelaria to pikuś. Co innego z małżeństwem.

Pił do dziesiątej, potem pojechał do domu. Wjechał na podjazd swojego skromnego domku w starej części Clanton, wyłączył silnik i światła. Siedział za kierownicą i patrzył na dom. W dużym pokoju paliło się światło. Czekała.

Kupili dom od jej babki, wkrótce po ślubie, piętnaście lat temu, i od mniej więcej piętnastu lat Lisa chciała czegoś większego. Jej siostra wyszła za lekarza – mieli piękny dom koło country clubu, w rejonie, gdzie mieszkali wszyscy inni lekarze i bankierzy, i niektórzy prawnicy. Mieszkało się tam o wiele lepiej. Domy były nowsze, z basenami i kortami tenisowymi, a tuż za rogiem znajdowało się pole golfowe. Przez cały okres małżeństwa Mackowi wypominano niewielkie postępy we wspinaniu się po drabinie społecznej. Postępy? Mack wiedział, że w rzeczywistości zjeżdżają w dół. Im dłużej mieszkali w domu babci, tym stawał się mniejszy.

Rodzina Lisy od pokoleń była właścicielem jedynej cementowni w Clanton i chociaż plasowało ją to na szczycie hierarchii społecznej, nie miało większego wpływu na stan konta. Byli dotknięci syndromem rodzinnej fortuny. Ich status miał więcej wspólnego ze snobizmem niż z solidnymi aktywami. Kiedyś małżeństwo z prawnikiem wydawało się Lisie dobrym posunięciem, ale piętnaście lat później miała co do tego wątpliwości. Mack dobrze o tym wiedział.

Zapaliło się światło na ganku.

Jeżeli kłótnia miała wyglądać tak jak większość innych, widownię będą stanowić dziewczynki – Helen i Margo. Ich matka zapewne od kilku godzin wydzwaniała i rzucała czym popadnie. Wściekając się, nie omieszkała się upewnić, że dziewczynki wiedzą, po czyjej stronie jest racja. Obie były nastolatkami i wszystko świadczyło, że wyrosną na kopie Lisy. Mack z całą pewnością je kochał, ale nad jeziorem, przy piwie numer trzy, już postanowił, że da radę bez nich żyć.

Drzwi frontowe się otworzyły i stanęła w nich Lisa. Wyszła jeden krok na wąski ganek, skrzyżowała nagie ramiona i ponad zmrożonym trawnikiem popatrzyła gniewnie prosto w oczy Macka. Odpowiedział spojrzeniem, a potem wysiadł z samochodu, trzaskając drzwiami.

– Gdzie byłeś? – wypaliła zjadliwie.

– W biurze – odparował, robiąc pierwszy krok i powtarzając sobie, żeby iść uważnie i nie zataczać się jak pijany. Usta miał pełne gumy miętowej, chociaż nie zamierzał nikogo oszukiwać. Podjazd był lekko nachylony w stronę ulicy.

– Gdzie byłeś? – zapytała znowu, tylko głośniej.

– Proszę, sąsiedzi słuchają. – Nie dostrzegł spłachetka lodu pomiędzy swoim samochodem a Lisy i w chwili, zanim go odkrył, sytuacja wymknęła się spod kontroli. Poleciał z krzykiem do przodu i walnął czołem w tylny zderzak jej samochodu. Na kilka chwil jego świat wypełniła ciemność, a kiedy doszedł do siebie, usłyszał rozgorączkowane kobiece głosy.

– Jest pijany – oznajmił jeden z nich.

Dzięki, Lisa.

Łeb miał rozcięty. Nie mógł skupić wzroku. Lisa stała nad nim, paplając: „O Boże, to krew!" „Wasz ojciec jest pijany!" „Dzwońcie po pogotowie!"

Na szczęście znów odpłynął, a kiedy odzyskał słuch, nad wszystkim sprawował kontrolę męski głos. Należał do pana Browninga, sąsiada.

– Uważaj na lód, Liso, i podaj mi ten koc. Tu jest mnóstwo krwi.

– Znowu pił – powiedziała Lisa, jak zwykle szukając sprzymierzeńców.

– Pewnie nic nie czuje – dodał uprzejmie pan Browning. On i Mack od lat byli wrogami.

Leżący w zimnie Mack był częściowo przytomny i mógłby coś powiedzieć, ale postanowił po prostu zamknąć oczy i pozwolić, żeby inni martwili się o niego. Wkrótce usłyszał karetkę.

✤

Naprawdę podobało mu się w szpitalu. Środki znieczulające, które dostawał, były cudowne, pielęgniarki uważały, że jest fajny, a poza tym to była idealna wymówka, żeby trzymać się z dala od kancelarii. Na czole miał sześć szwów i paskudnego siniaka. Nie miał natomiast urazu mózgu. Tak przynajmniej opowiadała komuś przez telefon jego żona, kiedy myślała, że śpi. Gdy tylko stwierdzono, że jego obrażenia są lekkie, zaczęła unikać szpitala i nie pozwalała dziewczynkom odwiedzać Macka. Wcale nie śpieszyło mu się z wyjściem, a ona nie tęskniła do jego powrotu. Ale po dwóch dniach lekarz kazał go wypisać. Kiedy zbierał rzeczy i żegnał się z pielęgniarkami, Lisa weszła do pokoju i zamknęła za sobą drzwi. Usiadła na krześle. Skrzyżowała ramiona i nogi, jakby zamierzała siedzieć tu przez wiele godzin. Mack rozłożył się na łóżku. Ostatnia dawka percocetu wciąż działała i czuł się cudownie beztroski.

– Zwolniłeś Fredę – wycedziła, unosząc brwi.

– Zwolniłem.

– Dlaczego?

– Bo zmęczyła mnie jej gadanina. Czemu się tym przejmujesz? Nie cierpiałaś jej.

– Co będzie z kancelarią?

– Przede wszystkim zrobi się w niej o wiele ciszej. Zwalniałem już sekretarki. To nic wielkiego – odparł Mack.

Lisa wyprostowała się na krześle i zaczęła się bawić kosmykiem włosów. Czyli że zastanawia się nad czymś poważnym i lada chwila to z siebie wyrzuci.

– Jutro o piątej mamy umówione spotkanie z doktor Juanitą – oświadczyła. Klamka zapadła. Żadnych negocjacji.

Doktor Juanita była jednym z trzech licencjonowanych terapeutów małżeńskich w Clanton. Mack, adwokat rozwodowy, znał ich na gruncie zawodowym. Znał ich i na gruncie prywatnym, jako że Lisa zaciągnęła go na terapię do wszystkich trzech. To on potrzebował terapii. Ona oczywiście nie. Doktor Juanita zawsze stawała po stronie kobiet. Wybór Lisy nie był czymś zaskakującym.

– Co tam u dziewczynek? – zapytał Mack. Wiedział, że odpowiedź będzie wredna, ale gdyby nie zadał tego pytania, poskarżyłaby się później doktor Juanicie. „Nawet nie zapytał o dziewczynki".

– Czują się upokorzone. Ich ojciec przychodzi do domu późno w nocy pijany. Przewraca się na podjeździe. Rozbija sobie głowę. Zostaje przewieziony do szpitala, gdzie okazuje się, że zawartość alkoholu we krwi dwukrotnie przekracza dozwoloną normę. Całe miasto już o tym wie.

– Skoro całe miasto już o tym wie, to znaczy, że wypaplałaś. Czemu po prostu nie możesz trzymać języka za zębami?

Spurpurowiała, a jej oczy rozbłysły nienawiścią.

– Ty, ty... ty żałosny... Jesteś nędznym, żałosnym pijakiem, wiesz?

– Nie zgodzę się.

– Ile pijesz?

– Za mało.

– Potrzebujesz pomocy, Mack. Profesjonalnej pomocy.

– I niby udzieli mi jej doktor Juanita?

Lisa zerwała się nagle na równe nogi i energicznie ruszyła w stronę drzwi.

– Nie mam zamiaru kłócić się w szpitalu – odparła.

– Oczywiście, że nie. Wolisz kłócić się w domu, przy dziewczynkach.

Szarpnęła drzwi.

– Jutro o piątej i lepiej się zjaw – rozkazała.

– Zastanowię się.

– I nie przychodź do domu na noc.

Trzasnęła drzwiami i Mack usłyszał, jak odchodzi, gniewnie stukając obcasami.

⚘

Kiedy Mack kombinował z powództwem grupowym w sprawie pił łańcuchowych, jego pierwszym klientem był zawodowy drwal, specjalista od wycinki papierówki, niejaki Odell Grove. Prawie pięć lat wcześniej dziewiętnastoletni syn pana Grove'a potrzebował szybkiego rozwodu i trafił do kancelarii Macka. Kiedy reprezentował chłopaka, też drwala, Mack dowiedział się o spotkaniu Odella z piłą łańcuchową, które okazało się bardziej niebezpieczne, niż to zazwyczaj bywa. W czasie rutynowych czynności łańcuch pękł, osłona zawiodła i Odell stracił lewe oko. Teraz nosił opaskę i kiedy Mack wszedł do baru dla kierowców ciężarówek koło Karraway, właśnie ona pomogła zidentyfikować dawno zapomnianego klienta. Było kilka minut po ósmej, rankiem po wypisaniu Macka ze szpitala i nocy przespanej w kancelarii. Zakradł się do domu, kiedy dziewczynki wyszły do szkoły, i spakował trochę rzeczy. Żeby nie odróżniać się od miejscowych, miał na sobie kombinezon moro i wysokie buty – strój, który czasami wkładał na polowania. Świeżą ranę na czole zakrywała nasunięta nisko zielona wełniana czapka narciarska, która jednak nie mogła zasłonić całego siniaka. Był na środkach przeciwbólowych. Szumiało mu w głowie. Pigułki dodawały mu odwagi, żeby jakoś przebrnąć przez to nieprzyjemne spotkanie. Nie miał wyboru.

Odell, z tą swoją czarną opaską na oku, siedział trzy stoły dalej. Jadł naleśniki, głośno rozmawiał i ani razu nie spojrzał na Macka. Jak było zapisane w aktach, spotkali się w tym samym barze cztery lata i dziesięć miesięcy temu. To właśnie wtedy Mack poinformował Odella, że ma solidne podstawy, żeby wytoczyć sprawę producentowi piły łańcuchowej. Ostatni raz kontaktowali się niemal dwa lata temu, kiedy to Odell zadzwonił do kancelarii z kilkoma dość uszczypliwymi pytaniami o postępy w opartej na solidnych podstawach sprawie. Potem akta zaczęły cuchnąć.

Mack wypił kawę przy barze, zerknął do gazety i odczekał, aż poranni klienci pójdą do pracy. W końcu Odell i jego dwaj kumple z roboty skończyli śniadanie i stanęli przy kasie. Mac zostawił dolara za kawę i wyszedł za nimi. Ruszyli do swojej ciężarówki do przewozu drewna na pulpę. Mack przełknął mocno ślinę.

– Odell – odezwał się. Cała trójka przystanęła, a Mack podszedł do nich z przyjacielskim pozdrowieniem.

– Odell, to ja, Mack Stafford. Załatwiałem rozwód dla twojego syna, Luke'a.

– Pan jesteś ten adwokat? – spytał zdezorientowany Odell. Otaksował wzrokiem buty, strój myśliwski i narciarską czapkę nasuniętą prawie na oczy.

– No tak, z Clanton. Masz chwilę?

– Czego...

– Zajmę ci tylko minutę. Drobna kwestia biznesowa.

Odell spojrzał na kumpli i wszyscy razem wzruszyli ramionami.

– Poczekamy w ciężarówce – powiedział jeden z nich.

Jak większość gości, którzy spędzają życie na wycince w głębi lasu, Odell miał rozłożyste bary, szeroki tors, potężne ramiona i spracowane dłonie. Swoim jedynym okiem potrafił wyrazić większą pogardę niż większość ludzi obydwoma.

– O co biega? – zapytał i splunął. W kąciku ust trzymał wykałaczkę. Na lewym policzku miał bliznę, którą zawdzięczał Tinzo. Wypadek kosztował go jedno oko i całomiesięczną wycinkę, taki drobiazg.

– Zamykam praktykę – oświadczył Mack.

– Że co?

– To, że zamykam kancelarię. I myślę, że dam radę wycisnąć trochę pieniędzy z twojej sprawy.

– Jakbym to już gdzieś słyszał.

– Oto moja propozycja. Mogę w dwa tygodnie zdobyć dla ciebie dwadzieścia pięć tysięcy gotówką, żywą gotówką, ale tylko jeżeli utrzymasz wszystko w absolutnej tajemnicy. Masz milczeć jak grób. Nikomu pary z gęby.

Dla faceta, który nigdy nie widział nawet pięciu tysięcy gotówką, perspektywa była bardzo kusząca. Odell rozejrzał się, żeby się upewnić, że są sami. Gryzł wykałaczkę, jakby pomagało mu to myśleć.

– Coś tu śmierdzi – zawyrokował. Jego opaska na oku zadrżała.

– To całkiem proste, Odell. Firma, która wyprodukowała piłę łańcuchową, ma być wykupiona przez inną i zależy im na szybkiej ugodzie. Normalka. Chcieliby zapomnieć o tych starych roszczeniach.

– I to niby legalne? – zapytał podejrzliwie Odell, całkiem jakby miał do czynienia z prawnikiem niegodnym zaufania.

– Oczywiście. Wypłacą kasę, ale tylko wtedy, jak wszystko zostanie załatwione w tajemnicy. I pomyśl, ile byś miał problemów, gdyby ludzie dowiedzieli się, że masz taką kasę.

Odell popatrzył na ciężarówkę i siedzących w niej dwóch kumpli. Potem pomyślał o żonie, o teściowej, o synu siedzącym w więzieniu za narkotyki, o drugim, bezrobotnym, a zaraz potem o mnóstwie ludzi, którzy z przyjemnością pomogliby mu pozbyć się pieniędzy. Mack znał jego myśli.

– Żywa gotówka, Odell – dodał. – Z mojej kieszeni do twojej i nikt o niczym nie będzie wiedział. Nawet skarbówka.

– Bez szans na więcej? – upewnił się Odell.

Mack zmarszczył brwi i kopnął kamień.

– Ani centa, Odell. Ani centa. Dwadzieścia pięć tysięcy albo nic. I musimy działać szybko. Mogę przekazać ci kasę przed upływem miesiąca.

– Co mam robić?

– Spotkaj się ze mną w przyszły piątek, o ósmej rano. Potrzebny mi jeden podpis i będę mógł dostać pieniądze.

– A ty ile z tego masz?

– Mniejsza o mnie. Chcesz forsę czy nie?

– Nie za dużo kasy za oko.

– Masz zupełną rację, ale to wszystko, co możesz dostać. Tak czy nie?

Odell znowu splunął i przesunął wykałaczkę z jednego kącika ust do drugiego.

– No chyba tak – oświadczył wreszcie.

– Dobra. Przyszły piątek, ósma rano. Tutaj. Przyjdź sam.

Podczas ich pierwszego spotkania, wiele lat temu, Odell wspomniał, że zna innego drwala, który stracił dłoń, pracując tym samym modelem piły łańcuchowej Tinzo. Na wieść o drugim wypadku Mack zaczął marzyć o ataku szerszym frontem, o wytoczeniu procesu z powództwa grupowego w imieniu dziesiątków, może nawet setek okaleczonych powodów. Wtedy wydawało mu się, że kasa jest w zasięgu ręki.

Powoda numer dwa wytropił niedaleko, w Polk County, w odludnej dolinie w głębi sosnowego lasu. Jerrol Baker miał trzydzieści jeden lat i był drwalem, ale ponieważ miał tylko jedną rękę, nie mógł pracować w zawodzie. Zamiast tego razem z kuzynem urządzili w swojej przyczepie laboratorium produkujące metamfetaminę. Jako chemik Jerrol zarabiał o wiele więcej niż jako drwal. Jego nowy zawód okazał się jednak równie niebezpieczny. Jerrol ledwo uszedł z życiem podczas eksplozji laboratorium, która spopieliła sprzęt, zapasy, przyczepę i kuzyna. Jerrol został oskarżony i trafił do więzienia. Zza krat napisał kilka listów do swojego prawnika od powództwa zbiorowego, dopytując o postępy w opartej na solidnych podstawach sprawie przeciw Tinzo. Pozostały bez odpowiedzi. Po kilku miesiącach Jerrola zwolniono warunkowo. Krążyły plotki, że wrócił w te strony. Mack od dwóch lat nie miał z nim żadnego kontaktu.

Spotkanie z nim będzie prawdziwym wyzwaniem – jeśli w ogóle będzie możliwe. Dom matki Jerrola stał opuszczony. Jej sąsiad był nieskory do współpracy, dopóki Mack nie wyjaśnił, że jest winien Jerrolowi trzysta dolarów i musi przekazać mu czek. Ponieważ istniało duże prawdopodobieństwo, że Jerrol jest winien pieniądze większości sąsiadów matki, pojawiło się kilka szczegółów. Mack z całą pewnością nie wyglądał na agenta od narkotyków, gońca z sądu czy kuratora. Sąsiad wysłał go dalej drogą, za wzgórze, i Mack ruszył we wskazanym kierunku. Zagłębiając się w sosnowe lasy Polk County, rozpowiadał o pieniądzach, które ma do przekazania. Kiedy dojechał do miejsca, gdzie kończyła się leśna droga, było niemal południe. Stara przyczepa kempingowa spowita dziką winoroślą stała posępnie na blokach z żużlobetonu. Z pistoletem kaliber .38 w kieszeni Mack powoli podszedł do przyczepy. Jej drzwi otworzyły się powoli, opadając na zawiasach.

Jerrol wyszedł na rozchwierutany ganek z desek i wbił wzrok w Macka, który zamarł dwadzieścia stóp od niego. Jerrol był bez koszuli, ale jego ramiona i tors ozdabiała barwna kolekcja więziennych tatuaży. Włosy miał długie i brudne, a wychudzone ciało zniszczone amfą. Przez Tinzo stracił lewą dłoń, ale w prawej trzymał obrzyna. Milcząco skinął głową. Oczy miał głęboko osadzone, wzrok nawiedzony.

– Jestem Mack Stafford – odezwał się Mack. – Adwokat z Clanton. Jesteś Jerrol Baker, prawda?

Mack prawie czekał, że dubeltówka uniesie się i wystrzeli, ale broń ani drgnęła. O dziwo, klient uśmiechnął się i ten bezzębny uśmiech był bardziej przerażający niż spluwa.

– To żem ja – mruknął.

Rozmawiali przez dziesięć minut i była to zaskakująco uprzejma rozmowa, zważywszy na okoliczności oraz historię ich znajomości. Gdy tylko Jerrol uświadomił sobie, że ma dostać dwadzieścia pięć tysięcy gotówką i że nikt nie będzie o tym wiedzieć, spotulniał i nawet zaprosił Macka do środka. Mack odmówił.

✿

Doktor Juanita została dokładnie poinformowana o wszystkich problemach, jeszcze zanim zasiedli w skórzanych fotelach przed jej biurkiem. Tylko udawała, że nie jest do Macka uprzedzona. Prawie zapytał, ile ze sobą gawędziły. Ale jego strategia w całości polegała na unikaniu konfliktów.

Po kilku uwagach, które miały zrelaksować małżonków i wzbudzić zaufanie i pozytywne odczucia, doktor Juanita poprosiła, żeby coś powiedzieli. Lisa odezwała się pierwsza – żadne zaskoczenie. Gadała bez przerwy przez piętnaście minut o swoim niezadowoleniu, pustce, frustracji. Nie przebierała w słowach, opisując brak uczucia i zaangażowania u męża i jego coraz większe uzależnienie od alkoholu.

Czoło Macka było fioletowe. Spory bandaż przesłaniał jedną trzecią siniaka, a więc nie tylko nazwano go pijakiem, ale i wyglądał jak pijak. Ugryzł się w język, słuchał i próbował sprawiać wrażenia ponurego i przygnębionego. Kiedy przyszła jego kolej, mówił o tych samych problemach, ale nie miał w zanadrzu żadnych sensacji. Większość to jego wina i jest gotów to przyznać.

Kiedy skończył, doktor Juanita kazała Lisie wyjść. Lisa wróciła do poczekalni przeglądać czasopisma i naładować akumulatory. Mack został, żeby samotnie stawić czoło terapeutce. Kiedy po raz pierwszy znosił tę torturę, był zdenerwowany. Ale teraz miał za sobą już tyle sesji, że, prawdę mówiąc, przestał się przejmować. Nic, co powie, nie pomoże ocalić ich małżeństwa, więc po co w ogóle się odzywać?

– Mam wrażenie, że chcesz zakończyć wasze małżeństwo – zagaiła łagodnie doktor Juanita, przyglądając mu się uważnie.

– Chcę, bo ona tego chce. Pragnie życia na większą skalę, większego domu, większego męża. Jestem po prostu za mały.

– Potraficie się razem śmiać?

– Może kiedy oglądamy coś śmiesznego w telewizji. Ja się śmieję, ona się śmieje, dziewczynki się śmieją.

– A jak z seksem?

– Mamy po czterdzieści dwa lata i robimy to średnio raz na miesiąc. To smutne, bo wszystko trwa najwyżej pięć minut.

Nie ma w tym namiętności, romantyzmu. Rozładowujemy napięcie. Mechanicznie, jakbyśmy dodawali słupki. Czasem myślę, że mogłaby w ogóle o tym zapomnieć.

Doktor Juanita zapisała coś w notatniku. Mniej więcej tak jak Mack, kiedy miał do czynienia z klientem, który niewiele mówi, ale mimo wszystko coś trzeba zapisać.

– Jak dużo pijesz? – zapytała.

– Na pewno nie tyle, co ona mówi. Jest z rodziny abstynentów. Trzy piwa w jeden wieczór to dla niej już pójście w tango.

– Ale pijesz za dużo.

– Wtedy padał śnieg. Wróciłem do domu w nocy, poślizgnąłem się na lodzie i uderzyłem w głowę. A teraz prawie całe Clanton mówi, że przywlokłem się do domu pijany, upadłem na podjeździe, rozbiłem sobie głowę i dziwnie się zachowuję. Ona szuka sojuszników, Juanito, rozumiesz? Opowiada wszystkim, jaki jestem podły. Kiedy wystąpi o rozwód, chce mieć ludzi po swojej stronie. Wszystko ustawiła. To już nieuniknione.

– Poddajesz się?

– Kapituluję. Całkowicie. Bezwarunkowo.

Wypadała właśnie druga niedziela miesiąca, dzień szczególnie znienawidzony przez Macka. Cała rodzina Lisy – klan Bunningów – była zobligowana stawić się po kościele w domu rodziców na popołudniowy brunch w drugą niedzielę każdego miesiąca. Nie uznawano żadnych wymówek, chyba że kogoś akurat nie było w mieście – a nawet wtedy nieobecność z trudem tolerowano, a nieobecny krewniak stawał się obiektem niszczycielskich plotek, powtarzanych oczywiście nie przy dzieciach.

Mack, którego wciąż wyraźnie opuchnięte czoło przybrało odcień jeszcze głębszego fioletu, nie mógł oprzeć się pokusie ostatecznego pokazowego pożegnania. Nie poszedł do kościoła, postanowił nie brać prysznica ani się nie golić, włożył stare dżinsy i brudny podkoszulek. Dla większego efektu zdjął z rany białą gazę, żeby zepsuć Bunningom brunch widokiem makabrycznych szwów. Przyszedł spóźniony parę minut. Na tyle wcześnie, żeby uniemożliwić dorosłym kilka wstępnych wiwisekcyjnych rundek. Lisa kompletnie go zignorowała, tak jak prawie cała reszta. Jego córki ukryły się na oszklonej werandzie razem z kuzynami, którzy oczywiście słyszeli o skandalu i chcieli poznać szczegóły jego szaleństwa.

W pewnej chwili, tuż przed zajęciem miejsc przy stole, minął się z Lisą.

– Dlaczego sobie nie pójdziesz? – wycedziła przez zaciśnięte zęby.

– Bo umieram z głodu i nie jadłem przypalonej zapiekanki od drugiej niedzieli zeszłego miesiąca – odparł radośnie Mack.

Byli wszyscy, cała szesnastka. Ojciec Lisy, wciąż w białej koszuli i krawacie z kościoła, pobłogosławił dzień, wygłaszając swoją standardową prośbę do Najwyższego, po czym podano jedzenie i rozpoczął się posiłek. Jak zawsze minęło ze trzydzieści sekund, zanim ojciec Lisy zaczął omawiać ceny cementu. Kobiety oddały się plotkom w niewielkich grupkach. Dwaj siostrzeńcy żony Macka gapili się na jego szwy z naprzeciwka, nie mogąc jeść. W końcu zdarzyło się to, co się zdarzyć musiało. Nobliwa matka Lisy nie potrafiła już dłużej powściągnąć języka.

– Mack, twoja biedna głowa wygląda okropnie. Musi bardzo boleć – oznajmiła wszem wobec, korzystając z chwili ciszy.

– Nic a nic nie czuję. Jestem na świetnych prochach – odpalił Mack, który przewidział taką zaczepkę.

– Co się stało? – zagadnął szwagier. Jako lekarz był jedyną osobą przy stole z dostępem do dokumentacji medycznej Macka. Nie ulegało wątpliwości, że pan doktor właściwie wykuł na pamięć treść karty chorobowej Macka, przesłuchał zajmujących się nim lekarzy, pielęgniarki i sanitariuszy i o stanie pacjenta wiedział więcej niż on sam. Kiedy Mack sporządzał plany porzucenia zawodu prawniczego, żałował chyba tylko tego, że nigdy nie miał okazji pozwać swojego szwagra za błąd w sztuce lekarskiej. Byli tacy, co zbili na tym fortunę.

– Piłem – oznajmił dumnie Mack. – Wróciłem późno do domu, pośliznąłem się na lodzie i uderzyłem w głowę.

Cała abstynencka rodzina zesztywniała za stołem.

Mack nie odpuszczał.

– Nie mówcie mi tylko, że nie wiecie tego wszystkiego. Lisa była świadkiem. Wszystkim już opowiedziała.

– Mack, bardzo proszę – powiedziała Lisa, upuszczając widelec. Wszystkie widelce nagle zamarły – poza widelcem Macka. Wbił go w gumowatego kurczaka i wepchnął do ust.

– Proszę, co? – odparł, z ustami pełnymi kurczaka. – Dopilnowałaś, żeby każdy z obecnych przy tym stole znał twoją wersję tego, co się stało. – Żuł, mówił i wskazywał widelcem żonę, która siedziała na drugim końcu stołu, obok swojego ojca. – I pewnie powiedziałaś im wszystkim o naszej wizycie u terapeuty małżeńskiego, co?

– O mój Boże – jęknęła Lisa.

– O tym, że śpię w kancelarii, też już wszyscy wiedzą? – upewnił się. – Nie mogę już pójść do domu, bo, cóż, cholera jasna, mogę się znowu poślizgnąć i upaść. Albo coś innego. Mogę się upić i pobić dzieci. Kto wie? Prawda, Liso?

– Dość tego, Mack – odezwał się władczo jej ojciec.

– Tak jest, proszę pana. Przepraszam. Ten kurczak jest właściwie surowy. Kto go przygotował?

Teściowa się najeżyła. Jej plecy zesztywniały jeszcze bardziej. Brwi uniosły się w łuk.

– Cóż, ja, Mack. Masz jeszcze jakieś inne zastrzeżenia do jedzenia?

– Och, całe mnóstwo, ale do diabła z tym.

– Uważaj, co mówisz, Mack – rzucił ojciec Lisy.

– Widzicie, o co mi chodzi – nachyliła się do rodziców Lisa. – Odbija mu. – Większość obecnych z powagą pokiwała głowami. Helen, ich młodsza córka, zaczęła cicho popłakiwać.

– Uwielbiasz to mówić, prawda? – wrzasnął ze swojego końca Mack. – To samo mówiłaś terapeutce. Wszystkim to gadasz. Mack wyrżnął się w głowę i wszystko mu się pierdzieli.

– Mack, nie toleruję takiego języka – oświadczył surowo jej ojciec. – Proszę odejść od stołu.

– Przepraszam. Z chęcią sobie pójdę. – Wstał i dosunął kopniakiem krzesło. – A wy z radością przyjmiecie do wiadomości, że nigdy nie wrócę. Tym się dopiero podjaracie, nie?

Kiedy wychodził, cisza była przytłaczająca. Ostatnią rzeczą, którą usłyszał, były słowa Lisy:

– Bardzo was przepraszam.

W poniedziałek przeszedł na drugą stronę placu, do wielkiej zatłoczonej kancelarii Harry'ego Reksa Vonnera. Jego przyjaciel był bez wątpienia najwredniejszym adwokatem rozwodowym w Ford County. Harry Rex był hałaśliwym, przysadzistym awanturnikiem, który żuł czarne cygara, warczał na swoje sekretarki, warczał na pisarzy sądowych, kontrolował akta, zastraszał sędziów i przerażał przeciwników w sprawach rozwodowych. Jego kancelaria przypominała wysypisko śmieci, z pudłami pełnymi akt w holu, przepełnionymi koszami, stosami starych czasopism na półkach, gęstą warstwą niebieskiego dymu papierosowego pod sufitem, grubą warstwą kurzu na meblach i półkach z książkami i zawsze obecnym różnorodnym tłumem klientów, czekających żałośnie przy drzwiach frontowych. Istne zoo. Nic nie odbywało się o czasie. Ktoś nieustannie wrzeszczał na zapleczu. Telefony dzwoniły bez przerwy. Kserokopiarka stale była zablokowana. I tak dalej. Mack bywał tu już wiele razy w interesach i uwielbiał panujący tu chaos.

– Słyszałem, że ci odbija, chłopcze – zagaił Harry Rex, kiedy spotkali się w drzwiach jego gabinetu. Pokój był duży, bez okien i znajdował się na tyłach budynku, z dala od czekających klientów. Wypełniały go regały z książkami, pudła z magazynów, dowody procesowe, powiększone fotografie i wysokie stosy zeznań. Ściany były zawieszone tanimi zmatowiałymi fotografiami, najczęściej Harry'ego Reksa, jak ze strzelbą w dłoni i promiennym uśmiechem na twarzy pozuje nad zabitymi zwierzętami. Mack nie pamiętał, kiedy tu był po raz ostatni, ale był pewien, że nic się nie zmieniło.

Usiedli. Harry Rex za masywnym biurkiem, z którego zsuwały się ryzy papieru, Mack na sfatygowanym płóciennym krzesełku, kołyszącym się na wszystkie strony.

– Tylko rozbiłem sobie głowę, to wszystko – wyjaśnił Mack.

– Fatalnie wyglądasz.

– Dzięki.

– Już złożyła pozew?

– Nie, właśnie sprawdziłem. Powiedziała, że weźmie jakąś dziewczynę z Tupelo, bo nie może ufać nikomu stąd. Nie mam zamiaru walczyć, Harry. Może brać wszystko: dziewczynki, dom i wszystko, co tam w nim jest. Ogłaszam upadłość, zamykam interes i wyjeżdżam.

Harry Rex powoli obciął koniec kolejnego czarnego cygara, po czym wetknął je w kącik ust.

– Świrujesz, chłopcze.

Harry Rex miał koło pięćdziesiątki, ale sprawiał wrażenie o wiele starszego i mądrzejszego. Zwracając się do każdego młodszego rozmówcy, zwykle dodawał „chłopcze", co w jego przypadku było wyrazem sympatii.

– Powiedzmy, że to kryzys wieku średniego. Skończyłem czterdzieści dwa lata i mam powyżej uszu bycia prawnikiem. Z małżeństwem mi nie wyszło. Z pracą też nie. Czas na zmianę. Najlepiej klimatu.

– Słuchaj, chłopcze. Byłem trzy razy żonaty. To, że pozbywasz się kobiety, nie znaczy, że masz podwinąć ogon i zwiewać.

– Nie przyszedłem po porady zawodowe, Harry. Zatrudniam cię, żebyś przeprowadził mój rozwód i upadłość. Już przygotowałem papiery. Każ jednemu ze swoich fagasów wnieść obie sprawy i upewnij się, że jestem kryty.

– Dokąd się wybierasz?

– Gdzieś daleko stąd. Nie jestem jeszcze pewien, ale dam ci znać, kiedy tam będę. Wrócę, jak będę potrzebny. W końcu dalej jestem ojcem.

Harry Rex zapadł się w fotelu. Wypuścił powietrze z płuc i popatrzył na stosy teczek z dokumentami poustawiane bezładnie na podłodze wokół biurka. Spojrzał na telefon z migającymi pięcioma czerwonymi światełkami.

– Mogę jechać z tobą? – zapytał.

– Przykro mi. Musisz tu zostać i być moim adwokatem. Mam jedenaście spraw rozwodowych w toku, prawie wszystkie za zgodą obu stron, osiem upadłości, jedną adopcję, dwie sprawy majątkowe, jeden wypadek samochodowy, jedną skargę pracowniczą i dwa małe spory biznesowe. Ogółem honoraria na jakieś dwadzieścia pięć tysięcy, spływające przez najbliższych sześć miesięcy. Chciałbym, żebyś je ode mnie przejął.

– To kupa gówna.

– Tak, właśnie takie gówno, jakie przerzucałem przez siedemnaście lat. Zwal to na któregoś ze swoich stażystów i daj mu premię. Wierz mi, nie ma tam nic skomplikowanego.

– Jakie alimenty na dzieci możesz płacić?

– Góra trzy tysiące miesięcznie. To i tak o wiele więcej niż daję teraz. Zacznij od dwóch tysięcy i zobacz, co się da ugrać. Lisa może złożyć wniosek o rozwód ze względu na niezgodność charakterów, a ja się dopiszę. Dostanie pełną opiekę, ale chcę mieć możliwość odwiedzin, kiedy tylko będę w mieście. Dostanie dom, swój samochód, konto w banku, wszystko. Nie jest uwikłana w upadłość. Wspólne aktywa nie są w nią włączone.

– Co jest przedmiotem upadłości?

– Kancelaria Prawna Jacob McKinley Stafford sp. z o.o. Niech spoczywa w pokoju.

Harry Rex żuł cygaro i patrzył na wniosek o upadłość. Nie było w nim nic nadzwyczajnego, zwykłe zadłużenie na kartach kredytowych, zawsze obecna niezabezpieczona linia kredytowa, uciążliwy kredyt hipoteczny.

– Nie musisz tego robić – powiedział. – To jeszcze do odkręcenia.

– Wniosek już jest gotowy, Harry. Decyzja została podjęta, ta i szereg innych. Daję nogę, rozumiesz. Wieję stąd. Znikam.

– Dość odważnie.

– Nie. Większość ludzi powiedziałaby, że ucieczka to akt tchórzostwa.

– A jak ty to widzisz?

– Mam to gdzieś. Jeżeli nie wyjadę teraz, utknę tu na zawsze. To moja ostatnia szansa.

– No to dawaj, chłopcze.

※

Dokładnie o jedenastej we wtorek, wspaniały tydzień po pierwszym telefonie, Mack wykonał kolejny. Kiedy wybierał numer, uśmiechał się i gratulował sobie zadziwiających osiągnięć ostatnich siedmiu dni. Wszystko zadziałało idealnie, może poza raną głowy, ale nawet ona została zręcznie włączona do planu ucieczki. Mack został ranny, trafił do szpitala z urazem głowy. Nic dziwnego, że jest nieswój.

– Z panem Martym Rosenbergiem – powiedział uprzejmie i czekał, aż ów wielki człowiek zostanie powiadomiony. Ale Marty szybko odebrał. Wymienili uprzejmości. Marty wydawał się nie spieszyć, szykował się na niewiele znaczącą pogawędkę. Mack zaniepokoił się, że ten brak zaangażowania może doprowadzić do zmiany planów lub zwiastować złe wiadomości. Postanowił przejść do rzeczy.

– Słuchaj, Marty, spotkałem się z moimi wszystkimi czterema klientami i, jak możesz się domyślić, wszyscy bardzo chcą przyjąć twoją ofertę. Za pół miliona dolców wyciszymy sprawę.

– Dobrze. Mówisz, że to było pół miliona, Mack? – To już zabrzmiało niepewnie.

Serca Macka zamarło.

– Oczywiście, Marty – wysapał i zachichotał bez przekonania, jakby stary dobry Marty wymyślił kolejny żarcik. – Zaproponowałeś po sto kawałków na każdego z czterech, plus setkę za koszty obrony.

Mack słyszał, jak w Nowym Jorku przekładane są jakieś papiery.

– Hm, zobaczmy, Mack. Mówimy o sprawach Tinzo?

– Tak jest, Marty – odparł Mack, już nieźle przestraszony i sfrustrowany. I przygnębiony. Człowiek z książeczką czekową nie był nawet pewien, o czym rozmawiają. Tydzień wcześniej mówił o konkretach. Teraz się plątał. Chwilę potem nastąpiła najstraszniejsza odpowiedź z możliwych.

– Obawiam się, że pomyliłem te sprawy z innymi.

– Chyba żartujesz – warknął Mack o wiele za ostro. Uspokój się, nakazał sam sobie.

– Naprawdę proponowaliśmy tyle za te przypadki? – zapytał Marty, najwyraźniej przeglądając notatki w czasie rozmowy.

– Masz cholerną rację, proponowałeś, a ja w dobrej wierze przekazałem propozycje moim klientom. Zawarliśmy umowę, Marty. Złożyłeś rozsądną propozycję, a my ją przyjęliśmy. Nie możesz się teraz wycofać.

– Po prostu wydaje mi się to trochę za dużo, to wszystko. Pracuję teraz nad tyloma sprawami o odpowiedzialność cywilną...

No to gratuluję, prawie powiedział Mack. Masz mnóstwo roboty od klientów, którzy mogą ci płacić mnóstwo forsy. Otarł pot z czoła, czując, jak wszystko wymyka mu się z rąk. Nie panikuj, powiedział do siebie w myślach.

– To wcale nie tak dużo, Marty. Powinieneś zobaczyć jednookiego Odella Grove'a, Jerrola Bakera bez lewej dłoni, Douga z okaleczoną i niesprawną lewą ręką i Travisa Johnsona, który ma kikuty zamiast palców. Powinieneś porozmawiać z tymi ludźmi i przekonać się, jak nędzne stało się ich życie i jak bardzo zostali okaleczeni przez piły łańcuchowe Tinzo. Sądzę, że zgodziłbyś się, że twoja półmilionowa oferta jest nie tylko rozsądna, ale być może i trochę za niska. – Skończył, wypuścił powietrze i niemal uśmiechnął się do siebie. Nie najgorsza mowa końcowa. Może powinien spędzać więcej czasu w sali sądowej.

– Nie mam czasu wdawać się w te szczegóły ani podważać kwestii odpowiedzialności, Mark, ale...

– Nazywam się Mack. Mack Stafford, adwokat, z Clanton w stanie Missisipi.

– Oczywiście, przepraszam. – Znowu przekładanie dokumentów w Nowym Jorku. Stłumione głosy w tle, gdy pan Rosenberg wydawał innym jakieś polecenia. Potem wrócił i jego głos brzmiał inaczej. – Zdajesz sobie sprawę, Mack, że Tinzo miało cztery procesy o te piły łańcuchowe i wygrało wszystkie cztery? Trafiony zatopiony.

Jasne, że Mack o tym nie wiedział, bo zapomniał o sprawie pił łańcuchowych.

– Tak. I nawet przyjrzałem się tym procesom. Sądziłem, że nie masz zamiaru podważać kwestii odpowiedzialności, Marty – rzucił zdesperowany.

– Okay, masz rację. Przefaksuję ci dokumenty w sprawie ugody.

Mack odetchnął głęboko.

– Kiedy będziesz mógł mi je odesłać? – zapytał Marty.

– Za parę dni.

Spierali się o sformułowania w dokumentach. Wciąż wracali do sprawy rozprowadzenia pieniędzy. Siedzieli przy telefonach przez następnych dwadzieścia minut, zajmując się tym, czego oczekuje się od prawników.

Kiedy Mack w końcu odłożył słuchawkę, zamknął oczy, położył nogi na biurku i zakołysał się w fotelu. Był wyczerpany, zmęczony, wciąż przerażony, ale szybko doszedł do siebie. Uśmiechnął się i już wkrótce nucił Jimmy'ego Buffetta.

Jego telefon wciąż dzwonił.

❦

Prawdę powiedziawszy, nie był w stanie odnaleźć ani Travisa Johnsona, ani Douga Jumpera. Travis podobno znalazł pracę na zachodzie, jako kierowca ciężarówki, co najwyraźniej mógł robić tylko z siedmioma palcami normalnej długości. Zostawił byłą żonę w domu pełnym dzieciaków i mnóstwem niezapłaconych alimentów. Żona pracowała na nocną zmianę w spożywczym w Clanton i miała Mackowi kilka słów do powiedzenia. Pamiętała jego obietnice zdobycia pieniędzy od Tinzo, kiedy Travis stracił część trzech palców. Według co poniektórych znajomych podejrzanej proweniencji Travis uciekł ponad rok temu i nie zamierzał wracać do Ford County.

Doug Jumper podobno nie żył. Poszedł do więzienia w Tennessee pod zarzutem napaści i od trzech lat nikt go już nie widział. Nie miał żadnych dzieci. Jego matka się wyprowadziła. Miał krewnych w całym hrabstwie, ale oni nie mieli szczególnej ochoty rozmawiać o Dougu. Jeszcze mniejszą ochotę mieli na rozmowę z prawnikiem, nawet takim, który ma na sobie myśliwskie moro albo wypłowiałe dżinsy i buty turystyczne czy cokolwiek tam Mack wkładał, żeby nie wyróżniać się spośród tubylców. Wypróbowana metoda – podsuwanie marchewki w postaci jakiegoś nieokreślonego czeku na nazwisko Douga Jumpera – nie zadziałała. Nic nie zadziałało i po dwóch tygodniach poszukiwań, słysząc po raz trzeci czy czwarty „chłopak pewnie nie żyje", Mack w końcu odpuścił.

Uzyskał prawomocne podpisy Odella Grove'a i Jerrola Bakera – Jerrol wyglądał bardziej niż żałośnie, kiedy gryzmolił po kartce lewą ręką – i popełnił pierwsze przestępstwo. Pan Marty Rosenberg z Nowego Jorku żądał notarialnego potwierdzenia dokumentów o ugodzie i odstąpieniu od roszczeń. W każdym przypadku była to standardowa procedura. Ale Mack zwolnił swojego notariusza, a zapewnienie sobie usług innego było zdecydowanie zbyt skomplikowane.

Siedząc przy swoim biurku, za zamkniętymi drzwiami, Mack starannie podrobił nazwisko Fredy jako notariusza, a potem przystawił nieważną już pieczęć notarialną, którą trzymał w zamkniętej szufladzie. Poświadczył podpis Odella, potem Jerrola i zrobił krok do tyłu, by podziwiać swoje dzieło. Planował ten czyn od wielu dni i był przekonany, że nigdy go nie złapią. Fałszerstwa były przepiękne, retusz pieczęci notarialnej prawie niedostrzegalny i nikt w Nowym Jorku nie będzie tracił czasu na ich analizowanie. Pan Rosenberg i jego doborowy personel tak bardzo chcą zamknąć swoje sprawy, że zerkną tylko na papiery Macka, potwierdzą parę szczegółów i wyślą czek.

Jego przestępstwa skomplikowały się jeszcze bardziej, kiedy sfałszował podpisy Travisa Johnsona i Douga Jumpera. Było to rzecz jasna usprawiedliwione, ponieważ w dobrej wierze czynił wysiłki, żeby ich odnaleźć, a gdyby się kiedykolwiek pojawili, bardzo chętnie zaproponowałby im te same dwadzieścia pięć tysięcy, które płacił Odellowi i Jerrolowi. Oczywiście zakładając, że będzie na miejscu, kiedy się pojawią.

Ale Mack nie zamierzał być na miejscu.

Kolejnego dnia skorzystał z usług USPS – być może po raz kolejny naruszając prawo, tym razem federalne, ale i tym razem wcale go to nie wzruszało – i wysłał pakiet ekspresem do Nowego Jorku.

Następnie zgłosił upadłość i przy okazji złamał kolejny przepis, nie ujawniając honorariów, które miały spłynąć za jego arcydzieło odszkodowawcze. Gdyby go przyłapali, mógłby twierdzić, że honoraria nie zostały odebrane i tak dalej, ale Mack nie był w stanie wygrać nawet dyskusji z samym sobą. Co nie znaczy, że bardzo się starał. Jeśli już o tym mowa, honorariów nie miał zobaczyć nikt ani w Clanton, ani w ogóle w Missisipi.

Nie golił się od dwóch tygodni. Jego zdaniem ze szpakowatą brodą było mu wcale do twarzy. Przestał jeść na mieście. Nie nosił już marynarek ani krawatów. Siniaki i szwy zniknęły. Kiedy widziano go w mieście, co nie zdarzało się często, ludzie szeptali za jego plecami. Po okolicy krążyła najnowsza plotka, że biedny Mack traci wszystko. Cały sąd powtarzał wieści o jego upadłości. Kiedy połączono je z informacją, że Lisa wystąpiła o rozwód, adwokaci, urzędnicy i sekretarki właściwie nie mówili o niczym innym. Jego kancelaria była zamknięta tak w godzinach pracy, jak i po godzinach. Telefonów nie odbierano.

Pieniądze z odszkodowań zostały przelane na nowy rachunek bankowy w Memphis, a potem po cichu rozdysponowane. Mack wziął pięćdziesiąt tysięcy gotówką, spłacił Odella Grove'a i Jerrola Bakera i dobrze się z tym poczuł. Jasne, że powinni dostać więcej, przynajmniej w świetle warunków dawno zapomnianych umów, które Mack im podsunął, kiedy go zatrudniali. Jednak sytuacja, przynajmniej zdaniem Macka, wymagała znacznie bardziej elastycznej interpretacji wspomnianych umów. Powodów było kilka. Po pierwsze, jego klienci byli bardzo szczęśliwi. Po drugie, jego klienci z całą pewnością roztrwoniliby wszystko, co przekraczałoby sumę dwudziestu pięciu tysięcy, i żeby do tego nie dopuścić, Mack uznał, że po prostu powinien zatrzymać większość pieniędzy. Po trzecie, ponieważ obrażenia były niewielkie, dwadzieścia pięć tysięcy dolarów to sprawiedliwe zadośćuczynienie, zważywszy, że obaj nie dostaliby nic, gdyby Mack nie był dość sprytny i nie wymarzył sobie całej tej sprawy o odszkodowania za piły łańcuchowe.

Powód czwarty, piąty i szósty szły tym samym tokiem rozumowania. Macka zmęczyło już racjonalizowanie swoich działań. Robił w konia swoich klientów i wiedział o tym.

Był teraz oszustem. Podrabiał dokumenty, ukrywał aktywa, oszukiwał klientów. I gdyby pozwolił sobie na analizowanie tego, co robi, czułby się nieszczęśliwy. A tak naprawdę był tak przejęty swoją ucieczką, że złapał się na tym, że śmieje się w dziwnych momentach. Kiedy przestępstwa zostały popełnione, nie było już odwrotu, i to też sprawiało mu przyjemność.

Przekazał Harry'emu Reksowi czek na pięćdziesiąt tysięcy dolarów na pokrycie wstępnych kosztów rozwodu i nadał moc prawną niezbędnym dokumentom, żeby adwokat mógł działać w jego imieniu. Reszta pieniędzy została przelana do banku w Ameryce Środkowej.

❧

Ostatnim aktem jego dobrze zaplanowanego i błyskotliwie wykonanego pożegnania było spotkanie z córkami. Po kilku cierpkich rozmowach telefonicznych Lisa ostatecznie ustąpiła i łaskawie pozwoliła Mackowi przyjść do domu na godzinę, w czwartek wieczór. Ona wyjdzie, ale wróci dokładnie za godzinę.

Tworząc niepisane zasady ludzkiego zachowania, ktoś mądry uznał swego czasu, że takie spotkania są obowiązkowe. Mack z całą pewnością mógłby to sobie darować, ale był przecież nie tylko oszustem, ale i tchórzem. Żadna zasada nie mogła zostać złamana. Przypuszczał, że to niezwykle ważne dla dziewczynek, żeby dać ujście swoim uczuciom, popłakać się, zapytać dlaczego. Nie musiał się martwić. Lisa tak starannie je przygotowała, że ledwo dały się przytulić. Obiecał, że będzie je widywał tak często, jak to możliwe, chociaż wyjeżdża z miasta. Przyjęły jego słowa bardziej sceptycznie, niż uważał za możliwe. Po trzydziestu długich krępujących minutach Mack jeszcze raz uścisnął ich sztywne ciała i popędził do samochodu. Kiedy odjeżdżał, był przekonany, że wszystkie trzy kobiety planują szczęśliwe nowe życie bez niego.

Gdyby pozwolił sobie na rozpamiętywanie swoich błędów i niedostatków, mógłby wpaść w melancholię. Walczył z pragnieniem wspominania dziewczynek, kiedy były mniejsze, a życie szczęśliwsze. Ale czy w ogóle był kiedykolwiek naprawdę szczęśliwy? Nie potrafił powiedzieć.

Dojechał do kancelarii, wszedł jak zwykle ostatnio od tyłu i po raz ostatni rozejrzał się po swoim biurze. Wszystkie bieżące akta przekazał Harry'emu Reksowi. Stare spalił. Książki prawnicze, wyposażenie biurowe, meble i tanie obrazy sprzedał lub rozdał. Zapakował średnią walizkę, której zawartość dobrał bardzo starannie. Żadnych garniturów, krawatów, białych koszul, smokingów, lakierków – wszystkie te śmiecie oddał potrzebującym. Mack wyjeżdżał z lżejszym bagażem.

Pojechał autobusem do Memphis, stamtąd poleciał do Miami, potem do Nassau, gdzie przenocował, czekając na lot do Belize w Belize. Tam czekał godzinę w dusznej i parnej poczekalni, popijając piwo w maleńkim barze. Przysłuchiwał się, jak jacyś hałaśliwi Kanadyjczycy podniecają się łowieniem albuli, i marzył o tym, co go czeka. Nie był pewny co, ale niewątpliwie było to o wiele bardziej atrakcyjne niż pozostawione za sobą zgliszcza.

Pieniądze były w Belize, gdzie układ ekstradycyjny ze Stanami Zjednoczonymi to bardziej akt formalny niż praktycznie stosowany. Gdyby zaczęli deptać mu po piętach – a był absolutnie przekonany, że nie zaczną – wtedy po cichutku wyniósłby się do Panamy. Jego zdaniem ryzyko, że go złapią, było żadne, a gdyby ktoś zaczął węszyć w Clanton, Harry Rex szybko by się o tym dowiedział.

Samolot, którym leciał do Ambergris Cay, był leciwą cessną caravan, dwudziestomiejscową maszyną zatłoczoną dobrze odżywionymi Amerykanami o tyłkach ledwo mieszczących się w wąskich fotelach. Ale Mackowi to nie przeszkadzało. Patrzył przez okno w dół, na skrzącą się trzy tysiące stóp niżej wodę o barwie akwamaryny. Ciepłą słoną wodę, w której wkrótce będzie pływać. Na wyspie i na północ od głównego miasta San Pedro znalazł miejsce w uroczym małym ośrodku na wybrzeżu o nazwie Rico's Reef Resort. Było to właściwie skupisko krytych strzechą chatek z małymi gankami. Na każdym ganku wisiał długi hamak, nie pozostawiając właściwie wątpliwości, jakie priorytety obowiązują w Rico's. Mack zapłacił gotówką za tydzień – nigdy więcej kart kredytowych – szybko przebrał się w swój nowy strój roboczy: podkoszulek, stare dżinsowe szorty, czapeczka bejsbolowa. Nie włożył butów. Wkrótce znalazł wodopój, zamówił drinka z rumem i spotkał się gościem o imieniu Coz. Coz zacumował do jednego końca baru z drewna tekowego i wyglądało, że tkwi tu już od dość dawna. Jego długie siwe włosy były ściągnięte do tyłu i związane w kucyk. Skórę miał opaloną na brąz. W jego głosie pobrzmiewał ledwo słyszalny nowoangielski akcent. Wkrótce Coz, paląc papierosa za papierosem i popijając ciemny rum, wspomniał, że swego czasu był związany z pewną nieokreśloną firmą w Bostonie. Starał się wysondować przeszłość Macka, ale Mack był zbyt nerwowy, by cokolwiek mu powiedzieć.

– Jak długo się zatrzymasz? – spytał Coz.

– Aż się opalę – odparł Mack.

– Trochę może potrwać. Uważaj na słońce. Jest zabójcze.

Coz udzielił mu wielu porad związanych z Belize. W końcu uświadomił sobie, że niewiele otrzymuje w zamian.

– Sprytny jesteś. Nie gadaj tu zbyt wiele. Znajdziesz tu mnóstwo jankesów, którzy przed czymś uciekają – oświadczył.

Jakiś czas potem Mack kołysał się w hamaku na wietrze. Patrzył na ocean, słuchał fal przyboju, popijał rum z wodą sodową i zadawał sobie pytanie, czy rzeczywiście ucieka. Nie wysłano za nim listów gończych, nakazów sądowych. Nie ścigali go wierzyciele. Przynajmniej o niczym takim nie wiedział. I niczego takiego się nie spodziewał. Gdyby zechciał, mógłby już jutro wrócić do domu, ale już sama myśl budziła w nim odrazę. Domu już nie było. Dom był miejscem, z którego właśnie uciekł. Powyjazdowy szok był ogromy, ale rum na pewno pomagał.

Mack spędził pierwszy tydzień, wylegując się albo w hamaku, albo przy basenie. Ostrożnie napawał się słońcem, by pośpiesznie skryć się w cieniu ganku. Kiedy nie drzemał, opalał się lub tkwił przy barze, chodził na długie spacery nad wodą. Towarzystwo byłoby mile widziane, mówił sobie. Gawędził z turystami w hotelikach i domkach wędkarskich. Aż w końcu poszczęściło mu się z sympatyczną młodą damą z Detroit. Czasami się nudził, ale nudzenie się w Belize było o wiele lepsze niż nudzenie się w Clanton.

Dwudziestego piątego marca Mack obudził się ze złego snu. Z jakiegoś paskudnego powodu przypomniał sobie tę datę. Na ten dzień wyznaczona była sesja sądu w Clanton i w normalnych okolicznościach Mack znajdowałby się na wokandzie głównej sali sądowej. Tam, tak jak dwudziestu innych adwokatów, odezwałby się, kiedy wywołano by jego nazwisko, i poinformowałby sędziego, że pan i pani Tacy-a-Tacy są obecni i gotowi otrzymać rozwód. Tego dnia miał przynajmniej trzy sprawy na wokandzie. Niestety, wciąż pamiętał nazwiska. To była zwykła linia montażowa, a Mack był przy niej źle opłacanym i bardzo łatwym do zastąpienia robotnikiem.

Leżąc nago pod cienkim prześcieradłem, zamknął oczy. Wciągnął powietrze nosem i poczuł zatęchły zapach dębu i skóry unoszący się w starej sali sądowej. Słyszał głosy innych adwokatów, którzy sprzeczali się z całą powagą o ostatnie szczegóły. Widział sędziego w wyblakłej czarnej todze, zagłębionego w solidnym fotelu i czekającego niecierpliwie na dokumenty, które podpisze, żeby rozwiązać kolejne małżeństwo zawarte w niebie.

Potem otworzył oczy. Patrzył na obracający się leniwie pod sufitem wentylator i wsłuchał w poranny szum oceanu i nagle Macka Stafforda ogarnęło radosne poczucie wolności. Szybko włożył spodenki gimnastyczne i pobiegł wzdłuż plaży do pomostu wychodzącego jakieś dwieście stóp w ocean. Sprintem pomknął pomostem i nie zwolnił, zbliżając się do końca. Mack śmiał się, kiedy wyskoczył w powietrze i wpadł do wody z potężnym pluskiem. Ciepła jak w saunie woda wypchnęła go na powierzchnię i zaczął płynąć.

Śmieszny chłopak

Jak wszystkie plotki w Clanton, ta urodziła się albo u fryzjera, albo w kawiarni, a może w kancelarii sądu, i gdy tylko wyleciała na ulice, natychmiast zaczęła żyć własnym życiem. Dobra plotka rozprzestrzenia się wokół placu z prędkością, której nie zna żadna technika, i często wraca do źródła tak odmieniona, że zaskakuje samego autora. Tak to już jest z plotkami, ale czasem, przynajmniej w Clanton, któraś okazuje się prawdziwa.

Do fryzjera po północnej stronie placu, gdzie pan Felix Upchurch już prawie pięćdziesiąt lat strzyże i udziela porad, plotkę przyniósł pewnego ranka człowiek, który zazwyczaj przedstawiał fakty zgodnie z rzeczywistością.

– Słyszałem, że najmłodszy chłopak Isaaca Keane'a wraca do domu – oznajmił.

Nastąpiła przerwa w strzyżeniu, czytaniu gazet, paleniu papierosów i dyskusjach o wczorajszym meczu Cardinalsów. Potem ktoś zapytał:

– Czy to nie ten śmieszny chłopak?

Cisza. A potem znów szczękanie nożyczek, szelest stron, tu kaszlnięcie, tam chrząknięcie. Kiedy u fryzjera po raz pierwszy poruszy się delikatny temat, najpierw traktuje się go ostrożnie. Nikt nie chce się wyrywać, żeby nie zarzucono mu plotkarstwa. Nikt nie chce potwierdzić ani zaprzeczyć, bo przekręcony fakt lub błędne przypuszczenie mogą się szybko rozejść i narobić szkód, zwłaszcza w sprawach związanych z seksem. Gdzie indziej w mieście ludzie nie są tak ostrożni. Bez wątpienia jednak powrót najmłodszego chłopaka Keane'ów będzie roztrząsany z każdej strony, choć dżentelmeni – jak zawsze – działają rozważnie.

– Ja tam zawsze słyszałem, że nie gustował w dziewczynach.

– I dobrze słyszałeś. Córka kuzyna chodziła z nim do szkoły i mówi, że zawsze był dziwny, wypisz wymaluj panienka, i jak tylko mógł, wyniósł się do wielkiego miasta. Chyba do San Francisco, ale nie dam sobie głowy uciąć.

(„Nie dam sobie głowy uciąć" – obronny wybieg, żeby zaprzeczyć temu, co się właśnie powiedziało. Jeśli to odpowiednio zdementowałeś, reszta mogła spokojnie iść dalej i powtarzać to, co właśnie usłyszała, ale gdyby informacja okazała się fałszywa, pierwszy plotkarz za to nie odpowiadał).

– Ile ma lat?

Przerwa na obliczenia.

– Ze trzydzieści jeden, trzydzieści dwa.

– A po co wraca?

– No wiesz. Nie jestem pewien, ale mówią, że jest bardzo chory, kończy się, a w wielkim mieście nie ma nikogo, kto by się nim opiekował.

– Wraca do domu, żeby umrzeć?

– Tak mówią.

– Isaac przewraca się w grobie.

– Mówią, że rodzina od lat wysyłała mu pieniądze, żeby tylko trzymał się z dala od Clanton.

– Myślałem, że przepuścili wszystkie pieniądze Isaaca.

Śmieszny chłopak

Tu rozpoczęto dyskusję na temat pieniędzy Isaaca, jego majątku, aktywów i pasywów, żon, dzieci i krewnych, tajemniczych okoliczności jego śmierci i zakończyła się wspólną konkluzją, że Isaac umarł w samą porę, bo rodzina, którą pozostawił, to banda idiotów.

– Na co chłopak choruje?

Rasco, jedna z największych gaduł w mieście, znany ze skłonności do przesady, wyjaśnił:

– Mówią, że to ta choroba pedziów. Za nic jej nie wyleczysz.

Bickers, czterdziestoletni, czyli najmłodszy z obecnych tego ranka, zapytał:

– Chyba nie mówisz o AIDS, co?

– Tak mówią.

– Chłopak złapał AIDS i przyjeżdża do Clanton?

– Tak mówią.

– Nie może być.

Plotka potwierdziła się parę minut później w kawiarni po wschodniej stronie placu, gdzie atrakcyjna kelnerka imieniem Dell od lat podawała śniadania. Poranny tłum jej klientów składał się zwykle z zastępców szeryfa po służbie, robotników z fabryki i jednego czy dwóch białych kołnierzyków, które się tu przyplątały. Jeden z nich powiedział:

– Dell, słyszałaś, że najmłodszy chłopak Keane'nów wraca do domu?

Dell, która często z nudów sama wypuszczała jakąś plotkę, ale na ogół dysponowała wiarygodnymi źródłami, odparła:

– Już wrócił.

– I ma AIDS?

– Coś tam ma. Strasznie blady, zabiedzony, już wygląda jak śmierć na chorągwi.

– Kiedy go widziałaś?

– Nie widziałam. Ale gospodyni jego ciotki opowiedziała mi wszystko wczoraj po południu. – Dell stała za ladą, czekając, aby kucharz dał jej porcje, i każdy klient w kawiarni nadstawił uszu. – Chłopak jest chory, i to jak. Na to nie ma lekarstwa, nie można nic zrobić. Nikt nie chciał się nim opiekować w San Francisco, no to wrócił do domu, żeby umrzeć. Okropnie smutne.

– Gdzie mieszka?

– No, na pewno nie będzie mieszkał w wielkim domu. Rodzina uradziła, że nie może tam zostać. To, co złapał, jest zaraźliwe jak diabli i można umrzeć, dlatego zapakowali go do jednego z tych starych domów Isaaca w Lowtown.

– Mieszka z kolorowymi?

– Tak mówią.

Trochę trwało, zanim to dotarło, ale zaczynało mieć sens. Myśl, że jakiś Keane mieszka za torami w czarnej dzielnicy, nie była łatwa do przyjęcia, ale z drugiej strony wydawało się logiczne, że ktoś z AIDS nie może kręcić się po białej części miasta.

– Bóg jeden wie – ciągnęła Dell – ile domów i chałup stary Keane kupił i zbudował w Lowtown. Głowę dam, że ciągle ma całą kupę.

– Ciekawe, z kim będzie mieszkał?

– Mam to gdzieś. Po prostu nie chcę go tutaj.

– Ej, Dell. A co byś zrobiła, jakby teraz tu wszedł i zechciał śniadanie?

Wytarła ręce w ścierkę, popatrzyła na faceta, który spytał, zacisnęła zęby i oświadczyła:

– Słuchaj, jak chcę, to mogę kogoś nie obsłużyć. Słowo daję, przy moich klientach ciągle o tym myślę. Ale jeśli tu przyjdzie, poproszę, żeby wyszedł. Chyba pamiętacie, że roznosi cholernie zaraźliwą chorobę i nie gadamy o grypie. Jakbym go obsłużyła, któryś mógłby następnym razem dostać jego talerz albo szklankę. Pomyślcie o tym.

Myśleli o tym dość długo.

W końcu ktoś powiedział:

– Ciekawe, ile pożyje.

Nad tym pytaniem dyskutowano też po drugiej stronie ulicy, na piętrze sądu, w kancelarii, gdzie amatorzy porannej kawy podjadali ciasta i wyłapywali najnowsze wieści. Myra, od aktów własności nieruchomości, skończyła liceum rok przed Adrianem Keane'em i oczywiście już wtedy wszyscy wiedzieli, że jest inny. Teraz ona grała pierwsze skrzypce.

Dziesięć lat po maturze Myra i jej mąż spędzali wakacje w Kalifornii i zadzwoniła wtedy do Adriana. Spotkali się na lunchu w Fisherman's Wharf i – z Alcatraz i Golden Gate w tle – cudownie pogadali sobie o Clanton. Myra zapewniła Adriana, że u nich nic się nie zmieniło. Adrian swobodnie mówił o tym, jak żyje. Był rok 1984, na szczęście nie musiał się kryć, ale nie był związany z nikim szczególnie. Martwił się AIDS, chorobą, o której Myra w osiemdziesiątym czwartym nawet nie słyszała. Pierwsza fala epidemii właśnie przewaliła się przez środowisko gejów i jej pierwsze ofiary wstrząsały i przerażały. Zalecano zmianę trybu życia. Jedni umierali w sześć miesięcy, wyjaśnił Adrian Myrze i jej mężowi, inni trzymali się latami. Już stracił kilku przyjaciół.

Myra opisała znów tamten lunch w najdrobniejszych szczegółach urzeczonemu audytorium kilkunastu innych urzędników. Fakt, że była w San Francisco i przejechała przez ten most, czynił ją kimś wyjątkowym. Widzieli zdjęcia i to nieraz.

– Podobno już tu jest – powiedział któryś.

– Ile mu zostało?

Ale tego Myra nie wiedziała. Od lunchu pięć lat temu nie miała żadnego kontaktu z Adrianem i było jasne, że nie chce mieć go teraz.

Pierwsza obserwacja została potwierdzona parę minut później, kiedy pan Rutledge wszedł do fryzjera na cotygodniowe strzyżenie. Jego bratanek codziennie rano rozwoził gazetę z Tupelo i każdy dom w centrum Clanton dostawał po egzemplarzu. Bratanek słyszał plotki i miał oczy otwarte. Jechał wolno rowerem po Harrison Street, a jeszcze wolniej przy starej posiadłości Keane'ów i fakt, właśnie dziś rano, raptem dwie godziny temu, stanął oko w oko z nieznajomym, którego szybko nie zapomni.

Pan Rutledge opisał to spotkanie:

– Joey powiedział, że w życiu nie widział kogoś bardziej chorego, mizernego i chudego, bladego jak trup, z plamami na ręku, zapadniętymi policzkami, rzadkimi włosami. Powiedział, że jakby patrzył na nieboszczyka. – Rutledge rzadko kiedy nie bajerował i wszyscy doskonale o tym wiedzieli. Ale nikt nie ośmielił się podawać w wątpliwość, czy Joey, ograniczony trzynastolatek, rzeczywiście użył słowa „nieboszczyk".

– Co mówił?

– Joey powiedział „dzień dobry", a facet odpowiedział „dzień dobry", a Joey dał mu gazetę, ale uważał, żeby trzymać się z daleka.

– Łebski chłopak.

– A potem wskoczył na rower i zwiał. Nie można tego świństwa złapać z powietrza, no nie?

Nikt nie zaryzykował wyrażenia opinii.

Zanim o ósmej trzydzieści o spotkaniu dowiedziała się Dell, już pojawiły się pewne spekulacje na temat zdrowia Joeya. O ósmej czterdzieści pięć Myra i urzędnicy paplali z podnieceniem o widmowej postaci, która przeraziła gazeciarza przed starą posiadłością Keane'ów.

Godzinę później policyjny radiowóz przejechał Harrison Street, a dwaj funkcjonariusze w środku bardzo starali się choć przelotnie zobaczyć ducha. Do południa całe Clanton wiedziało, że wśród nich jest umierający na AIDS.

⚘

Umowę zawarto po krótkich pertraktacjach. W tych okolicznościach spieranie się o drobiazgi było zbędne. Strony nie występowały z jednakowej pozycji, więc nic dziwnego, że biała kobieta dostała to, co chciała.

Białą kobietą była Leona Keane, dla niektórych ciotka Leona, dla reszty Lwica Leona, wiekowa matrona i głowa podupadającego rodu. Czarną kobietą była panna Emporia, jedna z dwóch raptem czarnych starych panien w Lowtown. Emporia też była niemłoda, miała może z siedemdziesiąt pięć lat – tak sądziła, choć nie istniała żadna metryka jej urodzin. Do Keane'ów należał dom, który Emporia wynajmowała od zawsze, i właśnie z powodu przywileju otrzymania go na własność porozumienie zawarto tak szybko.

Emporia będzie się opiekować bratankiem, a po jego śmierci dostanie notarialny akt własności. Mały różowy domek na Roosevelt Street będzie jej – za darmo i na zawsze. Przekazanie nieruchomości mogło nie znaczyć nic dla Keane'ów, którzy i tak już od lat uszczuplali majątek Isaaca. Ale dla Emporii znaczyło wszystko. Myśl o posiadaniu ukochanego domu przeważyła nad wątpliwościami co do opieki nad umierającym białym chłopakiem.

Ponieważ ciotce Leonie nawet na myśl nie przyszło, że mogłaby się pojawić po drugiej stronie torów, zadbała, żeby to jej ogrodnik odwiózł chłopaka i dostarczył do jego ostatecznego miejsca przeznaczenia. Kiedy stary buick ciotki Leony dojechał do panny Emporii, Adrian popatrzył na różowy domek z białym gankiem, zwisającymi paprociami, skrzynkami na kwiaty wypełnionymi bratkami i pelargoniami, maleńki trawnik odgrodzony od ulicy białym płotem, a potem spojrzał na mały domek obok, bladożółty i tak samo ładny i schludny. Popatrzył w głąb ulicy na szereg wąskich radosnych domków z kwiatami, bujanymi fotelami na gankach i gościnnymi drzwiami. Potem znów spojrzał na różowy domek i uznał, że woli umrzeć tutaj niż w przygnębiającej rezydencji opuszczonej niedawno, niecałą milę dalej, z której właśnie przyjechał.

Ogrodnik, ciągle w roboczych rękawicach, które miały zapobiec niebezpieczeństwu zarażenia, szybko wyjął dwie drogie skórzane walizki z całym dobytkiem Adriana i odjechał bez pożegnania i podania ręki. Panna Leona kategorycznie przykazała, żeby odprowadził buicka do domu i wyszorował wnętrze środkiem odkażającym.

Adrian rozejrzał się po ulicy, zauważył parę osób siedzących w cieniu na gankach, a potem wziął walizki i ruszył ceglaną ścieżką w stronę schodków. Drzwi się otworzyły i pojawiła się uśmiechnięta panna Emporia.

– Witam, panie Keane – powiedziała.

– Bardzo proszę, żaden „pan" i takie tam – odparł Adrian. – Bardzo mi miło. – W tym momencie wymiany uprzejmości powinien nastąpić uścisk dłoni, ale Adrian rozumiał, w czym problem. – Proszę posłuchać – dodał szybko – podawanie ręki jest bezpieczne, ale darujmy to sobie.

Emporii to odpowiadało. Leona ostrzegła ją, że wygląd Adriana ją zaskoczy. Z miejsca zauważyła zapadnięte policzki i oczy, i najbielszą skórę, jaką widziała, i udawała, że nie zwraca uwagi na jego kościstą sylwetkę w o wiele za dużym ubraniu. Bez wahania wskazała mały stolik na ganku i zapytała:

– Miałbyś ochotę na słodką herbatę?

– Bardzo chętnie, dziękuję.

Wypowiadał słowa krótko, rozwlekła południowa wymowa zniknęła wiele lat temu. Emporia zastanawiała się, co jeszcze ten młody człowiek stracił po drodze. Usiedli przy wiklinowym stoliku i nalała mu mocno osłodzoną herbatę. Na talerzyku leżały ciasteczka imbirowe. Ona wzięła jedno, on nie.

– Jak twój apetyt? – zainteresowała się.

– Nie bardzo. Odkąd stąd wyjechałem dawno temu, bardzo schudłem. Nie jadałem smażeniny, a poza tym zawsze byłem niejadkiem. A teraz, z tym, nie ma się specjalnego apetytu.

– Czyli nie będę miała dużo gotowania?

– Chyba nie. Jest pani zadowolona, z tej umowy? Bo wygląda na to, że moja rodzina zmusiła panią, żeby się pani mną zajęła, zawsze właśnie tak robią. Jeżeli nie jest pani zadowolona, mogę znaleźć sobie inne miejsce.

– Umowa jest bardzo dobra, panie Keane.

– Proszę mówić mi Adrian. A jak powinienem zwracać się do pani?

– Emporia. Po prostu mówmy sobie po imieniu.

– Zgoda.

– Gdzie mógłbyś znaleźć jakieś inne miejsce?

– Nie wiem. Teraz wszystko jest takie tymczasowe. – Głos miał ochrypły, słowa padały wolno, jakby mówił z wysiłkiem. Miał na sobie niebieską bawełnianą koszulę, dżinsy i sandały.

Emporia pracowała kiedyś w szpitalu i widziała wielu chorych na raka w ostatnim stadium. Jej nowy znajomy przypominał jej tych biedaków. Był chory, ale nie ulegało wątpliwości, że kiedyś był przystojnym młodym człowiekiem.

– A ty jesteś zadowolony z umowy? – spytała.

– A dlaczego miałbym nie być?

– Biały dżentelmen z ważnej rodziny będzie mieszkał tu, w Lowtown, z czarną starą panną.

– Może być zabawnie – powiedział i zdołał uśmiechnąć się po raz pierwszy.

– Na pewno, damy sobie radę.

Zamieszał herbatę. Uśmiech zniknął, gdy minęła chwila beztroski. Emporia też mieszała swoją i pomyślała: biedaczysko. Niewiele ma powodów do uśmiechu.

– Wyjechałem z Clanton z wielu powodów – oświadczył. – To nie jest dobre miejsce dla takich jak ja, homoseksualistów. I nie najlepsze dla ludzi jak ty. Nienawidzę tego, jak mnie wychowano. Wstyd mi, jak moja rodzina traktowała czarnych. Nie znosiłem tutejszej bigoterii. Nie mogłem się doczekać, żeby się stąd wyrwać. I chciałem mieszkać w wielkim mieście.

– W San Francisco?

– Najpierw pojechałem do Nowego Jorku, mieszkałem tam kilka lat, a potem dostałem pracę na Zachodnim Wybrzeżu. W końcu przeniosłem się do San Francisco. A potem zachorowałem.

– Dlaczego wróciłeś, skoro tak nie lubisz tego miasta?

Adrian odetchnął głęboko, jakby odpowiedź mogła zająć i godzinę albo jakby tak naprawdę nie znał odpowiedzi. Otarł z czoła pot, pot nie z gorąca, ale z choroby. Wypił łyk herbaty. I w końcu powiedział:

– Właściwie nie wiem. Ostatnio widziałem wiele śmierci, byłem na aż za wielu pogrzebach. Nie mogłem znieść myśli, że pochowają mnie w zimnym mauzoleum, w mieście gdzieś daleko. Może tak to już jest z nami, Południowcami. W końcu wszyscy wracamy do domu.

– To ma sens.

– A poza tym, szczerze mówiąc, skończyła mi się forsa. Lekarstwa są bardzo drogie. Potrzebowałem mojej rodziny, a w każdym razie jej pieniędzy. Były i inne powody. To skomplikowane. Nie chciałem obarczać moich przyjaciół jeszcze jedną śmiercią w męczarniach.

– I chciałeś zostać tam, w posiadłości, a nie tu w Lowtown?

– Wierz mi, Emporio, o wiele bardziej wolę być tutaj. W Clanton mnie nie chcieli. Od lat płacili mi, żebym trzymał się z daleka. Wydziedziczyli mnie, wykluczyli ze swoich testamentów, nie chcieli wymieniać mojego imienia. Więc pomyślałem, że po raz ostatni narobię zamieszania w ich życiu. Zmuszę, żeby trochę pocierpieli. Wydali trochę pieniędzy.

Ulicą przejechał wolno radiowóz. Żadne z nich o nim nie wspomniało. Kiedy odjechał, Adrian wypił kolejny łyk i oznajmił:

– Musisz trochę się dowiedzieć, poznać podstawowe fakty. Mam AIDS od jakichś trzech lat i nie pożyję długo. Zasadniczo jestem niegroźny dla otoczenia. Jedynym sposobem, żeby się zarazić, jest wymiana płynów ustrojowych, więc ustalmy od razu, że nie będziemy uprawiać seksu.

Emporia ryknęła śmiechem, a Adrian wkrótce się przyłączył. Śmiali się aż do łez, aż ganek zaczął dygotać, aż w końcu śmiali się z siebie, że tak się śmieją. Kilku sąsiadów spojrzało na nich z oddali. Kiedy wreszcie się opanowali, Emporia odpowiedziała:

– Nie uprawiałam seksu od tak dawna, że w ogóle o nim zapomniałam.

– Cóż, panno Emporio, zapewniam panią, że uprawiałem go za siebie, za ciebie i za połowę Clanton. Ale to już za mną.

– I za mną.

– No i dobrze. Trzymaj ręce przy sobie, a ja będę robił to samo. Ale będzie rozsądnie, jeżeli podejmiemy pewne środki ostrożności.

– Była tu wczoraj pielęgniarka i wyjaśniła różne rzeczy.

– Dobrze. Pranie, naczynia, jedzenie, lekarstwa, jak korzystać z łazienki. Mówiła o tym wszystkim?

– Tak.

Podwinął lewy rękaw i pokazał ciemny siniak.

– Czasem się otwierają, wtedy je bandażuję. Powiem ci, kiedy będzie trzeba.

– Myślałam, że nie będziemy się dotykać.

– Słusznie, ale uprzedzam, na wypadek gdybyś nie mogła się opanować.

Roześmiała się znowu, tym razem krótko.

– Poważnie, Emporio. Jestem dość niegroźny.

– Rozumiem.

– Na pewno rozumiesz, ale nie chcę, żebyś się mnie bała. Właśnie jestem po czterech dniach z tym, co zostało z mojej rodziny, i traktowali mnie, jakbym był radioaktywny. Wszyscy tutaj będą robić tak samo. Jestem wdzięczny, że zgodziłaś się mną zaopiekować, i nie chcę, żebyś się niepokoiła. Dalej nie będzie wesoło. Już wyglądam jak trup, a będzie gorzej.

– Widziałeś to już, prawda?

– O tak. Wiele razy. Przez ostatnich pięć straciłem kilkunastu przyjaciół. Koszmar.

Miała tyle pytań, o chorobę i styl życia, o jego przyjaciół i inne sprawy, ale odłożyła je na później. Nagle zaczął sprawiać wrażenie zmęczonego.

– Pokażę ci dom – zaproponowała.

Znowu wolno przejechał radiowóz. Adrian przyglądał mu się i spytał:

Śmieszny chłopak

– Gliny często patrolują tę ulicę?

Prawie nigdy, chciała odpowiedzieć. Były i inne rejony Lowtown, gdzie domy nie były tak sympatyczne, a sąsiedzi nie tak godni zaufania. Były tam knajpy, bukmacher, monopolowy i gromady wałęsających się bezrobotnych młodziaków – tam radiowóz widziało się po parę razy dziennie.

– Och, przejeżdżają od czasu do czasu – odpowiedziała.

Weszli do środka, do dużego pokoju.

– Dom jest mały – oznajmiła niemal obronnym tonem. Bądź co bądź wychował się we wspaniałej rezydencji przy cienistej ulicy. A teraz stał w domku, który zbudował jego ojciec i który należał do jego rodziny.

– Jest dwa razy większy niż moje mieszkanie w Nowym Jorku.

– Nie mów.

– Poważnie, Emporio. Jest uroczy. Będę tu szczęśliwy.

Zapastowana drewniana podłoga lśniła. Meble idealnie ustawiono pod ścianami. Okna lśniły czystością. Wszystko leżało na swoim miejscu i wyglądało na zadbane. Za pokojem i kuchnią znajdowały się dwie małe sypialnie. U Adriana połowę powierzchni zajmowało podwójne łóżko z żelazną ramą. Była tu też mała szafa, komódka za mała dla dziecka i niewielki klimatyzator.

– Jest idealnie, Emporio. Jak długo tu mieszkasz?

– Hm, może ze dwadzieścia pięć lat.

– Cieszę się, że będzie twój, i to już niedługo.

– Ja też, ale nie ma pośpiechu. Jesteś zmęczony?

– Tak.

– Chciałbyś się przespać? Pielęgniarka mówiła, że potrzebujesz dużo snu.

– Chętnie się zdrzemnę.

Zamknęła drzwi i w sypialni zapadła cisza.

Kiedy spał, przyszedł sąsiad z naprzeciwka i usiadł z Emporią na ganku. Nazywał się Herman Grant i był trochę ciekawski.

– Co tu robi ten biały chłopak? – spytał.

Emporia miała gotową odpowiedź, szykowała ją od kilku dni. Miała nadzieję, że pytania i kontrowersje pojawią się i znikną.

– Nazywa się Adrian Keane. Najmłodszy syn pana Isaaca Keane'a i jest bardzo chory. Zgodziłam się nim opiekować.

– Jak jest chory, to czemu nie leży w szpitalu?

– To nie taka choroba. W szpitalu już nic nie zrobią. Musi odpoczywać i codziennie brać górę pigułek.

– Kopnie w kalendarz?

– Pewnie tak, Hermanie. Będzie mu się pogarszać i pogarszać, aż umrze. To takie smutne.

– Dostał raka?

– Nie, to nie rak.

– No to co?

– To inna choroba, Hermanie. Coś, co łapią w Kalifornii.

– To bez sensu.

– Mnóstwo rzeczy jest bez sensu.

– Nie rozumiem, czemu ma mieszkać z tobą, po naszej stronie miasta.

– Już mówiłam, Hermanie, opiekuję się nim.

– Zmuszają cię, bo to ich dom?

– Nie.

– Płacą ci?

– Pilnuj swojego nosa, Hermanie.

Herman wyszedł i ruszył w dół ulicy. Wkrótce wiadomość się rozejdzie.

✤

Szeryf wstąpił do kawiarni na naleśniki i nie minęło wiele czasu, a dopadła go Dell.

– Po prostu nie rozumiem, dlaczego nie możecie zapakować chłopaka na kwarantannę? – zapytała głośno na użytek wszystkich. I wszyscy słuchali.

– Na to potrzeba nakazu sądu – odparł szeryf.

– Więc może sobie chodzić po mieście i rozsiewać zarazki?

Szeryf był cierpliwym człowiekiem, który przez lata służby poradził sobie z niejednym kryzysem.

– Wszyscy mamy prawo chodzić, Dell. Jest o tym gdzieś w konstytucji.

– A jeżeli kogoś zarazi? Co wtedy powiesz?

– Sprawdziliśmy w wydziale zdrowia. W Missisipi AIDS zabiło w zeszłym roku siedemdziesiąt trzy osoby, więc ludzie już wcześniej mieli z tym do czynienia. AIDS to nie grypa. Można go złapać tylko przez płyny ustrojowe.

Cisza – Dell i reszta klientów intensywnie myślała, jakie to różne płyny ustrojowe może wytwarzać ludzkie ciało. Podczas tej przerwy szeryf przeżuwał kawałek naleśnika, a kiedy połknął, oznajmił:

– Słuchaj, nie ma co się podniecać. Mamy wszystko na oku. Nikomu nie przeszkadza. Najczęściej tylko siedzi na ganku z Emporią.

– Słyszałam, że wszyscy się nieźle niepokoją.

– Tak mówią.

U fryzjera stały klient powiedział:

– Słyszałem, że kolorowi w Lowtown niezbyt się cieszą. Gadają, że ten śmieszny chłopak chowa się w jednym ze starych domów swojego zmarłego tatka. Ludzie są wściekli.

– Nie dziwota. A co jakby sprowadził się do domu obok ciebie?

– Wziąłbym śrutówkę i pilnował, żeby trzymał dupę po swojej stronie ogrodzenia, na bank.

– Przecież nic nikomu nie robi. O co ta draka?

– Wczoraj wieczorem czytałem artykuł. Przewidują, że AIDS będzie najbardziej zabójczą chorobą w historii świata. Zabije miliony, głównie w Afryce, bo tam najwyraźniej każdy pieprzy się z każdym.

– Myślałem, że to w Hollywood.

– Tam też. W Kalifornii jest więcej przypadków AIDS niż w każdym innym stanie.

– Czy to nie tam złapał go chłopak Keane'a?

– Tak mówią.

– Nie do wiary, że mamy AIDS tu, w Clanton, w osiemdziesiątym dziewiątym roku.

W kancelarii sądu młoda dama o imieniu Beth znalazła się w czasie konsumpcji pączków w centrum zainteresowania, bo jej mąż był policjantem i poprzedniego dnia wysłano go, żeby sprawdził, co tam w Lowtown. Przejechał obok małego różowego domku Emporii Nester i fakt, tak jak gadano, na przednim ganku siedział blady, wychudzony młody biały. Ani policjant, ani jego żona nigdy nie spotkali Adriana Keane'a, ale ponieważ pół miasta stanęło na głowie, żeby odnaleźć stare kroniki szkolne ogólniaka w Clanton, zdjęcia klasowe już krążyły po mieście. Policjant, przeszkolony w szybkiej identyfikacji podejrzanych, był prawie pewien, że widział Adriana Keane'a.

– Dlaczego policja go obserwuje? – zapytała Myra trochę wkurzona.

– Mój mąż był tam, bo tak mu kazali – odparła ostro Beth.

– To chyba nie zbrodnia być chorym – odpaliła Myra.

– Nie, ale policja ma chronić społeczeństwo, tak czy nie?

– Czyli że jeśli poobserwują Adriana Keane'a i upewnią się, że nie rusza się z ganku, to my wszyscy będziemy bardziej bezpieczni, tak, Beth?

– Nic takiego nie powiedziałam, więc mi nie wmawiaj. Potrafię mówić sama za siebie.

I tak to szło.

✣

Spał do późna, a potem długo leżał, wpatrując się w deski sufitu i zastanawiając, ile dni mu jeszcze zostało. Potem jeszcze zadał sobie pytanie, czemu jest tu, gdzie jest, ale znał już odpowiedź. Widział, jak gaśnie wielu jego przyjaciół. Kilka miesięcy temu zdecydował, że nie obarczy opieką nad sobą tych swoich przyjaciół, którzy jeszcze żyją. Łatwiej było się pożegnać szybkim pocałunkiem i mocnym uściskiem, kiedy jeszcze mógł.

Jego pierwsza noc w różowym domku była zwykłą serią dreszczy i gwałtownych potów, wspomnień i koszmarów, krótkich drzemek i długich chwil wpatrywania się w ciemność. Kiedy się obudził, był zmęczony i wiedział, że tak już zostanie. W końcu wstał, ubrał się i przygotował leki. Miał ponad tuzin flakoników z pastylkami. Stały w zgrabnym szeregu, w kolejności przepisanej przez lekarzy. Pierwsza salwa składała się z ośmiu lekarstw, które popił szklanką wody. Do końca dnia wróci tu kilka razy po kolejne zestawy, ale kiedy zakręcał flakoniki, pomyślał, jakie to bezsensowne. Leki nie były na tyle skuteczne, żeby ocalić mu życie – taka kuracja to jeszcze sprawa odległej przyszłości – miały je tylko przedłużyć. Może. Ale po co zawracać sobie tym głowę? Kosztowały tysiąc dolarów miesięcznie, niechętnie opłacane przez rodzinę. Dwaj przyjaciele popełnili samobójstwo i myśl o tym nigdy go nie opuszczała.

W domu było już ciepło i przypomniał sobie długie duszne dni z czasów dzieciństwa, gorące, parne lata, za którymi nigdy później nie tęsknił.

Usłyszał Emporię w kuchni i poszedł się przywitać.

Nie jadł mięsa ani nabiału, więc ostatecznie ustalili, że zje talerz pokrojonych pomidorów z jej ogródka. Dziwne śniadanie, pomyślała, ale ciotka Leona poleciła, żeby dawała mu do jedzenia to, co zechce.

– Już od dawna nie ma apetytu – powiedziała.

Potem przygotowali sobie kubki błyskawicznej kawy zbożowej z cukrem i przeszli na ganek.

Emporia chciała wiedzieć wszystko o Nowym Jorku, mieście, o którym tylko czytała i oglądała w telewizji. Adrian opisywał je, opowiadał, jak tam mieszkał, o college'u, swojej pierwszej pracy, zatłoczonych ulicach, ciągnących się w nieskończoność sklepach i domach towarowych, etnicznych dzielnicach, tłumach i szalonym nocnym życiu. Przed domem zatrzymała się kobieta co najmniej w wieku Emporii i zawołała:

– Witaj, Emporio.

– Dzień dobry, Doris. Usiądź z nami.

Doris się nie wahała ani chwili. Dokonano prezentacji, bez podawania rąk. Doris była żoną Hermana Granta z naprzeciwka i bliską przyjaciółką Emporii. Nawet jeśli towarzystwo Adriana ją nieco denerwowało, nie dała nic po sobie poznać. Po kilku minutach obie kobiety rozmawiały o nowym pastorze – nie wydaje się miły – a potem przerzuciły się na kościelne plotki. Na jakiś czas zapomniały o Adrianie, który słuchał ich z rozbawieniem. Kiedy skończyły z kościołem, zajęły się rodzinami. Emporia, oczywiście, nie miała dzieci, ale Doris miała ich dość dla nich obu. Ośmioro, większość rozbiegła się po całej Północy, i ponad trzydzieścioro wnuków. Omówiły najrozmaitsze przygody i spory.

Po godzinie słuchania Adrian wykorzystał przerwę w rozmowie:

– Wiesz, Emporio, muszę iść do biblioteki znaleźć parę książek. To chyba za daleko na piechotę.

Emporia i Doris spojrzały na niego dziwnie, ale ugryzły się w język. Wystarczyło zerknąć na Adriana, żeby się zorientować, że jest zbyt słaby, żeby dojść na koniec ulicy. W tym upale biedak padnie o rzut kamieniem od różowego domku.

W Clanton była jedna biblioteka, niedaleko placu, i nikt nie myślał, żeby założyć oddział w Lowtown.

– Czym tu jeździcie? – spytał. Było pewne, że Emporia nie ma samochodu.

– Dzwonimy po Black and White.

– Po co?

– Po taksówki Black and White – wyjaśniła Doris. – Tylko nimi jeździmy.

– Nie słyszałeś o Black and White? – spytała Emporia.

– Nie było mnie czternaście lat.

– No tak. To długa historia. – Emporia poprawiła się w fotelu, szykując do długiej opowieści.

– Bardzo długa – dodała Doris.

– Jest dwóch braci, obaj nazywają się Hershel. Jeden czarny, drugi biały, mniej więcej w tym samym wieku. Koło czterdziestki, no nie, Doris?

– Jak nic koło czterdziestki.

– Jeden ojciec, inne matki. Jedna stąd, druga stamtąd. Ojciec zwiał dawno temu i Hershelowie dowiedzieli się, co jest grane, ale nie mogli tego przełknąć. W końcu się dogadali i pogodzili z tym, co całe miasto i tak wiedziało. Są bardzo podobni, no nie, Doris?

– Biały jest wyższy, ale czarny ma nawet zielone oczy.

– Więc założyli przedsiębiorstwo taksówkowe. Kupili dwa stare fordy, co miały milion mil na liczniku. Pomalowali je na czarno i biało i stąd nazwa. Zabierają tutejszych i wiozą tam, do sprzątania w domach i sklepach, a czasami zabierają tych stamtąd i wiozą tutaj.

– Po co? – zaciekawił się Adrian.

Emporia popatrzyła na Doris, a Doris na Emporię, a potem odwróciła wzrok. Adrian wyczuł jakieś cudne małomiasteczkowe świństewko i nie zamierzał odpuścić.

– No, moje panie. Po co taksówki przywożą białych za tory?

– Grają tu trochę w pokera – przyznała Emporia. – Przynajmniej tak słyszałam.

– I kobiety – dodała cicho Doris.

– I lewa whisky.

– Rozumiem – powiedział Adrian.

Teraz, kiedy prawda wyszła na jaw, cała trójka przyglądała się młodej matce, która szła ulicą z brązową torbą ze spożywczaka.

– Czyli mogę po prostu zadzwonić do któregoś Hershela i zamówić kurs do biblioteki? – zapytał Adrian.

– Chętnie zadzwonię za ciebie. Dobrze mnie znają.

– To mili chłopcy – dodała Doris. Emporia weszła do środka. Adrian uśmiechnął się do siebie i starał się uwierzyć w historię o dwóch braciach o nazwisku Hershel.

– Jest cudowna – powiedziała Doris, wachlując się.

– Na pewno – przyznał.

– Po prostu nie znalazła właściwego mężczyzny.

– Długo ją pani zna?

– Nie za długo. Ze trzydzieści lat.

– Trzydzieści lat to nie za długo?

Chichot.

– Może dla pana, ale ja wyrosłam z niektórymi stąd, i to bardzo dawno temu. Ile, dla pana, mam lat?

– Czterdzieści pięć.

– Dobre sobie. Za trzy miesiące skończę osiemdziesiąt.

– No nie.

– Jak Boga kocham.

– A ile lat ma Herman?

– Mówi, że osiemdziesiąt dwa, ale niech mu pan nie wierzy.

– Od jak dawna jesteście małżeństwem?

– Pobraliśmy się, jak miałam piętnaście lat. Dawno temu.

– I macie ośmioro dzieci?

– Ja mam ośmioro. Herman ma jedenaścioro.

– Herman ma więcej dzieci niż pani?

– Ma trójkę na boku.

Adrian postanowił nie drążyć sprawy dzieci na boku. Może by zrozumiał, gdyby mieszkał w Clanton, a może nie. Emporia wróciła z tacą ze szklankami i dzbankiem wody z lodem. Żeby ją uspokoić, Adrian łagodnie, choć stanowczo uparł się, że będzie używał jednej szklanki, jednego talerza – płytkiego i głębokiego, filiżanki, noża, widelca i łyżki. Nalała wody z cytryną do jego szklanki, pamiątki z jarmarku hrabstwa w siedemdziesiątym siódmym.

– Zamówiłam białego Hershela. Będzie za minutkę – oznajmiła.

Popijali wodę z lodem, wachlowali się, rozmawiali o upale.

– On myśli, że mam czterdzieści pięć lat, Emporio – odezwała się Doris. – Co ty na to?

– Biały ci tego nie powie. Jest taksówka.

Najwyraźniej we wtorek rano nie było ruchu w interesie, bo samochód przyjechał w niecałe pięć minut. To naprawdę był stary ford fairlane, czarny z białymi drzwiami i białą maską, czysty, z lśniącymi felgami i numerami telefonu na błotnikach.

Adrian wstał i przeciągnął się, zupełnie jakby musiał zastanawiać się nad każdym ruchem.

– Wrócę za jakąś godzinę. Jadę tylko do biblioteki wziąć parę książek.

– Dasz sobie radę? – spytała z troską Emporia.

– Jasne. Nic mi nie będzie. Miło było panią spotkać, panno Doris – powiedział, prawie jak prawdziwy Południowiec.

– Do zobaczenia – odpowiedziała z szerokim uśmiechem.

Adrian zszedł z ganku i był w połowie drogi do ulicy, kiedy biały Hershel wyskoczył z samochodu i wrzasnął:

– O, na pewno! Za cholerę nie wsiądziesz do mojej gabloty! – Stanął przed maską i ze złością wymachiwał na Adriana palcem. – Słyszałem o tobie!

Adrian zamarł, oszołomiony, i nie mógł wykrztusić słowa. Hershel nie odpuszczał.

– Nie puścisz mnie z torbami!

Emporia stanęła na schodach.

– W porządku, Hershel. Słowo.

– Starczy, panno Nester. Nie chodzi o panią. On nie wsiądzie do mojego wozu. Trzeba mi było powiedzieć, że to on.

– Słuchaj, Hershel…

– Wszyscy w mieście o nim wiedzą. Nie ma mowy. Za cholerę nie ma mowy. – Wrócił do otwartych drzwi samochodu, wsiadł, zatrzasnął je i odjechał. Adrian patrzył, jak taksówka znika w głębi ulicy, a potem wolno odwrócił się, wspiął po schodach, minął obie kobiety i wszedł do domu. Był zmęczony i musiał się zdrzemnąć.

❦

Książki dostał późnym popołudniem. Panna Doris miała bratanicę, która uczyła w podstawówce i zgodziła się je wypożyczyć dla Adriana. Postanowił w końcu zmierzyć się z fikcyjnym światem Williama Faulknera, autora, którego wmuszano w niego w liceum. Adrian, jak wszyscy uczniowie w Missisipi, wierzył wtedy, że prawo stanowe wymaga od nauczycieli angielskiego, by włączali do programu Faulknera. Przebił się przez *Przypowieść, Requiem dla zakonnicy, Niepokonane* i parę innych utworów, które starał się zapomnieć, i ostatecznie skapitulował w obliczu druzgocącej porażki w połowie *Wściekłości i wrzasku*. Teraz, w swoich ostatnich dniach, był zdecydowany zrozumieć Faulknera.

Po obiedzie czy też „kolacji", jak je nazywano, kiedy Emporia zmywała, usiadł na ganku i zaczął od samego początku, od *Żołnierskiej zapłaty*, wydanej w 1926 roku, kiedy Faulkner miał zaledwie dwadzieścia dziewięć lat. Przeczytał kilka stron i zrobił sobie przerwę. Słuchał dźwięków wokół siebie – cichego śmiechu z sąsiednich ganków, pisków bawiących się gdzieś dzieci, telewizora grającego trzy domy dalej, ostrego głosu kobiety sztorcującej męża. Patrzył na leniwy krok przechodniów z Roosevelt i dobrze zdawał sobie sprawę z ciekawskich spojrzeń rzucanych na różowy domek. Kiedy ich oczy się spotykały, za każdym razem uśmiechał się i kłaniał, i czasem słyszał w odpowiedzi jakieś niechętne „dzień dobry".

O zmierzchu na ganek wyszła Emporia i usadowiła się w ukochanym fotelu na biegunach. Przez jakiś czas żadne

z nich się nie odzywało. Nie trzeba było słów, byli już starymi
przyjaciółmi.

W końcu Emporia powiedziała:

– Naprawdę fatalnie się czuję przez Hershela i jego taksówkę.

– Nie przejmuj się. Rozumiem.

– Jest po prostu niedouczony.

– Widziałem o wiele gorsze rzeczy, Emporio, i ty też.

– Pewnie tak. Ale to nie znaczy, że tak ma być.

– Nie. Na pewno nie.

– Przynieść ci mrożonej herbaty?

– Nie. Wolałbym coś mocniejszego.

Pomyślała przez chwilę i nie odpowiedziała.

– Posłuchaj, Emporio. Wiem, że nie pijesz, ale ja tak. Nie
to żebym się spijał, ale teraz chciałbym się napić.

– W moim domu nigdy nie było alkoholu.

– Więc będę pił na ganku. W tym miejscu.

– Jestem chrześcijanką, Adrianie.

– Znam wielu chrześcijan, którzy piją. Przeczytaj Pierwszy List do Tymoteusza, rozdział piąty, wers dwudziesty trzeci,
w którym Paweł mówi Tymoteuszowi, żeby popijał wino, bo to
dobre na żołądek.

– Masz problemy z żołądkiem?

– Mam problemy ze wszystkim. Muszę się napić wina,
żeby się lepiej poczuć.

– Pierwsze słyszę.

– Tobie też by to dobrze zrobiło.

– Z moim żołądkiem wszystko w porządku.

– Świetnie. Pij herbatę, a ja będę pił wino.

– A skąd je weźmiesz? Monopolowe już pozamykane.

Śmieszny chłopak

– Zamykają o dziesiątej. Prawo stanowe. Założę się, że jakiś jest gdzieś w pobliżu.

– Słuchaj. Nie będę ci mówić, co masz robić, a co nie, ale to wielki błąd, jakbyś poszedł o tej porze do monopolowego. Mógłbyś nie wrócić. – Nie potrafiła sobie wyobrazić, żeby biały, zwłaszcza w jego stanie, poszedł cztery przecznice do monopolowego Williego Raya, przed którym kręciły się młode oprychy, kupił swoją flaszkę i wrócił do jej domu. – To zły pomysł, mówię ci.

Minęło kilka minut bez słowa. Na środku ulicy pojawił się jakiś mężczyzna.

– Co to za facet? – zapytał Adrian.

– Carver Sneed.

– Miły gość?

– W porządku.

– Panie Sneed! – zawołał znienacka Adrian.

Carver dobiegał trzydziestki i mieszkał obecnie z rodzicami na samym końcu Roosevelt Street. Nie spieszył się nigdzie specjalnie i, prawdę mówiąc, szedł tędy tylko po to, żeby zerknąć na tego „ducha", co to umierał na ganku Emporii Nester. Nie myślał, że stanie z nim nosem w nos. Podszedł do płotu i powiedział.

– Bry wieczór, panno Emporio.

Adrian stanął na górnym stopniu.

– To Adrian – przedstawiła go Emporia, nie bardzo szczęśliwa ze spotkania.

– Bardzo mi miło, Carver – oznajmił Adrian.

– I mnie.

Nie ma sensu tracić czasu, pomyślał Adrian.

– Może skoczyłbyś do monopolowego? – zapytał. – Wypiłbym coś mocniejszego, a panna Emporia nie bardzo jest za alkoholem.

– Nie ma whisky w moim domu – powiedziała. – Nigdy nie było.

– Masz u mnie sześciopak piwa za fatygę – dodał szybko Adrian.

Carver podszedł do schodków, spojrzał na Adriana, spojrzał na Emporię, która siedziała z rękami skrzyżowanymi na piersi i zaciśniętymi ustami.

– Nie ściemnia? – zapytał.

– Jak dotąd nie zełgał – odparła. – Ale nie mówię, że nie może.

– To co tam chcesz ze sklepu? – zwrócił się do Adriana Carver.

– Jakieś wino, najlepiej chardonnay.

– Że co?

– Jakieś białe wino, wszystko jedno jakie.

– U Williego Raya z winem nie za bardzo. Nie ma chętnych.

Adrian nagle się zaniepokoił, co po tej stronie torów uważa się za wino. Nawet po tamtej stronie wybór był kiepski. Niemal widział butelkę z zaprawionym procentami sokiem owocowym i zakrętką.

– Czy Willie Ray ma jakieś wino w zakorkowanych butelkach?

Carver zastanawiał się przez chwilę i zapytał:

– A po co korek?

– Jak u Williego Raya otwiera się wino?

– Odkręca się nakrętkę.

– Jasne. A ile u Williego Raya kosztuje butelka wina?

Carver wzruszył ramionami.

– Ja tam go nie kupuję. Wolę browar.

– Mniej więcej. Ile?

– Za boone's farm zapłaciłbyś cztery baksy za butelkę.

Adrian wyjął z prawej kieszeni spodni pieniądze.

– Dajmy sobie spokój z tym winem. Kup mi najdroższą butelkę tequili, jaką będą mieli. W porządku?

– Zrobi się.

– Kup sobie sześciopak i przynieś resztę. – Adrian wyciągnął pieniądze, a Carver zamarł. Spojrzał na pieniądze, na Adriana, a potem na Emporię, szukając pomocy.

– Dobrze jest – powiedział Adrian. – Nie zarazisz się, jak weźmiesz pieniądze.

Carver wciąż nie mógł się poruszyć, nie mógł się zmusić, żeby wyciągnąć rękę i wziąć forsę.

– Nie ma się co bać, Carver – wtrąciła Emporia, która nagle zapragnęła pomóc w transakcji. – Możesz mi wierzyć.

– Słowo, że nic ci nie będzie – zapewnił Adrian.

Carver zaczął kręcić głową, a potem zaczął się cofać.

– Przykro mi… – wymamrotał, niemal sam do siebie.

Adrian włożył pieniądze z powrotem do kieszeni i patrzył, jak Carver znika w nocy. Nogi miał jak z waty i musiał usiąść, może się zdrzemnąć. Wolno przykucnął, a potem usiadł na górnym stopniu, oparł głowę o poręcz i długo się nie odzywał. Za jego plecami Emporia wstała i weszła do domu.

Kiedy wróciła na ganek, zapytała:

– „Tequila" pisze się przez „q" czy przez „k"?

– Dajmy spokój, Emporio.

– Przez „q" czy przez „k"? – Przecisnęła się obok niego i zeszła na chodnik.

– Nie, Emporio. Proszę. Już nie mam ochoty się napić.

– Chyba przez „q", no nie? – Była już na ulicy. Na nogach miała stare białe tenisówki i oddalała się w imponującym tempie.

– Przez „q" – zawołał Adrian.

– Wiedziałam – rozległa się odpowiedź dwa domy dalej.

※

Plotki to często kompletne łgarstwa, najwyraźniej wymyślone przez tych, co albo lubią patrzeć, jak ich kłamstewka krążą po mieście, albo lubią namieszać.

Najnowsza plotka zrodziła się w sądzie, na piętrze, w kancelarii, przez którą jak dzień długi przewijają się prawnicy. Kiedy kilku prawników zbiera się, żeby pracować nad tytułami własności, plotek nie brakuje. Ponieważ rodzina Keane'ów cieszyła się w tym momencie aż nadmierną uwagą, było zupełnie oczywiste, że prawnicy odgrywali aktywną rolę w dyskusjach. A jeszcze bardziej oczywiste, że to jeden z nich namieszał.

Chociaż z miejsca zrodziły się różne wariacje, podstawowa wersja plotki brzmiała tak: Adrian ma więcej pieniędzy, niż się myśli, bo zanim jeszcze przyszedł na świat, jego dziadek ustanowił na jego rzecz jakieś skomplikowane zarządy powiernicze. Więc jak dożyje czterdziestych urodzin, mógłby odziedziczyć niezłą sumę, ale ponieważ nie dożyje czterdziestych urodzin, może przekazać swój spadek za pośrednictwem testamentu jakiemu chce spadkobiercy. I najlepsze: Adrian wynajął jakiegoś anonimowego adwokata, aby sporządził projekt jego testamentu z instrukcją, żeby ów tajemniczy przyszły spadek przypadł: (a) Emporii Nester albo (b) nowej organizacji obrony praw gejów, która usiłuje zacząć działać w Tupelo, albo (c) jakiemuś jego chłopakowi w San Francisco, albo (d) funduszowi stypendialnemu przeznaczonemu wyłącznie dla czarnych studentów. Jak kto woli.

Śmieszny chłopak

Wysoki stopień komplikacji sprawił, że plotka miała słabą nośność i niemal poszła na dno pod własnym ciężarem. Kiedy ludzie szeptali, powiedzmy o tym, kto spotyka się z czyją żoną, sprawa była stosunkowo prosta i łatwa do zrozumienia. Ale większość nie miała doświadczenia z ponadpokoleniowymi funduszami, z dziedziczeniami i innymi prawniczymi pomysłami, więc wszystkie szczegóły stawały się o wiele bardziej niejasne niż zwykle. W chwili kiedy Dell skończyła, wyglądało na to, że chłopak ma fortunę, której większość zgarnie Emporia, a Keane'owie grożą pozwem.

Tylko u fryzjera rozległ się głos rozsądku, który zapytał o coś oczywistego: „Jeśli ma forsę, to czemu umiera w starej chałupie w Lowtown?"

Wtedy powstał spór, ile faktycznie ma Adrian. Zdaniem większości miał bardzo mało, ale liczy na spadek z funduszy powierniczych. Ktoś odważny wyśmiał resztę, twierdząc, że to jedna wielka bzdura i że wie na sto procent, że cały klan Keane'ów jest „biedny jak myszy kościelne".

– Popatrzcie na ich stary dom – powiedział. – Są zbyt biedni, żeby go pomalować, i zbyt dumni, żeby pobielić.

✦

Pod koniec czerwca upał osiągnął nowy poziom i Adrian siedział w swoim pokoju, obok buczącego klimatyzatora, który i tak ledwo działał. Gorączka pojawiała się coraz częściej i po prostu nie wytrzymałby w ciężkim parnym powietrzu na ganku. W swoim pokoju chodził tylko w bieliźnie, często mokrej od potu. Czytał Faulknera i pisał dziesiątki listów do przyjaciół z innego życia. Drzemał, budził się i zasypiał przez cały dzień. Pielęgniarka zaglądała co trzy dni, żeby szybko go zbadać i dostarczyć nową porcję pigułek, które teraz co do jednej spuszczał z wodą.

Emporia bardzo się starała go trochę podtuczyć, ale nie miał apetytu. Ponieważ nigdy nie gotowała dla rodziny, nie miała wielkiego doświadczenia w kuchni. Jej mały ogródek dostarczał dość pomidorów, kabaczków, groszku, fasolki i kantalup, żeby wyżywić ją przez cały rok i Adrian dzielnie starał się cieszyć obfitymi posiłkami, jakie przyrządzała. Przekonała go, żeby jadł chleb kukurydziany, chociaż było w nim masło, mleko i jaja. Nigdy dotąd nie spotkała nikogo, kto nie jadałby mięsa, ryb, kurczaków czy nabiału i nieraz pytała:

– W Kalifornii wszyscy tak jedzą?

– Nie, ale jest wielu wegetarian.

– Wychowano cię do czegoś lepszego.

– Nie mówmy o tym, jak mnie wychowano, Emporio. Całe moje dzieciństwo to koszmar.

Nakrywała do stołu trzy razy dziennie, w porach, które wybierał, i przeciągali posiłki, jak mogli. Adrian wiedział, że to dla niej ważne upewnić się, że się dobrze odżywia, i jadł, ile dawał rady. Ale i tak po dwóch tygodniach stało się jasne, że ciągle traci na wadze.

Właśnie w porze lunchu zadzwonił pastor. Emporia, jak zawsze, podniosła słuchawkę aparatu wiszącego w kuchni. Adrian oczywiście mógł korzystać z telefonu, ale rzadko to robił. Nie miał z kim rozmawiać w Clanton. Nie dzwonił do rodziny, a rodzina nie dzwoniła do niego. Miał przyjaciół w San Francisco, ale oni już należeli do przeszłości i nie miał ochoty słyszeć ich głosów.

– Dobry wieczór, pastorze – powiedziała, a potem odwróciła się i odeszła, rozciągając przewód jak najdłużej. Rozmawiali krótko i odwiesiła słuchawkę z uprzejmym: – Zobaczymy się o trzeciej. – Usiadła i natychmiast ugryzła kęs kukurydzianego chleba.

– Jak tam wielebny? – spytał Adrian.

– Pewnie dobrze.

– Przychodzi dziś o trzeciej?

– Nie. To ja idę do kościoła. Powiedział, że chce o czymś pogadać.

– Jak myślisz o czym?

– Jesteś ostatnio bardzo ciekawski.

– No, Emporio, mieszkam w Lowtown już trzy tygodnie i zrozumiałem, że sprawy każdego są własnością całej reszty. To wręcz niegrzeczne nie być trochę wścibskim. A poza tym geje są bardziej wścibscy niż hetero. Wiedziałaś o tym?

– W życiu nic takiego nie słyszałam.

– To prawda. Udowodniony fakt. Więc dlaczego wielebny nie wpadnie do ciebie? Czy to nie część jego pracy – odwiedzać domy, sprawdzać, jak wiedzie się jego trzódce, witać przybyszów takich jak ja? Widziałem go trzy dni temu z ganku, jak gawędził z Doris i Hermanem. Zerkał w tę stronę, jakby bał się, że złapie grypę. Nie lubisz go, prawda?

– Tamtego lubiłam bardziej.

– Ja też. Nie wybiorę się z tobą do kościoła, Emporio, więc mnie już nie proś.

– Prosiłam cię tylko dwa razy.

– Tak i podziękowałem. To bardzo miłe z twojej strony, ale mnie nie interesuje chodzenie do kościoła ani twojego, ani żadnego innego. Nie jestem pewien, czy teraz byłbym w którymś dobrze widziany.

Nie miała co odpowiedzieć.

– Którejś nocy coś mi się przyśniło. W kościele było nabożeństwo odnowy, tu w Clanton, w kościele dla białych. Wiesz, takie hałaśliwe imprezy z ogniami piekielnymi i siarką, kiedy ludzie chwieją się i mdleją, a pastor przy ołtarzu błaga i prosi, żeby wystąpili grzesznicy i wyznali wszystko. Widziałaś to.

– Widzę co niedziela.

– Wchodzę przez drzwi, cały na biało, wyglądam gorzej niż teraz i idę nawą w kierunku pastora. Jest przerażony, nie potrafi wykrztusić ani słowa. Chór milknie w połowie zwrotki. Wszyscy zamierają, kiedy idę dalej nawą, a to trwa długo. W końcu ktoś krzyczy: „To on! Ten facet z AIDS!" A ktoś inny: „Uciekać!" I wybucha piekło. Zaczyna się paniczna ucieczka. Matki łapią dzieci. Ja idę dalej. Mężczyźni wyskakują przez okna. A ja idę. Te wielkie baby chórzystki w złocistych szatach tak bardzo chcą zwiać ze świątyni, że przewracają się na swoje tłuste tyłki. Ja idę w kierunku pastora i w końcu, kiedy do niego dochodzę, wyciągam rękę. On się nie rusza. Nie może mówić. Kościół jest pusty, kompletna cisza. – Adrian wypił łyk herbaty i wytarł czoło.

– I co dalej? Co się stało?

– Nie wiem. Obudziłem się i nieźle się uśmiałem. Sny potrafią być bardzo realistyczne. Pewnie niektórzy grzesznicy są zbyt grzeszni.

– Tego nie ma w Biblii.

– Dziękuję, Emporio. I dziękuję za lunch. A teraz muszę się położyć.

O trzeciej po południu Emporia spotkała się z wielebnym Bilerem w kościelnej kancelarii. Takie spotkanie mogło oznaczać tylko kłopoty i wkrótce po wstępnych uprzejmościach pastor przeszedł do rzeczy albo przynajmniej do jednej z nich.

– Słyszałem, że widziano cię w sklepie monopolowym Williego Raya.

Jego słowa nie były żadnym zaskoczeniem i Emporia była przygotowana.

– Mam siedemdziesiąt pięć lat, ze trzydzieści więcej niż pan, i jeżeli zechcę kupić lekarstwo dla przyjaciela, zrobię to.

– Lekarstwo?

– Tak to nazywa, a ja obiecałam jego rodzinie, że będzie dobrze leczony.

– Nazywaj to, jak chcesz, Emporio, ale członkowie rady kościelnej są tym zmartwieni. Jedna z naszych nestorek widziana w sklepie monopolowym. Cóż to za przykład dla naszej młodzieży?

– To moja praca i ta praca nie potrwa długo.

– Krążą plotki, że zaprosiłaś go, żeby się z nami pomodlił.

Dzięki Doris, pomyślała Emporia, ale się nie odezwała. Doris była jedyną osobą, której powiedziała, że zaprosiła Adriana do kościoła.

– Zapraszam każdego, żeby modlił się razem z nami, wielebny. Tego pan chciał. I tak mówi nam Biblia.

– Cóż, to trochę co innego.

– Niech się pan nie martwi. Nie przyjdzie.

– Chwała Bogu. Zapłatą za grzech jest śmierć, Emporio, i ten młody człowiek płaci za swoje grzechy.

– A jakże.

– A czy ty jesteś całkowicie bezpieczna, Emporio? Ta choroba ogarnia nasz kraj, cały świat. Jest niezwykle zaraźliwa i będę z tobą uczciwy, nasza społeczność bardzo poważnie niepokoi się o twoje bezpieczeństwo. Dlaczego tak ryzykujesz? Dlaczego się narażasz? To zupełnie do ciebie niepodobne.

– Pielęgniarka powiedziała, że nic mi nie grozi. Dbam, żeby był czysty, nakarmiony i dostawał lekarstwa, i wkładam gumowe rękawice, kiedy piorę jego rzeczy. Wirus rozprzestrzenia się przez stosunek i krew, a my unikamy jednego i drugiego. – Uśmiechnęła się. Pastor nie.

Złożył dłonie i bardzo pobożnym gestem oparł je na biurku. Kiedy się odezwał, twarz miał jak z kamienia.

– Niektórzy z naszych wiernych czują się niepewnie w twojej obecności.

Spodziewała się wszystkiego, tylko nie tego, i kiedy dotarło do niej, co to znaczy, po prostu ją zatkało.

– Dotykasz tego, co on. Oddychasz tym samym powietrzem, jesz to samo jedzenie, pijesz tę samą wodę i herbatę, a teraz Bóg raczy wiedzieć co jeszcze. Czyścisz jego ubrania, pierzesz jego rzeczy i pościel i z powodu wirusa nosisz gumowe rękawice. Czy to wszystko nie świadczy, jak wielkie jest zagrożenie, Emporio? A potem przynosisz zarazki tu, do domu Pana.

– Jestem bezpieczna, wielebny, wiem, że jestem bezpieczna.

– Może i tak, ale najważniejsze jest, jak to widzą inni. Niektórzy z naszych braci i sióstr uważają, że jesteś szalona, że to robisz, i się boją.

– Ktoś musi się nim zajmować.

– To bogaci biali ludzie, Emporio.

– On nie ma nikogo.

– Nie dyskutujemy o tym. Troszczę się o mój kościół.

– To i mój kościół. Byłam w nim na długo, zanim pan się zjawił, a teraz mówi mi pan, żebym trzymała się z boku?

– Chcę, żebyś pomyślała, czy nie wziąć urlopu, dopóki nie umrze.

Ciągnęły się minuty, w czasie których nie padło ani jedno słowo. Emporia z wilgotnymi oczami, ale podniesioną wysoko głową, patrzyła w okno na liście na drzewie. Biler siedział nieruchomo, wpatrując się w swoje dłonie. Wreszcie wstała.

– W takim razie nazwijmy to urlopem, wielebny. Zacznie się od zaraz, a skończy, jak uznam, że się skończył. A kiedy mnie nie będzie w kościele, będę chodzić do monopolowego, kiedy będę chciała, a pan i pańscy szpicle możecie plotkować, ile wlezie.

Pastor odprowadził ją do drzwi.

– Nie przesadzaj, Emporio. Kochamy cię.

– Czuję, jak bardzo.

– I będziemy się modlili za ciebie i za niego.

– Na pewno się ucieszy, jak się dowie.

⚘

Adwokat nazywał się Fred Mays i było to jedyne nazwisko na żółtych stronicach, które coś mówiło Adrianowi. Porozmawiał z nim krótko przez telefon, a potem napisał długi list. W piątek, o czwartej po południu, Mays wraz ze swoją sekretarką zaparkowali przed różowym domkiem. Mays wyjął teczkę i wyładował skrzynkę wina z lepszego sklepu po drugiej stronie torów. Emporia poszła na drugą stronę ulicy, odwiedzić Doris, żeby sprawy prawnicze załatwiono bez świadków.

Wbrew krążącym plotkom Adrian nie miał żadnego majątku. Nie było żadnego tajemniczego funduszu powierniczego założonego przez dawno zmarłych krewnych. Testament przygotowany przez Maysa zajmował wszystkiego jedną stronę i przekazywał resztę topniejących zasobów finansowych Adriana Emporii. Drugi, o wiele ważniejszy dokument, dotyczył pogrzebu. Kiedy wszystko zostało podpisane i poświadczone notarialnie, Mays zatrzymał się jeszcze na kieliszek wina i pogawędkę o Clanton. Wypicie kieliszka wina nie trwało długo. Mays i jego sekretarka najwyraźniej chcieli zakończyć wizytę. Wyszli, żegnając się skinieniem głowy i mówiąc „do widzenia", ale bez podawania rąk, i jak tylko znaleźli się z powrotem w kancelarii na placu, zajęli się opisywaniem, w jakim to koszmarnym stanie jest chłopak.

W następną niedzielę Emporia narzekała, że boli ją głowa, i postanowiła, że nie pójdzie do kościoła. Padał deszcz i pogoda dała jej kolejną wymówkę, żeby zostać w domu. Jedli herbatniki na ganku i przyglądali się burzy.

– Jak twoja głowa? – zapytał Adrian.

– Lepiej. Dziękuję.

– Powiedziałaś mi kiedyś, że przez ponad czterdzieści lat nie opuściłaś żadnego pójścia do kościoła. Dlaczego dzisiaj zostałaś w domu?

– Nie czułam się dobrze. Po prostu.

– Pokłóciliście się z pastorem?

– Nie.

– Na pewno?

– Powiedziałam, że nie.

– Od tego spotkania z pastorem nie jesteś sobą. Pewnie powiedział ci coś, co cię obraziło, i pewnie chodziło mu o mnie. Doris przychodzi coraz rzadziej, Herman wcale. Isabelle nie wpadła od tygodnia. Telefon prawie nie dzwoni. A teraz przestajesz chodzić do kościoła. Gdybyś mnie zapytała, powiedziałbym, że Lowtown cię kopnęło, i to przeze mnie.

Nie spierała się. Bo niby jak? Mówił prawdę i każde zaprzeczenie brzmiałoby fałszywie.

Grzmot zatrząsł oknami i wiatr zmienił kierunek, zalewając ganek deszczem. Weszli do środka. Emporia do kuchni, on do siebie. Zamknął drzwi, rozebrał się i położył na łóżku. Już prawie skończył *Kiedy umieram*, piątą powieść Faulknera, przy której poważnie myślał, żeby z oczywistych powodów ją pominąć. Ale przekonał się, że jest o wiele bardziej przystępna i zaskakująco zabawna. Skończył ją w godzinę i zasnął.

Późnym popołudniem deszcz ustał, powietrze było czyste i przyjemne. Po lekkiej kolacji z groszku i kukurydzianego

Śmieszny chłopak

chleba wrócili na ganek, gdzie Adrian wkrótce oznajmił, że ma problemy z żołądkiem i – jak mówi Pierwszy List do Tymoteusza, rozdział piąty, wers dwudziesty trzeci – musi się napić wina. Na kieliszek wybrał pęknięty kubek do kawy z plamami po cykorii. Wypił kilka łyków, kiedy Emporia oświadczyła:

– Wiesz co, mnie też coś boli żołądek. Może spróbuję trochę tego.

Adrian się uśmiechnął.

– Cudownie. Zaraz przyniosę.

– Nie. Siedź spokojnie. Wiem, gdzie jest butelka.

Wróciła z podobnym kubkiem i usadowiła się w swoim fotelu na biegunach.

– Na zdrowie – powiedział Adrian, zadowolony, że ma kumpla do kieliszka.

Emporia wypiła łyk, mlasnęła i stwierdziła:

– Niezłe.

– To chardonnay. Dobre, ale nie wyśmienite. Najlepsze trzymają w magazynie.

– Może być – oznajmiła, wciąż z rezerwą.

Po drugim kubku zaczęła chichotać. Było ciemno i na ulicy panowała cisza.

– Chciałabym cię o coś spytać – powiedziała.

– Pytaj, o co chcesz.

– Kiedy zauważyłeś, że jesteś, no wiesz, inny? Ile miałeś lat?

Chwila milczenia, długi łyk wina przed historią, którą już opowiadał, ale tylko tym, co rozumieli.

– Wszystko było zupełnie normalnie, dopóki nie miałem jakichś dwunastu lat. Skauci, bejsbol i piłka nożna, obozy i wędkowanie, normalnie jak to chłopcy, ale kiedy wielkimi krokami zaczęła się zbliżać dojrzałość, uświadomiłem sobie, że nie interesują mnie dziewczyny. Inni chłopcy tylko o nich gadali, a mnie to zupełnie nie brało. Przestałem interesować się sportem i zacząłem czytać o sztuce, projektowaniu, modzie. Jak podrośliśmy, chłopcy coraz bardziej kręcili z dziewczynami, ale nie ja. Wiedziałem, że coś jest nie tak. Miałem przyjaciela, Matta Masona, bardzo przystojny chłopak, doprowadzał dziewczyny do szaleństwa. Pewnego dnia uświadomiłem sobie, że mi się podoba, ale oczywiście nic nikomu nie powiedziałem. Zacząłem o nim fantazjować. Kiedy miałem piętnaście lat, w końcu przyznałem się samemu sobie, że jestem gejem. Wtedy już dzieciaki zaczęły coś szeptać. Nie mogłem się doczekać, kiedy się stąd wyrwę i zacznę żyć tak, jak chcę.

– Żałujesz czegoś?

– Żałuję? Nie, nie żałuję, że jestem tym, kim jestem. Chciałbym nie być chory, ale tego chciałby każdy śmiertelnie chory.

Postawiła pusty kubek na wiklinowym stoliku i wpatrzyła się w ciemność. Światło na ganku było zgaszone. Siedzieli w mroku, kołysząc się lekko.

– Mogę powiedzieć ci coś w zaufaniu? – spytała.

– Jasne. Zabiorę to do grobu.

– No to byłam trochę jak ty, tyle że nigdy nie lubiłam chłopaków. Nigdy nie myślałam, że jestem inna, no wiesz, i że coś ze mną nie tak. Ale nigdy nie chciałam być z mężczyzną.

– Nie miałaś chłopaka?

– Może, jeden raz. Jeden taki kręcił się koło nas i myślałam, że powinnam mieć chłopaka, no wiesz. Moja rodzina zaczynała się martwić, bo miałam prawie dwadzieścia lat i dalej byłam sama. Poszliśmy parę razy do łóżka, ale mi się nie spodobało. Prawdę mówiąc, robiło mi się niedobrze. Nie mogłam znieść, że dotyka mnie tak, no wiesz. Obiecaj, że nikomu nie powiesz. No już.

– Obiecuję. A komu niby mógłbym powiedzieć?

– Ufam ci.

– Twoja tajemnica jest bezpieczna. Mówiłaś o tym komuś innemu?

– Dobry Boże, nie. Nie miałabym śmiałości.

– Zabawiałaś się kiedyś z dziewczyną?

– Synu, tu po prostu nie robiło się takich rzeczy. Wpakowaliby cię do wariatkowa.

– A teraz?

Pokręciła głową i się zastanowiła.

– Od czasu do czasu plotkuje się o jakimś chłopaku, co to jakoś nie pasuje, ale tylko po cichu. No wiesz, słyszy się plotki, ale nikt się nie przyzna i żyje, jak by chciał, wiesz, o co mi chodzi?

– Wiem dobrze.

– Ale nigdy tu nie słyszałam o kobiecie, która byłaby z drugą kobietą. Pewnie się kryją, wychodzą za mąż i nikomu nie mówią. Albo są takie jak ja – po prostu robią swoje jakby nigdy nic i mówią, że nie znalazły porządnego chłopa.

– To smutne.

– Ja nie jestem smutna. Miałam szczęśliwe życie. Co ty na jeszcze trochę wina?

– Dobry pomysł.

Wstała szybko, żeby zakończyć tę rozmowę.

❦

Gorączka powracała i nie ustępowała. Jego skóra ociekała potem, a potem zaczynał kasłać męczącym suchym kaszlem, tak gwałtownym, że kiedy mijał, Adrian był zbyt słaby, żeby się poruszać. Emporia całymi dniami prała i prasowała jego prześcieradła, a nocą mogła tylko słuchać bolesnych jęków z jego pokoju. Szykowała jedzenie, ale nie mógł jeść. Wkładała rękawice, myła go zimną wodą i żadne z nich nie przejmowało się, że jest nagi. Jego ręce i nogi wyglądały teraz jak patyki, nie miał nawet siły wyjść na ganek. Nie chciał już, żeby sąsiedzi go widzieli, więc tylko leżał w łóżku i czekał. Pielęgniarka przychodziła teraz codziennie, ale tylko mierzyła mu temperaturę, przestawiała flakoniki z pigułkami i spoglądała na Emporię, z powagą kręcąc głową.

Ostatniej nocy Adrian zdołał się ubrać w garniturowe spodnie i białą bawełnianą koszulę. Starannie zapakował buty i ubrania w dwie skórzane walizki, a kiedy wszystko było już uporządkowane, wziął czarną pastylkę i popił wodą. Położył się na łóżku, rozejrzał po pokoju, położył na piersi kopertę, zdołał się uśmiechnąć i po raz ostatni zamknął oczy.

Następnego ranka o dziesiątej Emporia uświadomiła sobie, że nie słyszy żadnych dźwięków z jego pokoju. Zastukała do drzwi sypialni, a kiedy weszła, zobaczyła starannie ubranego Adriana, wciąż uśmiechniętego i śpiącego wiecznym snem.

List brzmiał:

Droga Emporio,
proszę Cię, zniszcz ten list po przeczytaniu. Przepraszam, że mnie znalazłaś w taki sposób, ale ta chwila, tak czy siak, musiała przyjść. Choroba zrobiła swoje i mój czas dobiegł końca. Po prostu postanowiłem trochę przyspieszyć sprawy.

Adwokat Fred Mays zadba o ostatnie przygotowania. Proszę, zadzwoń najpierw do niego. Zatelefonuje do koronera, żeby przyjechał i urzędowo stwierdził mój zgon. Ponieważ żaden dom pogrzebowy nie zechce zająć się moimi zwłokami, karetka pogotowia zawiezie mnie do kremato-

*rium w Tupelo. Tam radośnie mnie spalą i umieszczą moje
prochy w wykonanym specjalnie po to pojemniku. Standar-
dowym, nic fikuśnego. Potem Fred przywiezie moje prochy
z powrotem do Clanton i dostarczy je panu Franklinowi
Walkerowi w domu pogrzebowym tutaj, w Lowtown. Pan
Walker zgodził się, choć niechętnie, pochować mnie w części cmentarza dla czarnych, najdalej jak się da od grobów
mojej rodziny.*

*Wszystko będzie wykonane szybko i, mam nadzieję, bez
wiedzy mojej rodziny. Nie chcę, żeby brali w tym udział,
i nie sądzę, żeby chcieli. Fred ma moje pisemne instrukcje
i plany, jak dać sobie z nimi radę, jeśli będzie trzeba.*

*Kiedy moje prochy zostaną pochowane, będę zaszczy-
cony, jeżeli zmówisz w milczeniu za mnie modlitwę albo
dwie. I jeżeli zechcesz, możesz od czasu do czasu zatrzymać się przy mojej mogiłce i położyć parę kwiatów. Ale znowu nic fikuśnego.*

*W lodówce są cztery butelki wina. Proszę wypij je,
wspominając mnie.*

*Dziękuję Ci bardzo za Twoją dobroć. Dzięki Tobie moje
ostatnie dni były znośne, a czasami nawet przyjemne. Jesteś
cudowną istotą i zasługujesz na to, żeby być, kim jesteś.*

Z miłością, Adrian

Emporia długo siedziała na krawędzi łóżka, wycierając oczy
i nawet głaszcząc go po kolanie. A potem wzięła się w garść, poszła do kuchni, wyrzuciła list do śmieci i podniosła słuchawkę
telefonu.

Cicha Przystań

Dom Spokojnej Starości Cicha Przystań jest o kilka mil za granicą Clanton, niedaleko głównej drogi na północ, ukryty w cienistej dolinie, więc nie widać go z samochodu. Takie domy w pobliżu autostrad to duże zagrożenie. Wiem o tym z doświadczenia, bo pracowałem w Bramie Niebios pod Vicksburgiem, kiedy pan Albert Watson wymknął się i w jakiś sposób przedostał na czteropasmówkę, gdzie rozjechała go cysterna. Miał dziewięćdziesiąt cztery lata i był jednym z moich ulubieńców. Poszedłem na jego pogrzeb. Było potem parę pozwów, ale mnie już tam nie było. Pacjenci często się wymykają. Niektórzy usiłują uciec, ale nigdy im się nie udaje. Ale właściwie nie dziwię się, że próbują.

Kiedy po raz pierwszy patrzę na Cichą Przystań, widzę typowy dla lat sześćdziesiątych podniszczony budynek z czerwonej cegły, o płaskim dachu, kilku skrzydłach i ogólnym wyglądzie podretuszowanego małego więzienia, do którego wysyła się ludzi, aby spokojnie dożyli w nim swoich ostatnich dni. Kiedyś takie miejsca nazywało się domami starców, ale potem udoskonalono nomenklaturę i przemianowano je na domy spokojnej starości, osiedla seniorów, ośrodki opiekuńcze i inne instytucje o równie mylących nazwach.

„Mama mieszka w osiedlu seniorów" brzmi o wiele sympatyczniej niż „Wpakowaliśmy ją do domu starców". Mama jest dokładnie tam, gdzie była cały czas, ale teraz wygląda to znacznie lepiej, w każdym razie lepiej dla wszystkich poza mamą.

Kiedy się je odwiedza, wszystkie robią przygnębiające wrażenie. Ale to moje rewiry, moja misja i za każdym razem, kiedy widzę kolejny, czuję dreszczyk wyzwania.

Parkuję mojego starego i poobijanego volkswagena garbusa na małym pustym parkingu od frontu. Poprawiam okulary w czarnej oprawce w stylu lat pięćdziesiątych i mocno zawiązany krawat (marynarki nie mam) i wysiadam z samochodu. Koło frontowego wejścia pod blaszanym daszkiem pół tuzina moich nowych przyjaciół siedzi w wiklinowych fotelach na biegunach, patrząc w pustkę. Uśmiecham się, kiwam głową, mówię „dzień dobry", ale tylko kilkoro jest w stanie mi odpowiedzieć. W środku uderza mnie ten sam silny drażniący smród środków dezynfekcyjnych, którymi przesiąknięte są wszystkie korytarze i wszystkie ściany każdego takiego miejsca. Przedstawiam się recepcjonistce, okazałej młodej kobiecie w imitacji stroju pielęgniarki. Siedzi za kontuarem i przegląda plik papierów, niemal zbyt zajęta, by mnie zauważyć.

– Jestem umówiony na dziesiątą z panią Wilmą Drell – oznajmiam pokornie.

Obrzuca mnie spojrzeniem, nie podoba się jej, co widzi, i postanawia się nie uśmiechać.

– Nazwisko?

Według taniej plastikowej plakietki umieszczonej nad jej wielką lewą piersią nazywa się Trudy i ma niebezpiecznie duże szanse zostać pierwszą osobą na mojej najnowszej czarnej liście.

– Gilbert Griffin – mówię uprzejmie. – Na dziesiątą.

– Pan usiądzie – mówi, wskazując głową rząd plastikowych krzesełek w poczekalni.

– Dziękuję – odpowiadam i siadam jak spłoszony dziesię-
ciolatek. Wpatruję się w swoje stopy w znoszonych białych
adidasach i czarnych skarpetkach. Spodnie mam z poliestru.
Noszę za długi pasek. Mówiąc krótko, jestem nijaki, łatwy do
zdominowania, ostatni z ostatnich.

Trudy dalej przekłada swoje stosy papierów. Od czasu
do czasu dzwoni telefon; dla dzwoniących jest dość uprzejma. Dziesięć minut po moim przybyciu, punktualnie o czasie,
z korytarza wychodzi dostojnym krokiem pani Wilma Drell
i się przedstawia. Ona też ma na sobie biały uniform, białe
pończochy i buty na grubych podeszwach, które nie mają lekko, bo Wilma jest jeszcze potężniejsza niż Trudy.

Wstaję przerażony i mówię:

– Gilbert Griffin.

– Wilma Drell.

Podajemy sobie ręce tylko dlatego, że musimy, potem ona
się odwraca i zaczyna odchodzić, a jej grube białe pończochy
ocierają się o siebie z szelestem, który słychać nawet stąd. Idę
za nią jak przestraszony szczeniak, a kiedy skręcamy za róg,
zerkam na Trudy, która spogląda na mnie z dojmującą pogardą
i lekceważeniem. W tym momencie jej imię trafia na pierwsze
miejsce na mojej liście.

Nie mam wątpliwości, że Wilma będzie numerem drugim,
z dużą szansą na awans.

Wciskamy się do małego gabinetu, którego ściany z pusta-
ków są pomalowane na urzędowy szary kolor, z tanim meta-
lowym biurkiem, tanią szafką ozdobioną zrobionymi w Wal-
-Marcie zdjęciami jej pulchnych dzieci i wymizerowanego
męża. Wilma Drell sadowi się za biurkiem w dyrektorskim

obrotowym fotelu, zupełnie jakby była prezesem tego fascynu-
jącego i dobrze prosperującego przedsiębiorstwa. Ja siadam na
rozchwierutanym krześle, ze dwanaście cali niższym niż fotel.
Patrzę w górę. Ona patrzy w dół.

– Ubiega się pan o pracę – mówi, biorąc do ręki podanie,
które wysłałem w ubiegłym tygodniu.

– Tak. – A co niby tu robię?

– Jako opiekun. Widzę, że ma pan doświadczenie w pracy
w domach seniora.

– Tak, zgadza się.

W moim podaniu wymieniłem trzy takie domy. Opuści-
łem wszystkie trzy bez kontrowersji. Ale jest z tuzin innych,
o których nigdy bym nie wspomniał. Sprawdzanie referencji
przebiega gładko, jak zawsze. Zazwyczaj jest jakaś mało en-
tuzjastyczna próba wykonania paru telefonów. Domy opieki
nie przejmują się zatrudnianiem złodziei, pedofilów, czy nawet takich jak ja, facetów ze skomplikowaną przeszłością.

– Potrzebujemy opiekuna na nocną zmianę, od dziewiątej
wieczór do siódmej rano, cztery dni w tygodniu. Będzie pan
odpowiedzialny za nadzorowanie korytarzy, sprawdzanie stanu pacjentów i ogólną opiekę nad nimi.

– To właśnie robię – odpowiadam. A także prowadzę ich
do łazienki, wycieram podłogę, kiedy nabałaganią, kąpię ich,
przebieram, czytam im, słucham historii ich życia, piszę listy,
kupuję kartki urodzinowe, gadam z ich rodzinami, zażegnuję
ich kłótnie, przynoszę i czyszczę ich baseny. Znam swoje obowiązki.

– Lubi pan pracę z ludźmi? – pyta. Zawsze zadają to głupie pytanie. Jakby wszyscy ludzie byli tacy sami. Pacjenci najczęściej są uroczy. To pracownicy zwykle trafiają na moją listę.

– O tak – odpowiadam.

– Ma pan...
– Trzydzieści cztery lata – odpowiadam. Nie umiesz liczyć? Data urodzenia to pytanie numer trzy na formularzu podania. Tak naprawdę chce zapytać „Dlaczego trzydziestoczteroletni facet decyduje się na tak poniżającą pracę?" Ale nigdy nie mają dość jaj, żeby o to zapytać.
– Płacimy sześć dolarów za godzinę.
Tak było w ogłoszeniu. Proponuje mi to, jakby robiła mi przysługę. Płaca minimalna to teraz pięć dolarów dwadzieścia pięć centów. Firma, która jest właścicielem Cichej Przystani i ukrywa się za nic nieznaczącą nazwą Grupa HVQH, to słynąca z ciemnych interesów spółka z Florydy. Ma ze trzydzieści domów dla seniorów w kilku stanach i długą historię nadużyć, powództw, fatalnej opieki, dyskryminacji przy zatrudnianiu i kłopotów podatkowych, ale nadal kosi kasę.
– W porządku – mówię. I rzeczywiście nie jest źle. Większość korporacji od takich sieci daje swoim nocnikowym na początek minimalną stawkę. Ale nie jestem tu dla pieniędzy, w każdym razie nie dla skromnej pensji oferowanej przez HVQH.
Wilma Drell wciąż czyta podanie.
– Absolwent liceum. Bez college'u?
– Nie miałem okazji.
– Wielka szkoda – mruczy cicho, cmokając i kręcąc głową ze współczuciem. – Ja skończyłam szkołę policealną – oświadcza zadowolona z siebie i dzięki temu z hukiem ląduje na drugi miejscu mojej listy. Pójdzie wyżej. Skończyłem college w trzy lata, ale ponieważ oczekują, że jestem kretynem, nigdy im o tym nie mówię. To o wiele za bardzo skomplikowałoby sprawy. Podyplomowe zrobiłem w dwa lata.
– Nie był pan karany – mówi z kpiącym podziwem.

– Nawet mandatu za szybką jazdę – oświadczam. Gdyby tylko wiedziała. Co prawda nigdy nie byłem skazany, ale parę razy niewiele brakowało.

– Żadnych pozwów, upadłości – duma. Ma wszystko czarno na białym.

– Nigdy nie byłem pozwany – uściślam. Uczestniczyłem w wielu procesach, ale w żadnym nie jako strona.

– Jak długo mieszka pan w Clanton? – Usiłuje przeciągnąć rozmowę kwalifikacyjną do ponad siedmiu minut. Oboje wiemy, że dostanę tę pracę; ogłoszenie wisi od dwóch miesięcy.

– Parę tygodni. Przyjechałem z Tupelo.

– A co sprowadza pana do Clanton? – Południe to jest to. Ludzie rzadko kiedy mają opory przed zadawaniem osobistych pytań. W rzeczywistości ona wcale nie chce usłyszeć odpowiedzi, ale jest ciekawa, dlaczego ktoś taki jak ja chciałby przenieść się do nowego miasta, żeby szukać pracy za sześć baksów za godzinę.

– Nieudany romans w Tupelo – kłamię. – Potrzebowałem zmiany otoczenia.

Nieudany romans zawsze działa.

– Przykro mi – mówi, ale oczywiście wcale tak nie jest. Upuszcza moje podanie na biurko.

– Kiedy pan może zacząć pracę, panie Griffin?

– Proszę mi mówić po prostu Gill – odpowiadam. – A od kiedy będę pani potrzebny?

– Co powiesz na jutro?

– Doskonale.

Najczęściej potrzebują mnie od razu, dlatego natychmiastowy start nigdy mnie nie dziwi. Przez następnych trzydzieści minut załatwiam papierki z Trudy. Wykonuje rutynowe czynności z ważną miną, żeby dobrze do mnie dotarło, że jej stanowisko jest o wiele wyższe od mojego. Kiedy odjeżdżam, zerkam na smutne okna Cichej Przystani i jak zawsze zastanawiam się, jak długo tu popracuję. Moja średnia to jakieś cztery miesiące.

❦

Moje tymczasowe miejsce zamieszkania w Clanton to dwupokojowe mieszkanie w budynku, który kiedyś był tanim hotelem, ale teraz jest rozpadającym się domem mieszkalnym, przecznicę od głównego placu. W ogłoszeniu było, że jest umeblowane, ale za pierwszym razem zobaczyłem tylko składane łóżko z demobilu w sypialni, różową winylową kanapę w saloniku i kącik jadalny obok kanapy, z okrągłym stolikiem wielkości mniej więcej dużej pizzy. Jest tam też malutki piekarnik, który nie działa, i bardzo stara lodówka, która działa ledwo ledwo. Za takie udogodnienia obiecałem płacić właścicielce, pani Ruby, dwadzieścia dolarów tygodniowo, gotówką.

Co tam. Widywałem gorsze miejsca, choć niewiele gorsze.

– Żadnych balów – oświadczyła pani Ruby z uśmiechem, kiedy ściskaliśmy sobie dłonie, by przypieczętować umowę. Naoglądała się już balów. Jest jakoś między pięćdziesiątką a osiemdziesiątką. Jej twarz zniszczył nie tyle wiek, ile ciężkie życie i zdumiewająca liczba wypalanych papierosów, ale broni się warstwami podkładu, cienia, różu, mascary, kredki do oczu, szminki i codziennym oblewaniem się perfumami, których zapach w połączeniu z dymem papierosowym przypomina odór wyschniętego starego moczu, nie tak rzadki w domach opieki.

Nie wspominając o burbonie. Zaledwie kilka sekund po uściśnięciu sobie dłoni pani Ruby powiedziała:

– Może drinka?

Byliśmy w salonie jej mieszkania na parterze i zanim zdążyłem odpowiedzieć, już płynęła do barku. Nalała kilka uncji jima beama do dwóch szklaneczek, zgrabnie dodała wody sodowej i trąciliśmy się szkłem.

– Szklaneczka na śniadanie to najlepszy sposób na rozpoczęcia dnia – oznajmiła, pociągając łyk. Była dziewiąta rano.

Kiedy przeszliśmy na frontowy ganek, zapaliła marlboro. Nikt z nią nie mieszka i wkrótce stało się dla mnie oczywiste, że jest bardzo samotną kobietą. Po prostu chciała z kimś pogadać. Rzadko piję, nigdy burbona, i po paru łyczkach zdrętwiał mi język. Jeżeli whisky jakoś na nią działała, zupełnie nie było tego po niej widać, kiedy opowiadała o ludziach w Clanton, których nigdy nie poznam. Po dwudziestu minutach zagrzechotała lodem i zaproponowała:

– Może jeszcze kapkę jimmy'ego?

Podziękowałem i wkrótce potem wyszedłem.

✦

Wprowadza mnie siostra Nancy, miła starsza kobieta, która pracuje tu od trzydziestu lat. Ze mną na holu idzie od drzwi do drzwi północnego skrzydła, wchodząc do każdego pokoju i witając się z mieszkańcami. W większości pokojów jest ich dwóch. Widziałem już wszystkie takie twarze: rozpromienione – tych szczęśliwych, że poznają kogoś nowego; smutne – tych, których niewiele już obchodzi; rozgoryczone – tych, którzy po prostu muszą przebrnąć przez kolejny dzień w samotności, i puste – tych, którzy wypisali się już z tego świata. Takie same twarze są w południowym skrzydle. Tylne skrzydło jest nieco inne. Dostępu bronią metalowe drzwi i, żebyśmy mogli wejść do środka, siostra Nancy wystukuje na klawiaturze na ścianie czterocyfrowy kod.

– Tutaj są ci trudniejsi – mówi łagodnie. – Paru alzheimerów, paru psychicznych. Niestety.

Dziesięć pokojów, po jednym pacjencie w każdym. Zostaję przedstawiony wszystkim dziesięciu bez żadnego incydentu. Idę za siostrą Nancy do kuchni, maleńkiej apteki i stołówki, w której jedzą i udzielają się towarzysko. Ogólnie rzecz biorąc, Cicha Przystań to typowy dom opieki, dość czysty i dość sprawnie działający. Pacjenci wyglądają na zadowolonych na tyle, na ile można się spodziewać.

Później sprawdzę wokandy sądowe, żeby zobaczyć, czy Cichą Przystań kiedykolwiek pozywano za złe traktowanie lub zaniedbania. Dowiem się poprzez agencję w Jackson, czy zgłaszano skargi, czy szły pozwy. Muszę sprawdzić mnóstwo rzeczy, przeprowadzić swoje zwykłe dochodzenie.

Wracamy do rejestracji. Siostra Nancy objaśnia zasady odwiedzin, kiedy podskakuję na dźwięk czegoś jakby klaksonu.

– Uważaj – ostrzega i przysuwa się krok bliżej do blatu. Z północnego skrzydła wyjeżdża wózek inwalidzki – imponująco szybko. Siedzi na nim staruszek, wciąż w piżamie, i jedną ręką macha, żebyśmy uciekali z drogi, a drugą ściska gruszkę rowerowego klaksonu zamontowanego tuż nad prawym kołem. Popycha go zwariowany facet, na oko góra sześćdziesięcioletni, z wielkim brzuchem wylewającym się spod podkoszulka. Na nogach ma brudne białe skarpetki i jest bez butów.

– Walter, spokojnie! – woła ostro siostra Nancy, gdy przelatują obok, nie zwracając na nas uwagi. Wpadają do południowego skrzydła i widzę, jak inni pacjenci zmykają do swoich pokojów.

– Walter uwielbia swój wózek – wyjaśnia.

– A kto go pcha?

– Donny Ray. Robią codziennie korytarzami chyba z dziesięć mil. W zeszłym tygodniu potrącili Pearl Dunavant i mało brakowało, żeby jej złamali nogę. Walter tłumaczył się, że zapomniał zatrąbić. Cały czas dogadujemy się z jej rodziną. Duży kłopot, ale Pearl strasznie się cieszy, że jest w centrum uwagi.

Znowu usłyszałem klakson, a potem przyglądałem się, jak dwaj staruszkowie zakręcają na drugim końcu południowego skrzydła i zawracają w naszą stronę. Przemknęli obok. Walter ma z osiemdziesiąt pięć lat, może rok więcej lub mniej (przy moim doświadczeniu mogę określić ich wiek z dokładnością do trzech lat – poza panią Ruby) i o wiele za dobrze się bawi. Głowę trzyma nisko pochyloną, mruży oczy, jakby gnał stówą na godzinę. Donny Ray ma tak samo szalone spojrzenie, pot kapie mu z brwi i ciemnieje pod pachami. Przejeżdża obok i też nie zwraca na nas uwagi.

– Nie możecie nad nimi zapanować? – pytam.

– Próbowaliśmy, ale wnuk Waltera jest prawnikiem i zrobił awanturę. Zagroził, że nas pozwie. Raz Donny Ray wywrócił Waltera, żadnych większych obrażeń, ale przypuszczamy, że mogło dojść do lekkiego wstrząsu mózgu. Oczywiście nie powiedzieliśmy nic rodzinie. Nawet jeśli jeszcze bardziej uszkodził sobie mózg, i tak nie da się tego stwierdzić.

Kończymy wprowadzenie dokładnie o piątej po południu, kiedy siostra Nancy kończy pracę. Moja zmiana zaczyna się za cztery godziny i nie mam dokąd pójść. Mieszkanie nie wchodzi w grę, bo pani Ruby już nabrała zwyczaju wypatrywania mnie, a kiedy już mnie przyłapie, oczekuje, że wypiję z nią szklaneczkę jimmy'ego na ganku. Niezależnie od pory dnia, jest zawsze gotowa na drinka, a ja naprawdę nie lubię burbona.

No to zostaję. Wkładam białą bluzę opiekuna i rozmawiam z ludźmi. Witam się z Wilmą Drell, która jest bardzo zajęta kierowaniem swoją instytucją. Zaglądam do kuchni i przedstawiam się dwóm czarnoskórym paniom, które przygotowują to paskudztwo. Kuchnia nie jest tak czysta, jak bym chciał, i zaczynam notować w myślach. O szóstej po południu pacjenci rozpoczynają swoją długą wędrówkę na kolację. Niektórzy idą bez żadnej pomocy; tacy dumni szczęśliwcy robią, co mogą, żeby reszta widziała, że są od nich o wiele zdrowsi. Przychodzą wcześniej, witają się ze znajomymi, pomagają zajmować miejsca tym, którzy przyjeżdżają na wózkach, śmigają od stołu do stołu najszybciej, jak potrafią. Niektórzy z tych z laskami i balkonikami zostawiają je za drzwiami stołówki, żeby inni ich nie widzieli. Opiekunowie pomagają im dojść do stolików. Podchodzę, żeby pomóc, i przy okazji się przedstawiam.

Obecnie Cicha Przystań ma pięćdziesięciu dwóch pensjonariuszy. Doliczam się trzydzieści ośmiu, którzy przyszli na kolację, potem wstaje brat Don, żeby wygłosić błogosławieństwo. Nagle zapada całkowita cisza. Jest emerytowanym pastorem, jak usłyszałem, i upiera się odmawiać modlitwę przed każdym posiłkiem. Dobija dziewięćdziesiątki, ale głos ma wciąż czysty i zadziwiająco mocny. Modli się długo i zanim kończy, kilkoro zaczyna grzechotać nożami i widelcami. Jedzenie podaje się na sztywnych plastikowych tacach, takich jak w podstawówce. Dziś wieczorem dostają pieczone piersi kurczaka – bez kości – zieloną fasolkę, błyskawiczne purée ziemniaczane i nieśmiertelną galaretkę owocową. Dziś jest czerwona. Jutro będzie żółta lub zielona. Dają ją w każdym domu opieki. Nie mam pojęcia dlaczego. Czasami myślę, że jest tak, że choćbyś przez całe życie unikał galaretki owocowej, zawsze dopadnie cię na końcu. Brat Don wreszcie milknie, siada i zaczyna się uczta.

Zbyt słabym, żeby sami przyszli do stołówki, i nieprzewidywalnym z tylnego skrzydła jedzenie zawozi się na wózkach. Zgłaszam się na ochotnika. Paru pacjentów nie zabawi długo na tym świecie.

Dziś wieczorem rozrywkę zapewnia zastęp skautów, którzy przychodzą dokładnie o siódmej i wręczają każdemu brązowe, własnoręcznie ozdobione torebki ciasteczek i takich tam. Potem zbierają się przy pianinie, śpiewają *Boże błogosław Amerykę* i parę piosenek ogniskowych. Ośmioletni chłopcy nie wyrywają się do śpiewania, więc śpiewają głównie skautowe mamy. O siódmej trzydzieści przedstawienie się kończy i pensjonariusze zaczynają wracać do swoich pokojów. Odwożę jednego na wózku, a potem pomagam sprzątać. Godziny się wloką. Przydzielono mnie do południowego skrzydła – jedenaście pokojów z dwoma mieszkańcami, jeden z jednym.

Lekarstwa podajemy o dziewiątej i to jeden z najważniejszych momentów dnia, przynajmniej dla pensjonariuszy. Większość z nas nabijała się ze swoich dziadków, że tak się wytrząsają nad swoimi dolegliwościami, kuracjami, rokowaniami i lekarstwami i że tak chętnie opowiadają o tym każdemu, kto zechce słuchać. To dziwne pragnienie roztrząsania szczegółów z wiekiem tylko się nasila i często jest źródłem mnóstwa dowcipów za plecami, których staruszkowie i tak nie mogą usłyszeć. W domach opieki jest gorzej, bo pacjenci – odsunięci przez rodziny – stracili słuchaczy. Dlatego wykorzystują każdą okazję, żeby opowiadać o swoich dolegliwościach każdemu z personelu w zasięgu głosu. A kiedy przychodzisz z tacą pigułek, ich podniecenie jest wręcz namacalne. Paru udaje nieufność, niechęć i strach, ale i oni szybko połykają leki i popijają wodą. Wszyscy dostają taką samą małą pastylkę na sen; raz jedną połknąłem i nic. I wszyscy dostają parę innych pastylek, bo z jednej nikt z nich nie byłby zadowolony. Większość lekarstw potrzebują, ale podczas cowieczornego rytuału połykają też kupę placebo.

Po lekarstwach robi się ciszej, bo wszyscy kładą się do łóżek. Światła gasimy o dziesiątej. Mam całe południowe skrzydło tylko dla siebie – i tak ma być. Jeden opiekun jest w północnym skrzydle, a dwóch w tylnym, ze „smutnymi". Dobrze po północy, kiedy śpią już wszyscy z opiekunami włącznie i jestem sam, zaczynam grzebać w recepcji, przeglądać dokumenty, dzienniki, akta, klucze, wszystko, co mogę znaleźć. Zabezpieczenia w takich miejscach są zawsze śmiechu warte. System komputerowy jest przewidywalnie prosty i niedługo się do niego włamię. Nigdy nie przychodzę do pracy bez małego aparatu fotograficznego w kieszeni. Dokumentuję nim takie rzeczy, jak zapuszczone łazienki, otwarte apteczki, brudna, nieprana pościel, podrabiane dzienniki, przeterminowane produkty spożywcze, zaniedbani pacjenci i tak dalej. Lista jest długa i przygnębiająca, a ja nigdy nie ustaję w łowach.

✷

Gmach sądu Ford County stoi pośrodku pięknego i dobrze utrzymanego trawnika, w samym centrum głównego placu Clanton. Otaczają go fontanny, stare dęby, ławki, pomniki wojenne i dwie altany. Stojąc niedaleko jednej z nich, prawie że słyszę paradę na Czwartego Lipca i wyborcze przemówienia. Samotny żołnierz Konfederacji stoi na granitowym postumencie i z karabinem w dłoniach spogląda na północ, wypatrując wroga i przypominając nam o chwalebnej, przegranej sprawie.

W sądzie, jak we wszystkich sądach hrabstw tego stanu, księgi katastralne znajduję w biurze notarialnym. Na takie okazje wkładam granatową marynarkę i krawat, eleganckie spodnie khaki, równie eleganckie buty i tak ubrany łatwo mogę uchodzić za jeszcze jednego adwokata spoza Clanton, który sprawdza tytuły prawne. Wciąż się tam tacy kręcą. Nie ma wymogu wpisywania się do książki wizytujących. Nie odzywam się do nikogo, jeżeli mnie ktoś nie zagadnie. Dokumenty są ogólnodostępne, a interesantów prawie wcale nie nadzorują urzędnicy, zbyt znudzeni, żeby zwracać na cokolwiek uwagę. Pierwsza wizyta jest tylko po to, żeby się po prostu zapoznać z archiwami, z całym systemem – żeby wszystko znaleźć. Są tu akty własności, nadania, prawa posiadania, zatwierdzone testamenty, rozmaite rejestry, które będę musiał przejrzeć w niedalekiej przyszłości. Spisy podatkowe są w głębi korytarza w biurze taksatora. Składanie pozwów i zakładanie spraw odbywa się w sekretariacie okręgowym na parterze. Po paru godzinach wiem już co i gdzie, bez gadania z nikim. Jestem po prostu jeszcze jednym adwokatem spoza miasta.

✦

W każdym nowym miejscu moje pierwsze zadanie to znaleźć osobę, która pracuje tu od lat i chce się podzielić plotkami. Taka osoba zwykle pracuje w kuchni, często jest czarna, często jest kobietą i jeśli rzeczywiście czarna kobieta tam gotuje, wiem, skąd wziąć plotki. Pochlebstwa tu nie działają, bo takie kobiety potrafią z miejsca wyczuć, kiedy ktoś wciska im kit. Nie możesz chwalić jedzenia, bo jest kiepskie, i one dobrze o tym wiedzą. To nie ich wina. Dostają składniki i instrukcje, jak je wykorzystać. Na początku po prostu zaglądam codziennie, mówię „cześć", pytam, jak się mają i tak dalej. Już sam fakt, że któryś z pracowników, i to biały, chce być tak miły i spędzać z nimi czas, jest niezwykły. Po trzech dniach takich uprzejmości sześćdziesięcioletnia Rozelle flirtuje ze mną, a ja odpowiadam jej tym samym. Mówię, że mieszkam sam, nie umiem gotować i przydałoby mi się parę kalorii na boku. Już wkrótce Rozelle jak tylko przychodzi o siódmej rano do pracy, smaży dla mnie jajecznicę i razem pijemy poranną kawę. Kończę pracę o siódmej, ale zwykle zostaję jeszcze z godzinkę. Ponieważ unikam pani Ruby, przychodzę do pracy również godzinę przed podbiciem karty i biorę tyle nadgodzin, ile się da. Ponieważ jestem nowy, dostaję nocną zmianę – od dziewiątej wieczór do siódmej rano – od piątku do poniedziałku, ale to mi nie przeszkadza.

Rozelle i ja zgadzamy się, że nasza szefowa, pani Wilma Drell, to głupie, leniwe babsko, które powinno wylecieć, ale pewnie nie wyleci, bo mało prawdopodobne, że ktoś lepszy wziąłby taką robotę. Rozelle przeżyła już tylu szefów, że nie jest w stanie wszystkich spamiętać. Siostra Nancy zdaje. Trudy z recepcji nie. Przed końcem mojego pierwszego tygodnia Rozelle i ja dokonujemy oceny wszystkich innych pracowników.

Zabawa zaczyna się, kiedy dochodzimy do pacjentów. Mówię do Rozelle:

– Wiesz, co wieczór przy podawaniu lekarstw Lyle Spurlock dostaje ode mnie porcję saletry w kostce cukru. O co tu chodzi, Rozelle?

– Boże pomiłuj – odpowiada, odsłaniając w uśmiechu olbrzymie zęby. Załamuje ręce z udawanym zdziwieniem. Przewraca oczami, jakbym teraz już naprawdę otworzył puszkę Pandory. – Wścibskie z ciebie białe chłopaczysko.

Ale trafiłem w jej czuły punkt i widzę, że naprawdę ma ochotę na wyciąganie brudów.

– Nie wiedziałem, że ciągle jeszcze używają saletry.

Rozelle powoli otwiera paczkę mrożonych gofrów przemysłowej wielkości.

– Coś ci powiem, Gill, ten facet ganiał wszystkie kobitki, co u nas mieszkały. I całkiem sporo złapał. Parę lat temu przyłapali go w łóżku z pielęgniarką.

– Lyle'a?

- Boże pomiłuj, synu. To największy stary świntuch na bożym świecie. Ręce mu się kleją do każdej kobitki, nieważne jak starej. Zaczepiał pielęgniarki, pacjentki, opiekunki, panie z kościołów, co przychodziły śpiewać kolędy. Zaczęli go zamykać na czas odwiedzin, bo inaczej uganiałby się za dziewczynami z rodzin. Kiedyś tu przychodził porozglądać się. Złapałam nóż rzeźnicki i mu pogroziłam. I mamy spokój.

- Ale przecież on ma osiemdziesiąt cztery lata.

- Troszkę przystopował. Cukrzyca. Obcięli mu stopę. Ale ciągle ma obie łapy i ciągle mu się lepią do bab. Nie do mnie, jasne, że nie, ale pielęgniarki trzymają się od niego z daleka.

Obraz starego Lyle'a w łóżku z pielęgniarką był zbyt ciekawy, by go zignorować.

- Złapali go z pielęgniarką?

- A jak. Pewnie, że młoda to ona nie była, ale i tak był od niej trzydzieści lat starszy.

- Kto go złapał?

- Poznałeś już Andy'ego?

- Jasne.

Rozejrzała się wokoło, zanim opowiedziała mi coś, co od lat stanowiło legendę:

- Andy pracował wtedy w północnym skrzydle, teraz jest w tylnym. Widziałeś ten składzik na drugim końcu północnego?

- Pewnie.

Nie widziałem, ale chciałem posłuchać.

- Kiedyś stało tam łóżko i Lyle z siostrą nie pierwsi go używali.

- Nie mów.

- Święta prawda. Nie uwierzyłbyś, jakie figle-migle tam odchodziły, zwłaszcza kiedy Lyle Spurlock był jeszcze w formie.

- Czyli Andy przyłapał ich w składziku?

– Otóż to. Pielęgniarkę wylali. Grozili, że odeślą Lyle'a gdzie indziej, ale wtrąciła się rodzina i jakoś ich przekonała. Boże miłosierny, ależ była draka.

– Wtedy zaczęli mu dawać saletrę?

– Za późno, oj za późno.

Rozkładała gofry na blasze, żeby włożyć je do piekarnika. Rozejrzała się znowu, najwidoczniej czując wyrzuty sumienia, ale nikt się nam nie przyglądał. Delores, druga kucharka, zmagała się z ekspresem do kawy i była zbyt daleko, żeby nas słyszeć.

– Znasz pana Luke'a Malone'a z czternastki?

– Jasne, jest w moim skrzydle.

Pan Malone miał osiemdziesiąt dziewięć lat, był obłożnie chory i nie wstawał z łóżka, praktycznie nie widział i nie słyszał, i codziennie godzinami gapił się w mały telewizor podwieszony pod sufitem.

– On i jego żona od zawsze byli w czternastce. Umarła w zeszłym roku, rak. Jakieś dziesięć lat temu pani Malone i stary Spurlock kombinowali ze sobą.

– Mieli romans? – Rozelle bardzo chciała powiedzieć wszystko, ale potrzebowała zachęty.

– Nazywaj to sobie jak chcesz, ale bardzo dobrze się bawili. Spurlock miał wtedy obie stopy i był szybki. Wieźli pana Malone'a na bingo, a Spurlock biegł do czternastki, podpierał klamkę krzesłem i wskakiwał do łóżka z panią Malone.

– Ktoś ich przyłapał?

– Parę razy, ale nie pan Malone. On by ich nie przyłapał, nawet gdyby był w pokoju. I nikt mu nie powiedział. Biedaczek.

– To straszne.

– To właśnie cały Spurlock.

Wygoniła mnie, bo musiała zrobić śniadanie.

✿

Dwie noce później daję Lyle'owi Spurlockowi placebo zamiast pigułki nasennej. Godzinę później wracam do jego pokoju, upewniam się, że jego współlokator mocno śpi i daję mu
dwa numery „Playboya". W Cichej Przystani nie ma wyraźne-
go zakazu posiadania takich publikacji, ale pani Wilma Drell
i inni władcy na pewno podjęli się wykorzenienia wszystkich
nieobyczajnych nałogów. Na terenie ośrodka nie ma alkoholu.
Dozwolonych jest wiele gier karcianych i bingo, ale żadnego
hazardu. Kilku pozostałych przy życiu palaczy musi wycho-
dzić na zewnątrz. A sama myśl o konsumpcji pornografii jest
wprost niedopuszczalna.

– Niech pan pilnuje, żeby nikt ich nie znalazł – szepczę do
Lyle'a, który łapie czasopisma jak wygłodniały jedzenie.

– Dzięki – mówi z przejęciem. Włączam lampkę przy jego
łóżku, klepię go po ramieniu i mówię:

– Dobrej zabawy.

Jazda, stary. Lyle Spurlock jest teraz moim najnowszym
wielbicielem.

Moja dokumentacja dotycząca jego osoby staje się coraz
grubsza. Jest w Cichej Przystani od jedenastu lat. Po śmierci
jego trzeciej żony rodzina najwyraźniej uznała, że nie może
się nim opiekować, umieściła go w „domu seniora" i jak wynikało z księgi odwiedzin, praktycznie o nim zapomniała.
Przez ostatnie pół roku córka z Jackson zajrzała dwa razy. Jest
żoną dewelopera od centrów handlowych, całkiem bogatego.
Pan Spurlock ma w Fort Worth syna, który zajmuje się to-
warowymi przewozami kolejowymi i nigdy nie odwiedza ojca.
Według rejestru korespondencji nie pisze też listów ani nie
przysyła kartek. Przez większą część życia pan Spurlock był

elektrykiem w Clanton i nie posiada większych oszczędności. Natomiast jego trzecia żona, która sama miała za sobą dwa małżeństwa, po śmierci swojego dziewięćdziesięcioośmioletniego ojca odziedziczyła sześćset czterdzieści akrów ziemi w Tennessee. Jej testament został zatwierdzony w Polk County dziesięć lat temu i kiedy rozliczono jej majątek, ziemię odziedziczył pan Lyle Spurlock. Istnieje spora szansa, że żadne z jego potomków nic o tym nie wie.

Trzeba wielu godzin poszukiwań w urzędzie katastralnym hrabstwa, żeby znaleźć takie małe samorodki. Często moje poszukiwania nie dają nic, ale kiedy trafiam na taką tajemnicę, sprawa nabiera kolorów.

⚘

Mam dziś wolną noc i pani Ruby upiera się, żebyśmy poszli na cheeseburgera. Jej samochód to cadillac sedan z 1972 roku, długi na pół przecznicy, jaskrawoczerwony i z metrażem spokojnie na ośmiu pasażerów. Kiedy ja robię za szofera, ona mówi i jednocześnie sączy jimmy'ego, wszystko to z marlboro wiszącym za oknem. Po przesiadce do cadillaca z garbusa mam wrażenie, że prowadzę autobus. Samochód ledwo mieści się na stanowisku w Sonic Drive-In, współczesnej wersji klasycznego baru dla kierowców, zbudowanej z myślą o znacznie mniejszych pojazdach. Ale wciskam się na swoje miejsce, zamawiamy burgery, frytki i colę. Pani Ruby upiera się, żebyśmy zjedli na miejscu, a ja chętnie spełniam jej prośbę.

Po kilku popołudniowych drinkach i porannych szklaneczkach dowiedziałem się, że nie ma dzieci. Swego czasu zostawiło ją kilku mężów. Nie wspomniała jak dotąd nic o bracie, siostrze, kuzynie, siostrzenicy czy bratanku. Jest niewiarygodnie samotna.

A według Rozelle z kuchni jeszcze jakieś dwadzieścia lat temu pani Ruby prowadziła jedyny wciąż działający burdel w Ford County. Rozelle była zszokowana, kiedy powiedziałem jej, gdzie mieszkam, zupełnie jakby ten dom był nawiedzany przez złe duchy.

– To nie jest miejsce dla młodego białego chłopca – oznajmiła. Rozelle chodzi do kościoła co najmniej cztery razy w tygodniu. – Lepiej się stamtąd wynoś – ostrzegła. – Szatan mieszka w tych murach.

Nie sądzę, żeby to było dzieło szatana, ale trzy godziny po obiedzie, kiedy już prawie śpię, sufit zaczyna się trząść. Słyszę też dźwięki – zdecydowane, miarowe, zmierzające do bardzo szybkiego zaspokojenia. Wtóruje im szuranie, zupełnie jakby po podłodze przesuwało się tanie metalowe łóżko. A potem potężne westchnienie zwycięskiego bohatera. Cisza. Epopeja dobiegła końca.

Godzinę później szuranie wraca i łóżko znowu skacze po podłodze. Tym razem bohater musi być albo większy, albo bardziej gwałtowny, bo hałasy są donośniejsze. Ona, kimkolwiek jest, też jest o wiele głośniejsza i przez długą, pełną podziwu chwilę słucham z wielkim zaciekawieniem i narastającym podnieceniem, jak para na górze odrzuca wszelkie zahamowania i robi swoje, nie przejmując się, że ktoś może ich słuchać. Kiedy kończą, prawie krzyczą, a ja mam ochotę bić brawo. Nieruchomieją. Ja też. Sen powraca.

Jakąś godzinę później nasza pracująca dziewczyna odstawia trzeci numerek tej nocy. Jest piątek i uświadamiam sobie, że to pierwsza piątkowa noc w moim mieszkaniu. Ponieważ nagromadziły mi się nadgodziny, pani Wilma Drell wykreśliła mnie na dzisiaj z grafiku. Nie popełnię więcej tego błędu. Nie mogę się doczekać, kiedy opowiem Rozelle, że pani Ruby nie porzuciła swojej roli burdelmamy i jej stary hotelik dalej jest wykorzystywany do innych celów, a szatan rzeczywiście żyje i ma się dobrze.

W sobotę późnym rankiem idę na plac, do baru, i kupuję krakersy z kiełbasą. Zanoszę je pani Ruby. Otwiera drzwi w szlafroku, rozczochrane włosy sterczą jej we wszystkie strony, oczy ma opuchnięte i zaczerwienione. Siadamy przy stole w kuchni. Pani Ruby robi kawę, koszmarną lurę, którą kupuje wysyłkowo, a ja co rusz odmawiam jima beama.

– Ostatniej nocy było dość głośno – mówię.

– Coś podobnego. – Ogryza krakersa naokoło.

– Kto mieszka w mieszkaniu nade mną?

– Jest puste.

– Wczoraj w nocy nie było puste. Jacyś ludzie uprawiali tam seks i robili strasznie dużo hałasu.

– Och, to Tammy. Jedna z moich dziewczyn.

– Ile ich pani ma?

– Niedużo. Kiedyś trochę miałam.

– Podobno kiedyś był tu burdel.

– O tak – odpowiada z dumnym uśmiechem. – Piętnaście, dwadzieścia lat temu miałam tuzin dziewczyn i obsługiwałyśmy wszystkie szychy w Clanton: polityków, szeryfa, bankierów i prawników. Pozwalałam im grać w pokera na trzecim piętrze. Moje dziewczynki pracowały w innych pokojach. To były czasy.

Uśmiecha się, wpatrzona w ścianę, i wraca myślami daleko, do lepszych dni.

– Jak często Tammy pracuje?

– W piątki, czasami w soboty. Jej mąż jest kierowcą ciężarówki, jeździ w weekendy, a ona potrzebuje parę groszy ekstra.

– Kim są klienci?

– Ma paru. Jest ostrożna i wybredna. Zainteresowany?

– Nie. Tylko ciekawy. Mam się spodziewać takich samych hałasów w każdy piątek i sobotę?

– Bardziej niż prawdopodobne.

– Nie mówiła mi pani o tym, jak wynajmowałem mieszkanie.

– Nie pytałeś. Daj spokój, Gill, tak naprawdę wcale nie jesteś taki zły. Jak chcesz, mogę szepnąć słówko o tobie Tammy. Daleko nie masz. Może nawet przyjdzie do twojego pokoju.

– Ile bierze?

– Do obgadania. Załatwię to dla ciebie.

– Pomyślę.

✢

Po trzydziestu dniach zostaję wezwany do gabinetu pani Drell na ocenę. Wielkie firmy przyjmują takie zasady działania i faszerują nimi swoje rozmaite podręczniki i informatory, dzięki czemu wszyscy mają wrażenie, że są doskonale zarządzani. HVQH wymaga, aby oceny każdego nowego pracownika dokonywano po trzydziestu, sześćdziesięciu i dziewięćdziesięciu dniach, a potem co sześć miesięcy. Większości domów opieki ma w swoich instrukcjach podobne wytyczne, ale rzadko kiedy zawracają sobie głowę takimi spotkaniami.

Przerabiamy te same pierdoły co zawsze – jak sobie radzę, co sądzę o swojej pracy, jak mi się układa z innymi pracownikami. Jak dotąd, żadnych skarg. Pani Drell chwali mnie, że biorę nadgodziny. Muszę przyznać, że nie jest taka zła, jak myślałem na początku. Myliłem się już wcześniej, ale niezbyt często. Wciąż jest na mojej liście, ale spadła na trzecie miejsce.

– Wygląda na to, że pacjenci cię lubią – mówi.

– Są kochani.

– Dlaczego spędzasz tyle czasu z kucharkami w kuchni?

– Czy to wbrew przepisom?

– No cóż, nie, ale to trochę niezwykłe.

– Natychmiast przestanę, jeżeli to pani przeszkadza.

Nie mam zamiaru przestawać, bez względu na to, co powie pani Drell.

– Och, nie. Znaleźliśmy parę egzemplarzy „Playboya" pod materacem pana Spurlocka. Wiesz może, skąd się tam wzięły?

– A pytaliście pana Spurlocka?

– Tak, ale nie chce powiedzieć.

Brawo, Lyle.

– Nie mam pojęcia, skąd się tam wzięły. Czy to wbrew przepisom?

– Nie pochwalamy takich świństw. Na pewno nie masz nic z tym wspólnego?

– Wydaje mi się, że jeżeli pan Spurlock, który ma osiemdziesiąt cztery lata i płaci całą opłatę, chce sobie pooglądać „Playboya", powinno mu się na to pozwolić. Co to szkodzi?

– Nie znasz pana Spurlocka. Staramy się pilnować, żeby się nie pobudzał. W przeciwnym razie, cóż, trudno nad nim zapanować.

– Ma osiemdziesiąt cztery lata.

– Skąd wiesz, że wnosi pełną opłatę?

– Tak mi powiedział.

Przerzuca kartkę, zupełnie jakby w mojej teczce było mnóstwo danych. Po chwili zamyka ją i mówi:

– Jak dotąd wszystko dobrze, Gill. Jesteśmy zadowoleni z twojej pracy. Możesz iść.

Zaraz potem poszedłem do kuchni i opowiedziałem Rozelle o najnowszych wydarzeniach u pani Ruby.

✦

Tylko dwóch pensjonariuszy Cichej Przystani ma majątek wart uwagi. Pan Jesse Plankmore jest właścicielem trzystu akrów sosnowego zagajnika niedaleko Pidgeon Island w północno-wschodniej części Ford County. Ale pan Plankmore już nic o tym nie wie. Stracił kontakt ze światem dawno temu i lada dzień umrze. Poza tym jego żona zmarła jedenaście lat temu i jej testament został zatwierdzony przez miejscowego prawnika. Czytałem go dwa razy. Cały majątek zapisała panu Plankmore'owi, a po jego śmierci czwórce dzieci. Można przyjąć, że on też sporządził identyczny testament, a oryginał leży w sejfie prawnika.

Drugim właścicielem nieruchomości jest mój kumpel Lyle Spurlock. Z sześciuset czterdziestoma akrami nieobciążonej hipotecznie ziemi w swoim zapomnianym portfolio jest jednym z najlepiej rokujących kandydatów od lat. Gdyby nie on, zacząłbym swoją strategię odwrotu.

Inne ustalenia są wprawdzie ciekawe i stanowią dobry materiał do plotek, ale nie mają tak wielkiej wartości. Pani Ruby ma w rzeczywistości sześćdziesiąt osiem lat, jest po trzech rozwodach – ostatni pozew złożony dwadzieścia dwa lata temu – bezdzietna, niekarana, a jej dom został wyceniony przez hrabstwo na pięćdziesiąt dwa tysiące dolarów. Dwadzieścia lat temu, kiedy był to pracujący na pełnych obrotach dom publiczny, wycena była dwa razy taka. Według starego artykułu w „Ford County Times" osiemnaście lat temu policja przeprowadziła nalot, przymknęła dwie dziewczyny i dwóch klientów, z których jeden był członkiem stanowej legislatury, ale z innego hrabstwa. Prasa nie dała mu spokoju. Legislator zrezygnował okryty hańbą, a potem się zabił. Moralna większość podniosła raban i pani Ruby musiała zwinąć interes.

Poza tym jej jedynym majątkiem, przynajmniej z punktu widzenia hrabstwa, jest jej cadillac rocznik 1972. W zeszłym roku tablice rejestracyjne kosztowały ją osiemdziesiąt dziewięć dolarów.

To właśnie o cadillacu myślę, kiedy pozwalam się jej przydybać, gdy wracam z pracy w środę o ósmej rano.

– Dzień dobry, Gill – chrypi swoją oblepioną smołą krtanią. – Co powiesz na jimmy'ego?

Siedzi na frontowym ganku, w ohydnym zestawie z różowej piżamy, lawendowego szlafroka, czerwonych gumowych klapek i wielkiego czarnego kapelusza, który zatrzymałby więcej deszczu niż parasol. Czyli w jednym ze swoich zwykłych strojów.

Patrzę na zegarek, uśmiecham się i mówię:

– Jasne.

Znika w środku i szybko wraca z dwoma dużymi szklaneczkami jima beama z wodą sodową. Między jej czerwonymi, lepkimi od szminki wargami tkwi marlboro, który – kiedy pani Ruby mówi – podskakuje w górę i w dół.

– Miałeś dobrą noc?

– Jak zwykle. A pani odpoczęła?

– Całą noc nie spałam.

– Współczuję.

Całą noc nie spała, bo śpi cały dzień. To pozostałość z jej poprzedniego życia. Zwykle żłopie whisky do jakiejś dziesiątej rano, a potem idzie do łóżka i śpi aż do zmroku.

Gadamy o tym i owym, słyszę jeszcze więcej plotek o ludziach, których nigdy nie poznam. Bawię się drinkiem, ale boję się nie wypić przynajmniej większej jego części. Kilka razy kwestionowała moją męskość, kiedy usiłowałem się wymknąć, nie nacieszywszy się burbonem.

– Pani Ruby, poznała pani faceta, co nazywa się Lyle Spurlock? – pytam w przerwie jej opowieści.

Trochę trwa, zanim przypomni sobie wszystkich facetów, których znała, ale ostatecznie okazuje się, że Lyle z niczym jej się nie kojarzy.

– Obawiam się, że nie, mój drogi. Dlaczego pytasz?

– To jeden z moich pacjentów, prawdę mówiąc, mój ulubieniec, i myślałem, żeby go zabrać wieczorem do kina.

– Jak to miło z twojej strony.

– Mam dziś wieczorem wolne, a w kinie dla kierowców jest podwójny seans.

Pani Ruby o mało nie parska whisky na cały trawnik przed domem, a potem śmieje się jak szalona. Kiedy się w końcu opanowuje, mówi:

– Zabierasz staruszka na świńskie filmy?

– Jasne. Czemu nie?

– A to dobre.

Wciąż jest bardzo rozbawiona, szczerzy wielkie żółte zęby. Łyk jimmy'ego, sztachnięcie się papierosem i już całkiem panuje nad sobą.

Według archiwum „Ford County Times" Daisy Drive-In w 1980 roku pokazało przeznaczoną do prójekcji zewnętrznej wersję *Głębokiego gardła* i miasto Clanton eksplodowało. Były protesty, marsze, rozporządzenia władz miejskich, pozwy atakujące te rozporządzenia, kazania, znowu kazania, przemówienia polityków, a kiedy rejwach umilkł i kurz opadł, kino nadal działało i wyświetlało świńskie filmy, kiedy tylko miało ochotę, całkowicie kryte dokonaną przez sąd federalny interpretacją Pierwszej Poprawki. Jednak, w ramach kompromisu, właściciel zgodził się pokazywać filmy XXX tylko w środy wieczorem, gdy ludzie pobożni byli w kościele. W pozostałe dni wyświetlał głównie młodzieżowe horrory, ale i obiecywał puszczać tyle disneya, ile tylko da radę zdobyć. Nie pomogło. Bojkot chrześcijan trwał tak długo, że kino Daisy powszechnie uznano za skazę miasta.

– Czy mógłbym pożyczyć pani samochód? – pytam przepraszającym tonem.

– A po co?

– No wie pani. – Ruchem głowy wskazuję mojego smutnego małego garbusa zaparkowanego przy krawężniku. – Jest trochę mały.

– Czemu nie kupisz sobie czegoś większego?

Garbus może i jest mały, ale wart znacznie więcej niż jej czołg.

– Myślałem o tym. W każdym razie mogłoby nam być ciasno. Tak tylko sobie pomyślałem, nie ma sprawy. Zrozumiem, jeśli pani nie zechce.

– Daj mi się zastanowić. – Grzechocze lodem i mówi: – Chyba wypiję jeszcze kropelkę. A ty?

– Nie, dziękuję.

Język mnie pali i nagle czuję się przytępiony. Idę do łóżka. Ona też idzie do łóżka. Po długim śnie o zmierzchu spotykamy się znowu na ganku i mówi:

– Chyba napiję się trochę jimmy'ego. A ty?

– Nie, dziękuję. Prowadzę.

Robi sobie drinka i ruszamy. Nie zapraszałem jej na mój i Lyle'a wieczorny męski wypad, ale kiedy zobaczyłem, że nie ma zamiaru rozstawać się ze swoim cadillakiem, machnąłem ręką. Lyle'owi Spurlockowi to bez różnicy. Kiedy suniemy przez miasto pojazdem, który pewnie wygląda jak spływająca w dół rzeki barka z ropą, pani Ruby wyznaje, że ma nadzieję, że filmy nie są zbyt sprośne. Kiedy to mówi, przesadnie trzepocze rzęsami i mam wrażenie, że poradzi sobie z każdym świństwem, jakie może zaserwować Daisy Drive-In.

Uchylam nieco szybę, żeby świeże powietrze rozrzedziło trochę opary unoszące się wokół pani Ruby. Na wieczorne wyjście postanowiła podwoić dawkę perfum. Zapala marlboro, ale nie otwiera okna po swojej stronie. Przez sekundę boję się, że płomień może zapalić wyziewy spowijające przednie siedzenia i oboje spłoniemy żywcem. Chwila niepokoju mija.

W drodze do Cichej Przystani raczę panią Ruby wszystkimi plotkami, jakie zebrałem w kuchni na temat pana Lyle'a Spurlocka i jego nadaktywnych rąk i oczu. Twierdzi, że wiele lat temu słyszała plotki o starszym dżentelmenie, złapanym w łóżku z pielęgniarką, i wydaje się autentycznie podniecona perspektywą spotkania kogoś takiego. Kolejny łyczek jimmy'ego i oświadcza, że chyba jednak przypomina sobie Spurlocka jako klienta w dawnych dniach chwały.

Drugą zmianą kieruje siostra Angel, pryncypialna, surowa kobieta, która obecnie zajmuje drugie miejsce na mojej czarnej liście i bardzo możliwe, że będzie pierwszą osobą, która dzięki mnie stąd wyleci. Natychmiast oświadcza, że nie aprobuje moich planów zabrania Lyle'a do kina. (Nie powiedziałem nikomu poza Lyle'em, a teraz i panią Ruby, na jakie filmy się wybieramy). Odparowuję, że to nieważne, co ona aprobuje, bo mam zgodę pani Wilmy Drell, Królowej Pszczół numer jeden, choć rzeczona zgoda nie została udzielona dobrowolnie, ale dopiero po tym, jak pan Spurlock i jego córka (telefonicznie) zrobili awanturę większą, niż Królowa mogła znieść.

– Jest na piśmie – mówię. – Proszę sprawdzić dokumenty. Zatwierdzone przez W. Drell.

Przerzuca jakieś papiery, coś mamrocze, marszczy czoło, jakby miała atak migreny. Kilka minut później Lyle i ja wychodzimy przez frontowe drzwi. Staruszek ma na sobie swoje najlepsze spodnie i jedyną, tę samą od kilkudziesięciu lat wyświechtaną granatową marynarkę. Kuśtyka z determinacją. Na zewnątrz łapię go za łokieć i mówię:

– Niech pan posłucha, panie Spurlock, mamy ze sobą niespodziewanego gościa.

– Kogo?

– Mówią na nią pani Ruby. Mieszkam u niej. Pożyczyłem jej samochód i teraz jedzie z nami. Taka sprzedaż wiązana. Przepraszam.

– Nie ma sprawy.

– Jest miła. Polubi ją pan.

– Myślałem, że mamy jechać na świńskie filmy?

– Tak jest. Proszę się nie martwić, dla pani Ruby to nie kłopot. To nie jest znowu taka dama, jeżeli wie pan, co mam na myśli.

Lyle rozumie. Błysk w jego oku świadczy, że świetnie rozumie. Zatrzymujemy się przy przednich drzwiach, przedstawiam ich sobie, a potem Lyle wpełza na ogromne tylne siedzenie. Jeszcze zanim wyjedziemy z parkingu, pani Ruby odwraca się i mówi:

– Lyle, mój drogi, czy miałbyś ochotę na odrobinę jima beama?

I już wyciąga flaszkę z wielkiej czerwonej torebki.

– Raczej nie – odpowiada Lyle i oddycham z ulgą. Zabrać Lyle'a na małe porno to jedno, ale jakbym go odwiózł nawalonego, mógłbym mieć kłopoty.

Pani Ruby pochyla się w moją stronę i mówi:

– Uroczy jest.

Jedziemy. Przeczuwam, że pani Ruby wspomni Sonic, i po paru minutach oświadcza:

– Wiesz Gill, miałabym ochotę na cheeseburgera i frytki na obiad. Co powiesz, żebyśmy po drodze wpadli do Sonic? Z trudem udaje mi się zmieścić barkę w wąskim stanowisku w Sonic. Jest tłok i łapię spojrzenia co poniektórych klientów, wszystkich w o wiele mniejszych i nowszych gablotach. Nie wiem, czy bawi ich widok jaskrawoczerwonego cadillaca, który ledwo się tu mieści, czy widok dziwnego tria w środku. Zresztą mam to gdzieś.

Robiłem to już wcześniej, w innych domach. Jednym z największych darów, jaki mogę ofiarować moim ulubionym przyjaciołom, jest wolność. Zabierałem starsze panie do kościołów, do klubów, na pogrzeby i śluby, i oczywiście do centrów handlowych. Woziłem starszych panów do ośrodków Legionu Amerykańskiego, do kręgielni, barów, kościołów i kawiarni. Wszyscy byli wdzięczni jak dzieci za te małe wycieczki, drobne uprzejmości, dzięki którym mogli się wyrwać ze swoich pokojów. I, co smutne, te wypady do prawdziwego świata zawsze wywołują kłopoty. Innym opiekunom, moim szacownym współpracownikom, nie podoba się, że mam ochotę spędzać dodatkowy czas z naszymi pensjonariuszami, a inni pensjonariusze zaczynają bardzo zazdrościć szczęściarzom, którym uda się zwiać na parę godzin. Ale nie przejmuję się kłopotami.

Lyle twierdzi, że jest najedzony, bez wątpienia zapchał się gumowatym kurczakiem i zieloną galaretką. Zamawiam hot doga i piwo korzenne i wkrótce znowu płyniemy ulicami. Pani Ruby skubie frytki, a Lyle gdzieś daleko z tyłu napawa się otwartymi przestrzeniami. Nagle mówi:

– Chciałbym piwo.

Skręcam na parking przed spożywczym.

– Jakie?

– Schlitza – odpowiada bez wahania.

Kupuję sześciopak małych puszek, podaję mu i ruszamy dalej. Słyszę syk otwieranego piwa i siorbanie.

– Chcesz jedno, Gill? – pyta.

– Nie, dziękuję.

Nie cierpię smaku i zapachu piwa. Pani Ruby dolewa trochę burbona do swojego Dr. Peppera i sączy napój. Uśmiecha się, pewnie dlatego, że ma z kim pić.

W Daisy kupuję trzy bilety po pięć dolarów – moje towarzystwo nie proponuje, że zapłaci za siebie – wjeżdżamy na żwirowany parking i wybieram miejsce w trzecim rzędzie, daleko od innych wozów. Naliczyłem ich sześć. Film już trwa. Mocuję głośnik w moim oknie, reguluję tak, żeby Lyle słyszał wszystkie jęki, i sadowię się głęboko w moim fotelu. Pani Ruby wciąż skubie swojego cheeseburgera. Lyle przesuwa się na środek tylnego siedzenia, skąd ma wyraźny widok.

Fabuła szybko staje się oczywista. Akwizytor chodzi od drzwi do drzwi, usiłując sprzedawać odkurzacze. Po akwizytorze można by się spodziewać, że będzie zadbany i że będzie się przynajmniej starał mieć przyjemny wygląd. Ten facet jest naoliwiony od stóp do głów, ma kolczyki, tatuaże, przyciasną jedwabną koszulę z niewieloma guzikami i lubieżny uśmiech, który przeraziłby każdą szanującą się panią domu. Oczywiście w tym filmie nie ma szanujących się pań domu. Kiedy tylko nasz oślizły sprzedawca staje w drzwiach, wlokąc za sobą bezużyteczny odkurzacz, kobieta atakuje go, ubrania idą w kąt i rozpoczyna się każde możliwe bara-bara. Mąż przyłapuje ich na kanapie i zamiast sprać gościa do nieprzytomności rurą odkurzacza, przyłącza się do zabawy. Wkrótce robi się z tego rodzinny zjazd, nagusy wbiegają do pokoju ze wszystkich stron. Cała familia jest jedną z tych rodzin z pornosów, w której dzieci są w tym samym wieku co rodzice, ale kto by się przejmował? Przychodzą sąsiedzi i wkrótce to jedna wielka szalona kopulacja z pozycjami, jakie niewielu śmiertelnych może sobie wyobrazić.

Osuwam się głębiej w siedzeniu, tak że ledwo widzę nad kierownicą. Pani Ruby nadal skubie frytki, chichocząc z czegoś na ekranie, bez cienia żenady, a Lyle otwiera kolejne piwo, i to jedyny odgłos dobiegający z tyłu.

Jakiś prostak w pikapie dwa rzędy za nami naciska klakson przy każdym filmowym orgazmie. Poza tym Daisy jest dość spokojne i puste.

Po drugiej orgii czuję się znudzony i przepraszam, mówiąc, że muszę do toalety. Idę wolno przez parking do obskurnej małej kanciapy, w której sprzedają coś do zjedzenia i mają ubikacje. Projektor jest w chwiejnej dobudówce na górze. Daisy Drive-In z całą pewnością widziało lepsze czasy. Płacę za kubełek stęchłego popcornu i, nie spiesząc się, wracam do czerwonego cadillaca. Po drodze nawet nie przychodzi mi do głowy zerknąć na ekran.

Pani Ruby zniknęła! Ułamek sekundy po tym, jak uświadamiam sobie, że jej fotel jest pusty, słyszę chichot z tylnego siedzenia. Oczywiście górne światło nie działa, pewnie od jakichś dwudziestu lat. Z tyłu jest ciemno i nie odwracam się.

– Wszystko w porządku? – pytam zupełnie jak niańka.

– No pewnie – odpowiada Lyle.

– Tu jest jeszcze miejsce – mówi pani Ruby. Po dziesięciu minutach znowu ich przepraszam i idę na długi spacer przez parking, aż na sam koniec, przechodzę przez stary płot, w górę zbocza pod stare drzewo, gdzie wokół połamanego stołu piknikowego leżą rozrzucone puszki po piwie, dowody rzeczowe pozostawione przez nastolatków zbyt młodych lub zbyt biednych, żeby kupić bilet. Siadam na chwiejącym się stole, skąd doskonale widzę ekran w oddali, siedem samochodów osobowych i dwa pikapy płacących widzów. Ten najbliżej cadillaca pani Ruby wciąż trąbi w odpowiednich momentach. Jej samochód lśni w blasku ekranu. Na ile mogę się zorientować, jest zupełnie nieruchomy.

Moja zmiana zaczyna się o dziewiątej wieczorem i nigdy się nie spóźniam. Królowa Wilma Drell potwierdziła na piśmie, że pan Spurlock ma wrócić do godziny dziewiątej, więc o wpół do wracam do samochodu, przerywam to, co dzieje się na tylnym siedzeniu – jeżeli w ogóle coś się tam dzieje – i oznajmiam, że pora jechać.

– A ja tu zostanę – mówi pani Ruby, chichocząc. Trochę bełkocze, dość niezwykłe, biorąc pod uwagę jej odporność na gorzałę.

– Dobrze się pan czuje, panie Spurlock? – pytam, odpalając silnik.

– Jasne.

– Podobał się wam film?

Oboje ryczą ze śmiechu i uświadamiam sobie, że są pijani. Chichoczą całą drogę do domu pani Ruby; to bardzo zabawne. Pani Ruby mówi nam „dobranoc". Przesiadamy się do mojego garbusa i gdy pan Spurlock i ja jedziemy w kierunku Cichej Przystani, pytam:

– Dobrze się pan bawił?

– Wspaniale. Dzięki. – Trzyma w ręku schlitza, numer trzy o ile mogę się zorientować, i ma na wpół zamknięte oczy.

– Co robiliście na tylnym siedzeniu?

– Nic takiego.

– Miła jest, prawda?

– Tak, ale nie najlepiej pachnie. Te jej perfumy. Nigdy nie myślałem, że będę na tylnym siedzeniu z Ruby Clements.

– Zna ją pan?

– Domyśliłem się, kto to. Mieszkałem tu bardzo długo, synu, i wielu rzeczy nie mogę sobie przypomnieć. Ale w swoim czasie prawie wszyscy wiedzieli, kim była. Jeden z jej mężów to kuzyn jednej z moich żon. Chyba tak to było. Dawno temu. Nie da się nie kochać małych miasteczek.

❦

Dwa tygodnie później robimy naszą następną wycieczkę, tym razem na pole bitwy z wojny secesyjnej pod Brice's Crossroads, jakąś godzinę drogi od Clanton. Jak większość starych Południowców pan Spurlock twierdzi, że jego przodkowie dzielnie walczyli za Konfederację. Wciąż czuje awersję i potrafi wypowiadać się bardzo ostro o Rekonstrukcji („nigdy jej nie było") i jankeskich przybyszach („złodziejskie bydło").

Zabieram go wcześnie we wtorek i pod czujnym, karcącym wzrokiem Królowej Wilmy Drell uciekamy moim małym garbusem, pozostawiając za sobą Cichą Przystań. Zatrzymuję się przy spożywczym, kupuję dwa kubki nieświeżej kawy, trochę kanapek i napojów i ruszamy stoczyć wojnę na nowo.

Prawdę mówiąc, wojna secesyjna nic mnie nie obchodzi i nie rozumiem tej całej nieustającej fascynacji. My, Południe, przegraliśmy, i to nieźle. Było, minęło. Ale jeśli pan Spurlock chce spędzić ostatnie dni, śniąc o chwale Konfederacji i o tym, co by było gdyby, zrobię, co mogę. Przez ostatni miesiąc przeczytałem z tuzin wojennych opracowań z biblioteki w Clanton, a trzy kolejne czekają w moim pokoju u pani Ruby.

Czasami pan Spurlock jest bardzo dokładny w szczegółach – bitwy, generałowie, ruchy wojsk – a czasami myli się zupełnie. Kieruję rozmowę na najnowszy gorący temat – utrzymanie pól bitewnych z wojny secesyjnej. Peroruję o niszczeniu uświęconych miejsc; zwłaszcza w Wirginii prace budowlane zmasakrowały takie miejsca jak Bull Run, Fredericksburg czy Winchester. To Lyle'a ożywia, ale zaraz zaczyna drzemać.

Na miejscu oglądamy kilka pomników i pamiątkowych tablic. Lyle jest przekonany, że jego dziadek, Joshua Spurlock, został ranny w bitwie pod Brice's Crossroads podczas jakiegoś heroicznego manewru. Siadamy na drewnianym ogrodzeniu i zjadamy na lunch kanapki, a on patrzy w przestrzeń nieobecnym wzrokiem, jakby czekając na huk armat i tętent koni. Opowiada o dziadku, który umarł w 1932, a może w 1934 roku i miał z dziewięćdziesiątkę, a kiedy Lyle był chłopcem, uszczęśliwiał go opowieściami o tym, jak zabijał Jankesów, jak go postrzelono i jak walczył razem z Nathanem Bedfordem Forrestem, największym ze wszystkich dowódców Południa.

– Byli razem pod Shiloh – mówi. – Dziadek mnie tam kiedyś zabrał.

– Chciałby pan tam znowu pojechać? – pytam.

Uśmiecha się szeroko i jest jasne, że bardzo by chciał jeszcze raz zobaczyć tamto pole bitwy.

– Byłoby cudownie – powiada z wilgotnymi oczami.

– Mogę to zorganizować.

– Chciałbym pojechać w kwietniu, kiedy stoczono tę bitwę, żeby móc zobaczyć sad brzoskwiniowy, krwawy staw i Gniazdo Szerszeni.

– Obiecuję. Pojedziemy w kwietniu.

Do kwietnia było jeszcze pięć miesięcy i biorąc pod uwagę moją historię zatrudnienia, wątpiłem, czy będę dalej pracować w Cichej Przystani. Ale nawet jeżeli nie będę, nic nie przeszkodzi mi odwiedzić mojego przyjaciela Lyle'a i zabrać go na kolejną wycieczkę.

Śpi prawie przez całą drogę do Clanton. Za każdym razem, kiedy się budzi, wyjaśniam mu, że działam w ogólnokrajowej organizacji walczącej o zachowanie pól bitewnych wojny secesyjnej. Organizacja jest całkowicie prywatna, nie dostaje pomocy od rządu i w związku z tym jest uzależniona od datków. Ponieważ, jak wiadomo, zarabiam mało, wysyłam co roku tylko niewielki czek, ale mój zamożny wuj na moją prośbę przekazuje większe wpłaty.

Lyle jest zaciekawiony.

– Zawsze mógłby pan ich włączyć do swojego testamentu – mówię.

Żadnej reakcji. Nic. Zostawiam to tak.

Wracamy do Cichej Przystani i odprowadzam go do pokoju. Kiedy zdejmuje sweter i buty, dziękuje mi za „wspaniały dzień". Klepię go po ramieniu, mówię, jak bardzo mi też się podobało, a kiedy wychodzę, mówi:

– Gill, ja nie mam testamentu.

Udaję zaskoczonego, chociaż nie jestem. Liczba tych, zwłaszcza z domów opieki, którzy nie zadali sobie trudu spisania testamentu, jest oszałamiająca. Udaję szok, potem rozczarowanie, a potem oznajmiam:

– Porozmawiajmy o tym później, dobrze? Wiem, co zrobić.

– Jasne – odpowiada z ulgą.

O piątej trzydzieści następnego ranka korytarze są puste, światła wciąż zgaszone, wszyscy śpią albo powinni spać. Siedzę w recepcji i czytam o południowej kampanii generała Granta, kiedy zaskakuje mnie nagłe pojawienie się pani Daphne Groat. Ma osiemdziesiąt sześć lat, cierpi na demencję starczą i jest zamknięta w tylnym skrzydle. Nigdy się nie dowiem, jak zdołała przejść przez drzwi zamknięte na zamek elektroniczny.

– Chodź szybko – syczy do mnie. Nie ma zębów, jej głos jest słaby i głuchy.

– Co się stało? – pytam, zrywając się na równie nogi.

– To Harriet. Leży na podłodze.

Biegnę do tylnego skrzydła, wbijam kod, otwieram solidne drzwi i pędzę korytarzem do pokoju 158, w którym pani Harriet Markle mieszka od czasu, kiedy ja osiągnąłem wiek męski. Włączam światła i rzeczywiście widzę ją na podłodze, najwyraźniej nieprzytomną, nagą, jeśli nie liczyć czarnych skarpetek, w obrzydliwej kałuży wymiocin, moczu, krwi i odchodów. Od odoru uginają mi się kolana, a przetrwałem już sporo powalających smrodów. Byłem już w takich sytuacjach, więc działam odruchowo. Szybko wyciągam mały aparat fotograficzny, robię cztery zdjęcia, wsadzam aparat do kieszeni i biegnę po pomoc. Pani Daphne Groat nigdzie nie widać i w całym skrzydle wszyscy śpią.

Nie ma dyżurnego opiekuna. Osiem i pół godziny temu, kiedy zaczęła się nasza zmiana, kobieta o imieniu Rita podpisała listę w rejestracji, w której wtedy byłem, i poszła do tylnego skrzydła. Była na służbie sama, a to wbrew przepisom, bo tam powinni być dwaj opiekunowie. A teraz Rity nie ma. Biegnę do północnego skrzydła, wołam opiekuna o imieniu Gary i razem bierzemy się do roboty. Wkładamy gumowe rękawice, maski z gazy, gumowe buty, szybko podnosimy panią Harriet z podłogi i kładziemy z powrotem na łóżku. Oddycha, ale ledwo ledwo i ma rozcięcie nad lewym uchem. Gary szoruje ją, a ja sprzątam. Kiedy sytuacja się trochę oczyszcza, dzwonię po karetkę, a potem do siostry Angel i Królowej Wilmy. Tymczasem obudzili się inni i zaczynamy przyciągać tłum.

Rity nigdzie nie ma. Dwóch opiekunów, Gary i ja, na pięćdziesiąt dwoje pensjonariuszy.

Bandażujemy nieprzytomnej ranę, ubieramy ją w czystą bieliznę i koszulę nocną, a kiedy Gary pilnuje jej łóżka, pędzę do dyżurki skrzydła, żeby sprawdzić papiery. Pani Harriet nie była karmiona od wczorajszego południa – prawie osiemnaście godzin – zaniedbano też podawania jej lekarstw. Szybko kopiuję wszystkie notatki i wpisy, bo można się założyć, że najdalej za kilka godzin zostaną sfałszowane. Składam kopie i chowam je do kieszeni.

Przyjeżdża karetka, pani Harriet zostaje do niej załadowana i zabrana. Siostra Nancy i pani Drell, zdenerwowane, nie odstępują się na krok; zaczynają przeglądać dokumentację. Wracam do południowego skrzydła i zamykam dowody rzeczowe na klucz. Za kilka godzin wezmę je do domu.

Następnego dnia przychodzi facet w garniturze. Jest z jakiegoś regionalnego biura i chce ze mną porozmawiać o tym, co się stało. Nie jest prawnikiem – oni zjawią się później – i nie okazuje się zbyt inteligentny. Zaczyna od tłumaczenia Gary'emu i mnie, co według niego widzieliśmy i robiliśmy podczas kryzysu, a my pozwalamy mu gadać. Zabiera się do zapewniania nas, że panią Harriet odżywiano i zaopatrywano w lekarstwa we właściwy sposób – wszystko jest w dokumentach – a Rita po prostu wyszła, żeby zapalić, i źle się poczuła. Musiała więc na moment skoczyć do domu, a kiedy wróciła, zastała tę „nieszczęśliwą" sytuację.

Udaję głupiego, to moja specjalność. Gary też, choć dla niego to bardziej naturalne, bo boi się i o robotę. Ja nie. Idiota w końcu wychodzi, przekonany, że przybył do naszego zacofanego miasteczka i zręcznie ugasił kolejny pożar w starej kochanej Grupie HVQH.

Pani Harriet spędza w szpitalu tydzień z pękniętą czaszką. Straciła mnóstwo krwi i pewnie ma jeszcze jakieś urazy mózgu, ale jak do diabła to zmierzyć? Mimo wszystko w rękach odpowiedniej osoby jest to przepiękny materiał na pozew. Popularność takich spraw i kupa sępów krążących wokół domów opieki nauczyły mnie, że trzeba działać szybko. Moim adwokatem jest stary przyjaciel Dexter Ridley z Tupelo, człowiek, do którego zwracam się w razie potrzeby. Dex ma koło pięćdziesiątki, dwie żony i parę rozdziałów życia za sobą i kilka lat temu uznał, że nie przetrwa w interesie, spisując akty notarialne i pozwy o rozwody bez orzekania winy. Podniósł poprzeczkę i zajął się sporami cywilnymi, chociaż rzadko kiedy musi występować w sądzie. Jego prawdziwy talent to składanie groźnie brzmiących pozwów, a potem awanturowanie się tak długo, aż druga strona pójdzie na ugodę. Billboardy z jego uśmiechniętą twarzą są rozstawione po całym północnym Missisipi.

W wolnym dniu jadę do Tupelo, pokazuję mu kolorowe zdjęcia nagiej i krwawiącej pani Harriet, a także kopie notatek opiekunów, zarówno przed sfałszowaniem, jak i po, i zawieramy umowę. Dex od razu nabiera rozpędu, kontaktuje się z rodziną Harriet Markle i po tygodniu od incydentu powiadamia HVQH, że mają duży problem. Nie będzie wspominał o mnie, fotografiach i wykradzionych dokumentach, dopóki nie będzie musiał. Takie informacje od kogoś z wewnątrz najprawdopodobniej przyspieszą szybkie dogadanie sprawy i znów zostanę bez pracy.

Na rozkaz z centrali pani Wilma Drell staje się nagle bardzo miła. Wzywa mnie do siebie i mówi, że jakość mojej pracy poprawiła się tak znacznie, że dostaję podwyżkę. Z sześciu baksów na siedem i mam nie mówić o tym nikomu z pracowników. Obsypuję ją mnóstwem wazeliniarskich podziękowań, więc jest przekonana, że już trzymamy sztamę.

Tego samego dnia wieczorem czytam panu Spurlockowi artykuł o deweloperze w Tennessee, który próbuje rozjechać spychaczami zaniedbane pole bitwy z wojny secesyjnej, żeby zbudować kolejny pasaż handlowy i trochę tanich bloków mieszkalnych. Okoliczni mieszkańcy i ludzie z ochrony zabytków walczą, ale deweloper ma forsę i polityków po swojej stronie. Lyle jest tym zmartwiony i rozmawiamy długo, jakby to pomóc tym dobrym. Nie wspomina o testamencie i wciąż jest zbyt wcześnie na mój ruch.

✣

W domach seniora każde urodziny to gruba sprawa, z oczywistych względów – lepiej je obchodzić, póki się może. Zawsze jest przyjęcie w stołówce, z tortem, świeczkami, lodami, zdjęciami, piosenkami i tak dalej. My, personel, ciężko pracujemy, żeby stworzyć wesołą atmosferę i gwar, i robimy, co możemy, żeby uroczystość trwała przynajmniej trzydzieści minut. Przez mniej więcej połowę czasu jest i rodzina, co podnosi nastrój. Jeśli rodziny nie ma, pracujemy jeszcze ciężej. Każde urodziny mogą być ostatnie, ale to chyba dotyczy nas wszystkich. Chociaż niektórych bardziej.

Lyle Spurlock kończy osiemdziesiąt pięć lat drugiego grudnia i pojawia się jego wyszczekana córka z Jackson razem ze swoją dwójką dzieciaków i trójką wnucząt, a także ze zwykłym koncertem skarg, żądań i propozycji; wszystko to w hałaśliwej i nieudolnej próbie przekonania jej ukochanego ojca, że tak bardzo o niego dba, że musi nam robić awantury. Przywożą balony i śmieszne kapelusze, kupione ciasto kokosowe (jego ulubione) i kilka tanich prezentów w jaskrawych pudełkach, takie rzeczy jak skarpetki, chusteczki do nosa i wyschnięte czekoladki. Wnuczka ustawia magnetofon i gra w tle Hanka Williamsa (podobno jego ulubionego). Druga przygotowuje wystawę powiększonych czarno-białych fotografii młodego Lyle'a w wojsku, młodego Lyle'a idącego główną nawą (po raz pierwszy), młodego Lyle'a pozującego tak i siak, wszystko to dziesiątki lat temu. Jest większość pensjonariuszy i większość pracowników, nie wyłączając Rozelle z kuchni, chociaż wiem, że ona przyszła na tort, a nie przez sympatię do jubilata. W pewnym momencie Wilma Drell podchodzi za blisko do Lyle'a, który nie jest na swojej saletrze i oczywiście natychmiast łapie niezgrabnie za jej wielki tyłek. Ma co trzymać. Drell piszczy z przerażenia i prawie wszyscy się śmieją, jakby był to tylko element święta, chociaż dla mnie jest jasne, że Królowa Wilma nie jest ubawiona. Wtedy córka Lyle'a reaguje zbyt gwałtownie, krzyczy na niego, trzepie go w rękę i sztorcuje, i na kilka sekund atmosfera robi się napięta. Wilma znika i nie pojawia się do końca dnia. Takiego ubawu nie miała chyba od lat.

Po godzinie z przyjęcia schodzi para i kilku naszych przyjaciół zaczyna przysypiać. Córka i jej stadko szybko się pakują i znikają. Uściski, pocałunki i tak dalej, ale do Jackson długa droga, tato. Osiemdziesiąta piąta uroczystość urodzinowa Lyle'a wkrótce się kończy. Odprowadzam go do pokoju, niosąc prezenty i rozmawiając o Gettysburgu.

Tuż po zgaszeniu świateł ostrożnie wchodzę do jego pokoju i wręczam mój prezent. Po kilku godzinach badań i kilku telefonach do odpowiednich osób dowiedziałem się, że faktycznie istniał kapitan Joshua Spurlock, który podczas bitwy pod Shiloh walczył w 10. Pułku Piechoty Missisipi. Pochodził z Ripley w Missisipi, miasteczka położonego niedaleko od miejsca, w którym według mojej kwerendy urodził się ojciec Lyle'a. Znalazłem w Nashville firmę specjalizującą się w pamiątkach z wojny secesyjnej – prawdziwych i podróbkach –

i zapłaciłem osiemdziesiąt dolarów za ich dzieło. Moim darem jest spatynowany i oprawiony Dyplom Męstwa przyznany kapitanowi Spurlockowi i ozdobiony z prawej strony sztandarem Konfederacji, a z lewej oficjalną oznaką 10. Pułku. Nie ma być niczym więcej niż tym, czym jest: bardzo pięknym i bardzo lipnym odtworzeniem czegoś, co tak naprawdę nigdy nie istniało, ale dla kogoś tak zafascynowanego dawną chwałą jak Lyle, to najwspanialszy z wszystkich darów. Jego oczy wilgotnieją, gdy go trzyma. Staruszek jest teraz gotów udać się do nieba, ale nie tak szybko.

– Jest piękny – mówi. – Nie wiem, co powiedzieć. Dziękuję.

– Cała przyjemność po mojej stronie, panie Spurlock. Był dzielnym żołnierzem.

– Tak, był dzielny.

✿

Zaraz po północy dostarczam mój drugi prezent.

Współlokatorem Lyle'a jest pan Hitchcock, kruchutki, odpływający z tego świata dżentelmen zaledwie o rok starszy od Lyle'a, ale w o wiele gorszej formie. Dowiedziałem się, że prowadził bezgrzeszne życie, wolne od alkoholu, tytoniu i wszelkich nałogów, ale niewiele mu już zostało. Lyle całe życie uganiał się za kobietami, dopadł wiele z nich, a w swoim czasie palił jak smok i ostro trunkował. Po wielu latach tej pracy jestem przekonany, że DNA to przynajmniej połowa rozwiązania albo połowa problemu.

W każdym razie w porze podawania lekarstw nakarmiłem pana Hitchcocka mocniejszą pigułką nasenną i jest już w innym świecie. Nic nie usłyszy.

Pani Ruby, która z całą pewnością ciągnęła jimmy'ego ze swoim zwykłym zaangażowaniem, wykonuje moje polecenia co do joty i parkuje swojego potężnego cadillaca niedaleko kontenera na śmieci, tuż koło kuchennego wejścia. Wytarabania się zza kierownicy, już rozchichotana, ze szklaneczką w ręku. Widzę po raz pierwszy Mandy, wysiadającą od strony pasażera, jedną z „lepszych" dziewcząt pani Ruby, ale nie ma czasu na prezentację.

– Cii – szepczę i idą za mną przez ciemność do kuchni, stamtąd do słabo oświetlonej stołówki, gdzie zatrzymujemy się na chwilę.

– Gill, to Mandy – oświadcza z dumą pani Ruby.

Podajemy sobie ręce.

– Miło mi – mówię.

Mandy prawie się nie uśmiecha. Z jej twarzy można wyczytać: „Miejmy to już za sobą". Ma koło czterdziestki, jest nieco pulchna, mocno umalowana, ale makijaż nie jest w stanie ukryć śladów trudnego życia. Następne trzydzieści minut będzie mnie kosztować dwieście dolarów.

W Cichej Przystani wszystkie światła są przygaszone i zerkam w głąb południowego korytarza, aby się upewnić, że nikt się tam nie kręci. Potem Mandy i ja przechodzimy szybko do pokoju 18, gdzie pan Hitchcock jest w śpiączce, ale pan Spurlock chodzi w tę i z powrotem i czeka. Spogląda na nią, ona spogląda na niego. Rzucam szybkie:

– Wszystkiego najlepszego. – A potem zamykam drzwi i wychodzę.

Pani Ruby i ja czekamy w stołówce i pijemy. Ma ze sobą swojego burbona. Popijam łyk z jej butelki i muszę przyznać, że po trzech miesiącach nie jest już taki zły.

– Jest kochana – oświadcza, absolutnie szczęśliwa, że po raz kolejny mogła doprowadzić do spotkania dwojga ludzi.

– Miła dziewczyna – mówię na odczepnego.

- Zaczęła dla mnie pracować, kiedy rzuciła liceum. Kosz-
marna rodzina. Potem parę złych małżeństw. Nigdy nie miała
szczęścia. Chciałabym, żeby miała u mnie więcej zajęć. Teraz
to takie trudne. Kobiety są tak puszczalskie, że nawet nie biorą za to pieniędzy.

Pani Ruby, zawodowa i niereformowalna burdelmama, uskar-
ża się na fakt, że współczesne kobiety są zbyt rozwiązłe. Myślę
o tym przez chwilę, a potem pociągam łyczek i daję spokój.

- Ile dziewczynek ma pani teraz?
- Tylko trzy, wszystkie dochodzące. Kiedyś miałam tuzin
i cały czas miały co robić.
- To były czasy.
- O tak. Najlepsze lata w moim życiu. Myślisz, że moglibyśmy rozkręcić interes tu, w Cichej Przystani? Wiem, że
w więzieniu wyznaczają jeden dzień w tygodniu na małżeńskie wizyty. Myślałeś kiedyś o czymś takim tutaj? Mogłabym
przyprowadzić parę dziewczynek na jedną noc w tygodniu i jestem pewna, że to byłaby dla nich lekka praca.
- To chyba najgorszy pomysł, jaki słyszałem od co najmniej pięciu lat.

Siedzę w cieniu i widzę, jak jej czerwone oczy ze złością
zwracają się w moją stronę.

- Słucham? - syczy pani Ruby.
- Niech się pani napije. Tu jest piętnastu mężczyzn, pani
Ruby, ich średnia wieku to osiemdziesiąt lat. Lekko licząc, pięciu nie wstaje z łóżka, trzech to rośliny, trzech nie może wstać
z wózka; zostaje nam ze czterech chodzących. Postawiłbym
sporą forsę, że z tej czwórki tylko Lyle Spurlock cokolwiek
jeszcze może. Nie da się sprzedawać seksu w domu starców.
- Robiłam już takie rzeczy. To nie moje pierwsze rodeo. -
Demonstruje swój ochrypły chichot nałogowej palaczki, a po-

tem zaczyna kaszleć. W końcu łapie oddech, na tyle długo, żeby doprowadzić się do normy solidnym łykiem jimy'ego beama. – Seks w domu starców – powtarza, znowu chichocząc. – Może to właśnie przede mną.

Gryzę się w język.

Kiedy sesja dobiega końca, szybko załatwiamy rundkę kłopotliwych pożegnań. Obserwuję cadillaca do momentu, kiedy bezpiecznie odjeżdża, i wtedy dopiero ostatecznie się rozluźniam. Prawdę mówiąc, już raz organizowałem taką schadzkę. To nie moje pierwsze rodeo.

Kiedy sprawdzam, co u Lyle'a, śpi jak dziecko. Sztuczna szczęka wyjęta, usta obwisły, ale uśmiecha się z zadowoleniem. Jeżeli pan Hitchcock poruszył się w ciągu ostatnich trzech godzin, nie jestem w stanie tego stwierdzić. Nigdy się nie dowie, co go ominęło. Sprawdzam inne pokoje i zajmuję się swoimi sprawami, a kiedy wszędzie jest spokojnie, sadowię się w recepcji z czasopismami.

✦

Dex mówi, że firma nie raz i nie dwa wspomniała o możliwości ugody w sprawie pozwu Harriet Markle, zanim zostanie złożony. Wyraźnie dał do zrozumienia, że dysponuje poufną informacją o próbach tuszowania sprawy – przerabianymi dokumentami i innymi materiałami dowodowymi, o których potrafi umiejętnie wspominać w rozmowach telefonicznych z prawnikami reprezentującymi podobne firmy. HVQH twierdzi, że chciałoby uniknąć rozgłosu związanego z nieprzyjemnym powództwem. Dex zapewnia ich, że będzie bardziej nieprzyjemne, niż sobie wyobrażają. Tam i z powrotem, zwykła prawnicza rutyna. Ale w rezultacie moje dni tutaj są policzone. Jeżeli moje zaprzysiężone pisemne oświadczenie, zdjęcia i zwędzona dokumentacja przyspieszy miłą dla wszystkich ugodę, niech tak będzie. Z radością dostarczę dowody i ruszę dalej.

Pan Spurlock i ja prawie co wieczór o ósmej gramy w stołówce w warcaby, długo po kolacji i godzinę, zanim oficjalnie podbiję zegar. Zazwyczaj jesteśmy sami, chociaż klub szydełkowania zbiera się w poniedziałki w jednym kącie, klub biblijny we wtorki w drugim, a mała sekcja Towarzystwa Historycznego Ford County spotyka się od czasu do czasu, kiedy tylko są w stanie zsunąć trzy czy cztery krzesła. Nawet kiedy mam wolną noc, zazwyczaj wpadam o ósmej na kilka partyjek. Mam do wyboru albo to, albo picie z panią Ruby i krztuszenie się dymem z jej papierosów.

Lyle wygrywa dziewięć partii na dziesięć, ale mnie to nie przeszkadza. Od czasu spotkania z Mandy dokucza mu lewe ramię. Jest odrętwiałe, a poza tym wolniej dobiera słowa. Trochę podskoczyło mu ciśnienie i skarży się na bóle głowy. Ponieważ mam dostęp do apteczki, podaję mu nafred na rozrzedzenie krwi i silerall dla osób po udarze. Widziałem ich dziesiątki i tak właśnie go zdiagnozowałem. Bardzo lekki udar, niezauważalny dla nikogo, bo zresztą i tak nikt nie zwraca uwagi. Lyle jest twardym starym szajbusem, który nie narzeka, nie lubi lekarzy i musieliby go postrzelić, żeby wezwał córkę i poskarżył się jej na zdrowie.

– Powiedział mi pan, że nigdy nie sporządził pan testamentu – mówię mimochodem, patrząc na szachownicę. Czterdzieści stóp dalej cztery panie grają w karty i możecie mi wierzyć, nic nie słyszą. Ledwo słyszą siebie nawzajem.

– Myślałem o tym – mówi. Oczy ma zmęczone. Postarzał się po urodzinach, po Mandy, po udarze.

– A jaki to majątek? – pytam tonem, jakby mnie to nic nie obchodziło.

– Trochę ziemi, to wszystko.

– Ile tej ziemi?

– Sześćset czterdzieści akrów w Polk County. – Uśmiecha się, zbijając jednym ruchem dwa piony.

– Ile warte?

– Nie wiem. Ale nie ma żadnych obciążeń.

Nie zapłaciłem za oficjalną wycenę, ale według dwóch agentów od takich spraw, ziemia jest warta jakieś pięćset dolarów za akr.

– Wspomniał pan o odłożeniu jakichś pieniędzy na pomoc na zachowanie pól bitewnych wojny secesyjnej.

To właśnie Lyle chce usłyszeć. Rozpromienia się, uśmiecha do mnie i mówi:

– Wspaniały pomysł. Właśnie coś takiego chcę zrobić.

Na chwilę zapomina o grze.

– Najlepsza jest organizacja w Wirginii, Konfederacki Fundusz Obrony. Musi pan być ostrożny. Niektóre z tych fundacji dają przynajmniej połowę pieniędzy na budowę pomników unionistów. Czegoś takiego chyba by pan nie chciał.

– Do diabła, jasne, że nie.

Oczy mu rozbłyskują i przez chwilę Lyle jest znów gotów do bitwy.

– Nie za moją forsę – dodaje.

– Z przyjemnością mogę wystąpić jako pański mandatariusz – mówię i przesuwam pionka.

– Co to takiego?

– Zapisuje pan Konfederackiemu Funduszowi Obrony w spadku swój majątek, a po pańskiej śmierci pieniądze stają się majątkiem powierniczym, dzięki czemu ja albo jakaś inna osoba, którą pan wyznaczy, może ich pilnować i o nie dbać.

Pan Spurlock się uśmiecha.

– Tego właśnie chcę, Gill. To jest to.

– To najlepszy sposób...

– Nie masz nic przeciwko temu? Zająłbyś się wszystkim po mojej śmierci.

Chwytam jego prawą rękę, ściskam ją, patrzę mu prosto w oczy i mówię:

– Będę zaszczycony, Lyle.

Przesuwamy w milczeniu kilka pionków, a potem staram się dogadać szczegóły.

– A co z pana rodziną, Lyle?

– Co im do tego?

– Pana córka, syn, co oni dostaną z pana majątku?

Jego odpowiedź to skrzyżowanie westchnienia, syku i parsknięcia, i w połączeniu z przewracaniem oczyma mówi mi wprost, że jego kochane dzieci nie dostaną nic. To zupełnie legalne w Missisipi i w większości stanów. Kiedy sporządza się ostatnią wolę, można pominąć w niej wszystkich, poza żyjącym współmałżonkiem. A niektórzy próbują i tego.

– Syn nie odezwał od pięciu lat. Córka ma więcej pieniędzy niż ja. Nic. Nic nie dostaną.

– Wiedzą o ziemi w hrabstwie Polk? – pytam.

– Nie sądzę.

To wszystko, czego potrzebuję.

Dwa dni później Cicha Przystań huczy od plotek. „Przyjeżdżają prawnicy!" Głównie dzięki mnie coraz głośniej mówi się, że szykuje się wielki pozew, w którym rodzina pani Harriet Markle wszystko ujawni i zgarnie miliony. Trochę to prawda, ale pani Harriet nic o tym nie wie. Znowu leży w swoim łóżku, bardzo czystym łóżku, nakarmiona dobrym jedzeniem i odpowiednimi lekarstwami, pod dobrą opieką i właściwie martwa dla świata.

Cicha Przystań

Jej prawnik, szanowny Dexter Ridley z Tupelo w stanie Missisipi, pewnego późnego popołudnia przybywa wraz z niewielką świtą, składającą się z jego wiernej sekretarki i dwóch asystentów, obu w garniturach równie ciemnych, jak Dextera i, zgodnie z najlepszą prawniczą tradycją, z gniewnie zmarszczonymi brwiami. Tworzą imponujący zespół i nigdy dotąd nie widziałem w Cichej Przystani takiego poruszenia. Tak jak nie widziałem domu opieki tak wylizanego i lśniącego. Nawet plastikowe kwiaty w recepcji zastąpiono prawdziwymi. Polecenie z centrali.

Deksa i jego zespół wita rozpływający się w uśmiechach jeden z młodszych kierowników z centrali firmy. Oficjalnie wizyta ma dać Deksowi możliwość kontrolowania, badania, fotografowania, mierzenia i w ogóle węszenia po Cichej Przystani i przez jakąś godzinę Dex robi to wszystko z wielkim talentem. To jego specjalność. Musi „poczuć to miejsce", zanim je pozwie. Tak naprawdę to wszystko jedno wielkie przedstawienie. Dex jest pewien, że cała sprawa zostanie załatwiona po cichu i hojnie, bez żadnego składania pozwu.

Chociaż moja zmiana zaczyna się dopiero o dziewiątej, jak zwykle kręcę się po ośrodku. Personel i pensjonariusze już przywykli, że widzą mnie o różnych porach. Zupełnie jakbym stąd nie wychodził. Ale wychodzę, możecie mi wierzyć.

Rozelle jest zajęta przygotowywaniem obiadu, nie gotowaniem, żebym pamiętał, tylko przygotowywaniem. Zostaję w kuchni, zawracam jej głowę, plotkuję, trochę pomagam. Chce wiedzieć, co robią prawnicy, a ja jak zwykle mogę się tylko domyślać, ale robię to, snując mnóstwo teorii. Równo o szóstej wieczór pensjonariusze zaczynają spływać do stołówki, a ja roznoszę im tace z mdłym kleikiem, który im podajemy. Dziś wieczorem galaretka jest żółta.

Dokładnie o szóstej trzydzieści ruszam do akcji. Opuszczam stołówkę i idę do pokoju 18, gdzie zastaję pana Spurlocka, jak siedzi na łóżku i czyta egzemplarz swojej ostatniej woli
i testamentu. Pan Hitchcock jest na obiedzie, więc możemy
rozmawiać swobodnie.

– Wszystko jasne? – pytam. Dokument ma tylko trzy strony; miejscami tekst jest przejrzysty, miejscami tak nafaszero-
wany prawniczym żargonem, że zbiłby z tropu profesora prawa. Dex jest geniuszem w sporządzaniu takich rzeczy. Wtyka
na tyle dużo zrozumiałych słów, żeby przekonać podpisujące-
go, że chociaż on lub ona może nie do końca wie, co podpisuje, to ogólnie dokument jest w porządku.

– Chyba tak – odpowiada niepewnie.

– Mnóstwo prawniczej gadaniny – tłumaczę usłużnie. –
Ale tak trzeba. Ogólny sens jest taki, że przekazuje pan
wszystko Konfederackiemu Funduszowi Obrony jako majątek powierniczy, a ja będę wszystko nadzorował. Czy tego
pan chce?

– Tak, i dziękuję ci, Gill.

– To dla mnie zaszczyt. Chodźmy.

Trochę to trwa – po udarze Lyle porusza się o wiele wolniej – ale w końcu docieramy do recepcji koło drzwi wejściowych. Królowa Wilma, siostra Nancy i recepcjonistka Trudy
wyszły godzinę temu. Teraz, podczas kolacji, jest chwila spokoju. Dex i sekretarka czekają. Obaj asystenci i przedstawiciel
firmy już sobie poszli. Dokonuję prezentacji. Lyle siada, ja sta-
ję obok niego, a potem Dex metodycznie przedstawia ogólny
zarys dokumentu. Lyle prawie z miejsca traci zainteresowanie
i Dex to zauważa.

– Czy tego właśnie pan chce, panie Spurlock? – pyta. Ide-
alny, pełen chęci pomocy adwokat.

– Tak – odpowiada Lyle, kiwając głową. Już jest zmęczony prawniczym bełkotem.

Dex wyjmuje pióro, pokazuje Lyle'owi, gdzie podpisać, a potem sam podpisuje się jako świadek i każe sekretarce zrobić to samo. Zaręczają, że Lyle „dysponuje świadomością i pamięcią dokonywanych czynności". Następnie Dex podpisuje niezbędne oświadczenie złożone pod przysięgą, a sekretarka wyciąga pieczęć notarialną i przybija ją, nadając dokumentowi urzędowe błogosławieństwo. Byłem w takiej sytuacji już kilka razy i możecie mi wierzyć, ta kobieta poświadczy notarialnie wszystko. Podsuńcie jej pod nos kserokopię Wielkiej Karty Praw, przysięgnijcie, że to oryginał, a ona poświadczy.

Dziesięć minut po podpisaniu swojej ostatniej woli i testamentu Lyle Spurlock je kolację w stołówce.

❧

Tydzień później Dex dzwoni z wiadomością, że lada chwila ma się spotkać z prawniczymi grubymi rybami z biura korporacji na poważne rozmowy w sprawie ugody. Postanowił, że pokaże im moje bardzo powiększone fotografie pani Harriet Markle leżącej nago w kałuży jej płynów ustrojowych. Przedstawi im też lipne wpisy w dokumentacji, ale nie przekaże kopii. Wszystko to doprowadzi do ugody, ale jednocześnie ujawni mój udział w sprawie. Jestem kretem, wtyczką, zdrajcą i chociaż firma nie wyleje mnie natychmiast – Dex im zagrozi – z doświadczenia wiem, że lepiej się wynosić.

Najprawdopodobniej firma zwolni Królową Wilmę, a pewnie i siostrę Angel. Trudno. Rzadko kiedy nikt nie wylatuje, gdy kończę projekt.

Następnego dnia Dex dzwoni z wiadomością, że zawarto ugodę, oczywiście poufną, na sumę czterystu tysięcy dolarów.

Pozornie niewiele, jeżeli wziąć pod uwagę ujawnione nadużycia firmy, ale ugoda nie jest zła. W takich przypadkach szkody bywają trudne do udowodnienia. W końcu to nie tak, że pani Harriet zarabiała i stanęła przed perspektywą dużej finansowej straty. Nie zobaczy z tych pieniędzy ani centa, ale można się założyć, że jej najbliżsi już się kłócą. Moje wynagrodzenie to dziesięć procent znaleźnego, płatne z góry.

Nazajutrz przybywają dwaj mężczyźni w ciemnych garniturach i Cichą Przystań ogarnia strach. W gabinecie Królowej Wilmy odbywają się długie rozmowy. Panuje napięcie. Uwielbiam to i większość popołudnia ukrywam się u Rozelle, a ludzie gadają. Mam mnóstwo szalonych teorii i większość plotek najwyraźniej wychodzi z kuchni. Pani Drell zostaje w końcu zwolniona i wyprowadzona z budynku. Siostra Angel zostaje zwolniona i wyprowadzona z budynku. Później słyszymy plotkę, że mnie szukają, więc wymykam się bocznymi drzwiami i znikam.

Wrócę za jakiś tydzień, pożegnać się z Lyle'em Spurlockiem i paroma innymi przyjaciółmi. Dokończę plotkowanie z Rozelle, uściskam ją i obiecam, że wpadnę od czasu do czasu. Zajrzę do pani Ruby, rozliczę się z czynszu, zabiorę swoje rzeczy i wypiję z przyjemnością ostatnią kropelkę na ganku. Ciężko będzie się pożegnać, ale w końcu robię to tak często.

Więc po czterech miesiącach opuszczam Clanton i jadę do Memphis. Nic na to nie poradzę, że jestem z siebie zadowolony. To jeden z moich bardziej udanych projektów. Samo znaleźne wystarczy, żeby to był dobry rok. Testament pana Spurlocka na dobrą sprawę oddaje wszystko mnie, chociaż Lyle nie ma o tym pojęcia. (Konfederacki Fundusz Obrony przestał istnieć wiele lat temu). Pewnie aż do śmierci nie dotknie tego dokumentu, a ja będę zaglądał na tyle często, żeby się upewnić, że ten cholerny papier wciąż leży zakopany w szufladzie.

(Wciąż sprawdzam, co u moich co hojniejszych przyjaciół). Kiedy umrze – a dowiemy się o tym natychmiast, bo sekretarka Deksa codziennie sprawdza nekrologi – przyleci jego córka, znajdzie testament i się wkurzy. Bardzo szybko zatrudni adwokatów, którzy złożą paskudny pozew, żeby obalić testament. Będą wysuwać pod moim adresem rozmaite paskudne oskarżenia i trudno mieć o to pretensję.

W stanie Missisipi sprawę o zakwestionowanie ważności testamentu rozpatruje ława przysięgłych, ale ja nie mam zamiaru poddać się ocenie dwunastu przeciętnych obywateli i próbować zaprzeczać, że naciągnąłem starca dożywającego ostatnich dni w domu opieki. O nie. Nigdy nie stajemy przed sądem. Dex i ja załatwiamy takie sprawy przed procesem. Rodzina zazwyczaj wykupuje nas za jakieś dwadzieścia pięć procent wartości majątku. To taniej niż płacić adwokatom za proces, a poza tym krewni nie bardzo chcą kompromitacji, jaka wyniknęłaby z wielkiego procesu na noże, w czasie którego musieliby zeznać, ile czasu nie spędzali ze swoim ukochanym zmarłym.

Po czterech miesiącach ciężkiej pracy jestem wykończony. Posiedzę dzień czy dwa w Memphis, mojej bazie wypadowej, a potem złapię samolot do Miami, gdzie mam mieszkanie przy South Beach. Parę dni popracuję nad opalenizną, odpocznę, a potem zacznę myśleć o następnym projekcie.

Krwiodawcy

Zanim wiadomość o wypadku Baileya rozeszła się po niewielkim Box Hill, krążyło już kilka wersji tego, co się stało. Ktoś z firmy budowlanej zadzwonił do jego matki i poinformował, że Bailey został ranny, kiedy zawaliło się rusztowanie na budowie w centrum Memphis, że był operowany, jego stan jest stabilny i że chyba przeżyje. Matka Baileya, inwalidka ważąca ponad czterysta funtów i znana z egzaltacji, nie ogarnęła wszystkich faktów i zaczęła krzyczeć i lamentować. Obdzwoniła przyjaciół i sąsiadów, a za każdym powtórzeniem tragicznej wiadomości rozmaite szczegóły były zmieniane i wyolbrzymiane. Nie zapisała numeru człowieka z firmy, więc nie można było się z nikim skontaktować, żeby potwierdzić lub zdementować plotki, które mnożyły się z minuty na minutę.

Jeden z kolegów z pracy Baileya, również chłopak z Ford County, zadzwonił do swojej dziewczyny w Box Hill i przekazał cokolwiek inną relację: Bailey został przejechany przez buldożer pracujący koło rusztowania i praktycznie jest już martwy. Tak, operują go, ale nie wygląda to wesoło.

Potem do domu Baileya zadzwonił ktoś z administracji szpitala w Memphis. Chciał rozmawiać z jego matką, ale powiedziano mu, że leży w łóżku, zbyt załamana, żeby rozmawiać, więc nie może podejść do telefonu. Sąsiad, który podniósł słuchawkę, usiłował wyciągnąć od administratora jakieś szczegóły, ale nie dowiedział się wiele. Coś się zawaliło na budowie, może wykop, w którym pracował młody człowiek, albo coś w tym rodzaju. Tak, jest w sali operacyjnej i szpital potrzebuje podstawowych informacji.

Mały ceglany domek matki Baileya szybko zaczął tętnić życiem. Późnym popołudniem zaczęli przybywać goście – przyjaciele, krewni, a także kilku pastorów z kościółków rozrzuconych wokół Box Hill. Kobiety zebrały się w kuchni i w małym pokoju i gadały bez ustanku, a telefon bez ustanku dzwonił. Mężczyźni stali na dworze i palili papierosy. Zaczęły się pojawiać zapiekanki i ciasta.

Goście mieli niewiele do roboty, a ponieważ wiadomości o obrażeniach Baileya były skąpe, wyciągali każdy najdrobniejszy fakt, roztrząsali go, a potem przekazywali kobietom w domu albo mężczyznom na podwórku. Noga została zmiażdżona i pewnie mu ją amputują. Bailey ma poważny uraz mózgu. Spadł z rusztowania z wysokości czterech pięter, a może i z ośmiu. Ma zmiażdżoną klatkę piersiową. Kilka faktów i teorii zwyczajnie wymyślono na poczekaniu. Padły nawet ponure pytania o przygotowania do pogrzebu.

Bailey miał dziewiętnaście lat i w swoim krótkim życiu nigdy nie miał tak wielu przyjaciół i wielbicieli. Cała wieś kochała go coraz bardziej z każdą kolejną godziną. To był dobry chłopak, dobrze wychowany i o wiele lepszy człowiek niż jego pożałowania godny ojciec, którego nikt nie widział od lat.

Pojawiła się była dziewczyna Baileya i szybko znalazła się w centrum zainteresowania. Była zrozpaczona, załamana i łatwo zalewała się łzami, zwłaszcza kiedy mówiła o swoim ukochanym Baileyu. Kiedy jednak do jego leżącej w sypialni matki dotarła wiadomość, że ta mała dziwka jest w domu, kazała ją wyrzucić. Mała dziwka pokręciła się więc trochę wśród mężczyzn przed domem, flirtując i paląc papierosy. W końcu poszła sobie, przysięgając, że natychmiast pojedzie do Memphis odwiedzić Baileya.

Kuzyn sąsiada mieszkał w Memphis i i ten kuzyn niechętnie zgodził się pójść do szpitala, aby śledzić rozwój wydarzeń. Jego pierwszy telefon przyniósł wiadomość, że młody człowiek rzeczywiście odniósł liczne obrażenia i jest operowany, ale jego stan jest raczej stabilny. Stracił wiele krwi. Kiedy kuzyn zadzwonił po raz drugi, sprostował kilka szczegółów. Rozmawiał z brygadzistą na budowie i dowiedział się, że Bailey został ranny, gdy spychacz uderzył w rusztowanie, które się zawaliło, a biedny chłopak runął z piętnastu stóp do jakiegoś wykopu. Murowali pięciopiętrowy biurowiec w Memphis, a Bailey pracował jako pomocnik murarza. Szpital nie zezwoli na wizyty co najmniej przez dwadzieścia cztery godziny, ale potrzebna jest krew.

Pomocnik murarza? Matka Baileya przechwalała się, że Bailey szybko awansował i teraz jest zastępcą brygadzisty zmianowego. Jednakże w tych okolicznościach nikt nie wypytywał jej o tę rozbieżność.

Po zmroku pojawił się mężczyzna w ciemnym garniturze i wyjaśnił, że jest jakimś tam śledczym. Skierowano go do wuja, młodszego brata matki Baileya, i w czasie prywatnej rozmowy na podwórzu za domem przybysz wręczył mu wizytówkę adwokata z Clanton.

– Najlepszy prawnik w hrabstwie – powiedział. – I już pracujemy nad tą sprawą.

Wuj był pod wielkim wrażeniem i obiecał spławić innych adwokatów – „to tylko banda hien ganiających za karetkami" –

i pogonić każdego agenta ubezpieczeniowego, który mógłby tu przypełznąć.

W końcu zaczęto rozmawiać o wyjeździe do Memphis. Chociaż to tylko dwie godziny samochodem, równie dobrze mogło być i pięć. W Box Hill wyprawa do wielkiego miasta oznaczała godzinę jazdy do pięćdziesięciotysięcznego Tupelo. Memphis leżało w innym stanie, w innym świecie, no i szalała w nim przestępczość. Liczba zabójstw była prawie taka sama jak w Detroit. Co wieczór oglądali te jatki na Kanale 5.

Matka Baileya z każdą chwilą słabła coraz bardziej i w żadnym razie nie mogła podróżować, a co dopiero oddawać krew. Jego siostra mieszkała w Clanton, ale nie mogła zostawić dzieci. Jutro był piątek, dzień roboczy, i wszyscy wiedzieli, że taka podróż do Memphis, razem z całym tym oddawaniem krwi, zajmie wiele godzin, no i kto wie, kiedy dawcom uda się wrócić do Ford County.

Kolejny telefon z Memphis przyniósł wiadomość, że chłopak jest już po operacji, kurczowo trzyma się życia i dalej rozpaczliwie potrzebuje krwi. Zanim wiadomość dotarła do mężczyzn szwendających się po podjeździe, brzmiała tak, jakby biedny Bailey mógł umrzeć lada chwila, jeżeli jego najbliżsi nie popędzą do szpitala i nie dadzą otworzyć sobie żył.

Bohater szybko się pojawił. Był nim Wayne Agnor, ponoć bliski przyjaciel Baileya, od chwili narodzin znany jako Aggie. Prowadził z ojcem warsztat blacharski, więc godziny pracy miał na tyle elastyczne, że mógł sobie pozwolić na wypad do Memphis. Miał również własnego pikapa, nowy model Dodge'a, i twierdził, że zna Memphis jak własną kieszeń.

– Mogę jechać od razu – oznajmił z dumą zebranym i po całym domu rozeszła się wieść, że wyprawa jest już organizowana. Jedna z kobiet uspokoiła nastroje, tłumacząc, że potrze-

Krwiodawcy

ba będzie kilku ochotników, bo szpital pobierze od każdego tylko po pół litra.

– Nie można oddać paru litrów – wyjaśniła. Mało kto oddawał wcześniej krew i myśl o igłach i rurkach niejednego przerażała. W domu i przed domem zrobiło się bardzo cicho. Zatroskani sąsiedzi, którym zaledwie przed kilkoma chwilami Bailey był tak bliski, zaczęli się rozglądać, jakby tu uciec.

– Ja też pojadę – odezwał się w końcu kolejny młody człowiek i natychmiast zaczął zbierać gratulacje. Nazywał się Calvin Marr i też mógł swobodnie dysponować swoim czasem, choć z innego powodu: zwolniono go z fabryki obuwia w Clanton i był na zasiłku. Potwornie bał się igieł, ale fascynowała go romantyczna wizja zobaczenia Memphis po raz pierwszy w życiu. Byłby zaszczycony, mogąc oddać krew.

Myśl, że ktoś będzie mu towarzyszył, dodała Aggiemu odwagi i w rezultacie rzucił wyzwanie.

– Jeszcze ktoś?

Rozległo się ogólne mamrotanie, a większość mężczyzn uważnie przyglądała się swoim butom.

– Weźmiemy mój wóz i zapłacę za benzynę – dodał Aggie.

– Kiedy wyjeżdżamy? – zapytał Calvin.

– Natychmiast – wyjaśnił Aggie. – Przecież to nagły wypadek.

– Właśnie – dodał ktoś.

– Wyślę Rogera – zaproponował pewien starszy dżentelmen i jego słowa przyjęto z milczącym sceptycyzmem. Roger, którego tu nie było, nie miał pracy, o którą musiałby się martwić, ponieważ w żadnej nie potrafił się utrzymać. Wyleciał z liceum i miał za sobą barwną historię kontaktów z alkoholem i narkotykami. Igły z całą pewnością nie były w stanie go przestraszyć.

Chociaż ogólnie rzecz biorąc, mężczyźni mieli niewielkie pojęcie o transfuzjach, trudno było sobie wyobrazić, że ofiara mogła być aż tak ciężko ranna, by potrzebować krwi od Rogera.

– Chcesz zabić Baileya? – mruknął ktoś.

– Roger pojedzie – oświadczył z dumą jego ojciec.

Pozostawało jedno wielkie pytanie – czy jest trzeźwy. Walki Rogera z jego demonami były w Box Hill powszechnie znane i szeroko omawiane. Większość orientowała się, kiedy jest w ciągu, a kiedy nie.

– Jest ostatnio w dobrej formie – stwierdził jego ojciec, chociaż z wyraźnym brakiem przekonania w głosie. Ale nagląca potrzeba chwili przezwyciężyła wszelkie wątpliwości i Aggie w końcu zapytał:

– A gdzie on jest?

– W domu.

Jasne, że był w domu. Roger nigdy z domu nie wychodził. Gdzie niby miałby pójść?

W kilka minut panie przygotowały wielkie pudło z kanapkami i innym jedzeniem. Aggiego i Calvina ściskano, gratulowano im i w ogóle rozczulano się nad nimi, jakby wyruszali bronić ojczyzny. Kiedy odjechali ratować życie Baileya, wszyscy wylegli na podjazd, machając dzielnym młodym ludziom na pożegnanie.

Roger czekał przy skrzynce na listy, a kiedy pikap się zatrzymał, wsunął głowę przez okno od strony pasażera i zapytał:

– Zostaniemy tam na noc?

– Nie planujemy – odparł Aggie.

– Dobra.

Po dyskusji ostatecznie ustalono, że Roger, który był szczupły, będzie siedział pośrodku, pomiędzy Aggiem a Calvinem, którzy byli od niego o wiele więksi i potężniejsi. Położyli mu pudło z jedzeniem na kolanach i zanim zdążyli odjechać milę od Box Hill, Roger już rozwijał kanapkę z indykiem. Miał dwadzieścia siedem lat i był najstarszy z całej trójki, ale lata te nie były słodkie. Miał za sobą dwa rozwody i liczne nieudane próby uwolnienia go od nałogów. Był żylasty i nadaktywny i kiedy tylko skończył pierwszą kanapkę, rozwinął następną. Aggie, dwieście pięćdziesiąt funtów, i Calvin, dwieście siedemdziesiąt, odmówili. Przez ostatnie dwie godziny jedli zapiekanki u matki Baileya.

Ich pierwsza rozmowa dotyczyła właśnie Baileya. Roger właściwie go nie znał, ale Aggie i Calvin chodzili z nim do szkoły. Jako że wszyscy trzej nie byli żonaci, pogawędka wkrótce przestała dotyczyć poszkodowanego sąsiada i zeszła na sprawy seksu. Aggie miał dziewczynę i twierdził, że cieszy się wszystkimi korzyściami płynącymi z udanego romansu. Roger spał ze wszystkimi, z którymi się dało, i zawsze był na łowach. Wstydliwy Calvin w wieku dwudziestu jeden lat wciąż był prawiczkiem, chociaż nigdy w życiu by się do tego nie przyznał. Nie wdając się w szczegóły, skłamał o kilku swoich podbojach, dzięki czemu utrzymał się w grze. Wszyscy trzej przesadzali i wszyscy trzej doskonale o tym wiedzieli.

Kiedy wjechali do Polk County, Roger powiedział:

– Zatrzymaj się tam, o, przy Blue Dot. Muszę się odlać.

Aggie zaparkował koło dystrybutorów przed wiejskim sklepem i Roger wbiegł do środka.

– Myślisz, że pije? – zapytał Alvin, kiedy czekali.

– Jego tato mówi, że nie.

– Jego tato też kłamie.

I rzeczywiście, po kilku minutach Roger pojawił się z sześciopakiem piwa.

– O ja cię... – jęknął Aggie.

POWRÓT DO FORD COUNTY

Kiedy usadowili się znowu, półciężarówka wyjechała ze żwirowego parkingu i pomknęła dalej.

Roger wyjął puszkę i zaproponował Aggiemu, który odmówił.

– Nie, dzięki. Prowadzę.

– Nie możesz pić i prowadzić?

– Nie dzisiaj.

– A ty? – spytał Calvina.

– Nie, dzięki.

– Co wy, chłopaki, jesteście na odwyku czy co? – spytał Roger, otworzył puszkę i jednym haustem pochłonął połowę jej zawartości.

– Myślałem, że rzuciłeś – odezwał się Aggie.

– Bo rzuciłem. Bez przerwy rzucam. Rzucanie to żadna sztuka.

Teraz Calvin trzymał pudełko z jedzeniem i z nudów zaczął pogryzać duże owsiane ciastko. Roger osuszył pierwszą puszkę, podał ją Calvinowi i powiedział:

– Weź ją wywal, co?

Calvin opuścił szybę i cisnął pustą puszkę na pakę pikapa. Kiedy zamykał okno, Roger z trzaskiem otwierał następną. Aggie i Calvin wymienili spłoszone spojrzenia.

– Można oddawać krew, jak się piło? – spytał Aggie.

– Pewnie, że można – odparł Roger. – Kupę razy tak robiłem. A wy, chłopaki, oddawaliście już krew?

Aggie i Calvin niechętnie przyznali, że jeszcze nie, co natchnęło Rogera myślą, aby opisać im tę procedurę.

– Każą ci się położyć, bo większość traci przytomność. Ta pieprzona igła jest taka wielka, że dużo ludzi mdleje, jak ją tylko zobaczą. Okręcają ci biceps grubym gumowym sznurem, a potem pielęgniarka zaczyna ci dziubać igłą w zgięcie łokcia i szukać wielkiej grubej żyły. Lepiej na to nie patrzeć. Dziewięć razy na dziesięć wbija igłę i nie trafia w żyłę – boli jak cholera – a potem ona cię przeprasza, a ty masz chęć ją zbluzgać. Jak masz fart, trafi w żyłę za drugim razem, to wtedy krew leci przez taką rurkę podłączoną do małego woreczka. Wszystko jest przezroczyste, więc widzisz własną krew. Niesamowite, jaka jest ciemna, taka ciemnobordowa. Pobranie pół litra ciągnie się normalnie wieki, i cały czas ona ci trzyma igłę wbitą w żyłę.

Łyknął piwa, zadowolony z przerażającej relacji o tym, co ich czeka.

Parę mil przejechali w milczeniu.

Kiedy druga puszka była pusta, Calvin cisnął ją na tył, a Roger otworzył trzecią.

– Tak w ogóle to piwo pomaga – oznajmił Roger, mlaskając. – Rozrzedza krew i cała akcja idzie szybciej.

Było coraz bardziej oczywiste, że zamierza obalić cały sześciopak najszybciej, jak się da. Aggie myślał, że byłoby rozsądnie ograniczyć mu dostęp do alkoholu. Słyszał opowieści o straszliwych ciągach Rogera.

– Wypiję jedno – powiedział i Roger szybko podał mu piwo.

– Ja może też – przyłączył się Calvin.

– No, teraz to jest rozmowa – oznajmił Roger. – Nie lubię pić sam. Po tym od razu poznać prawdziwego pijaka.

Aggie i Calvin pili odpowiedzialnie, za to Roger dalej wlewał w siebie piwo całymi haustami. Kiedy pierwszy sześciopak się skończył, z idealnym wyczuciem czasu oznajmił:

– Muszę się odlać. Stań tam, pod Cully's Barbecue.

Znajdowali się na skraju New Grove i Aggie zaczął się zastanawiać, jak długo potrwa ich podróż. Roger zniknął za sklepem i ulżył sobie, a potem wskoczył do środka i kupił następny sześciopak. Kiedy wyjechali z New Grove, otworzyli puszki i pomknęli ciemną wąską szosą.

– Byliście kiedyś w Memphis w klubie ze striptizem? – zapytał Roger.

– Nigdy nie byłem w Memphis – przyznał Calvin.

– Jaja sobie robisz.

– Nie.

– A ty?

– Tak, byłem w klubie ze striptizem – oznajmił z dumą Aggie.

– Którym?

– Nie pamiętam, jak się nazywał. Wszystkie są takie same.

– I tu się mylisz – poprawił go ostro Roger i prawie się zakrztusił następnym łykiem piwa. – W niektórych są te superlaski ze świetnymi ciałami, w innych mają zwykłe kurwy, co ni cholery nie potrafią tańczyć.

Rozpoczęło to długą dyskusję o historii zalegalizowanego striptizu w Memphis, a raczej jej wersji przedstawionej przez Rogera. Kiedyś, na początku, dziewczynom wolno było ściągnąć wszystko, każdą szmatkę, a potem wskoczyć ci na stolik i wykonać pulsujący, rozkołysany, agresywny taniec przy głośnej muzyce, stroboskopowych światłach i hałaśliwym aplauzie chłopaków. Potem zmieniło się prawo i wprowadzono obowiązkowe stringi, ale w niektórych klubach przepis ignorowano. Taniec na stolikach został zastąpiony przez taniec na kolanach, co spowodowało wydanie nowych przepisów dotyczących fizycznego kontaktu z dziewczynami. Kiedy Roger skończył z historią, wyrecytował nazwy pół tuzina klubów, które jakoby dobrze znał, a potem imponująco opisał tamtejsze striptizerki. Jego przegląd był szczegółowy i nader plastyczny; kiedy skończył, pozostali dwaj musieli otworzyć sobie po świeżym piwie.

Calvin, który jak dotąd miał bardzo mało kontaktu z kobiecym ciałem, był zafascynowany rozmową. Liczył także wysuszone przez Rogera puszki piwa i kiedy ich liczba doszła do sześciu – mniej więcej w godzinę – chciał coś powiedzieć. Zamiast tego słuchał o wiele bardziej bywałego w świecie kumpla, człowieka, który wydawał się mieć niewyczerpany apetyt na piwo i żłopał je haustami, jednocześnie zadziwiająco szczegółowo opisując nagie dziewczyny.

W końcu rozmowa powróciła do sprawy, do której od początku zmierzała. Roger oznajmił:

– Jak skończymy w szpitalu, pewnie będziemy mieli czas, żeby skoczyć do Desperado, wiecie, na parę browarków i może jakiś mały taniec na stoliku.

Aggie prowadził wolną prawą ręką zarzuconą na kierownicę, w lewej trzymał piwo. Wpatrywał się w drogę przed sobą i nie zareagował na sugestię. Jego dziewczyna robiłaby raban i rzucała czym popadnie, gdyby się dowiedziała, że wydał pieniądze w klubie i gapił się na striptizerki. Za to Calvin poczuł nagle nerwową chęć.

– Mnie tam pasuje – powiedział.

– Mnie też – dodał Aggie, ale tylko dlatego, że musiał.

Z naprzeciwka nadjeżdżał samochód i tuż przed tym, jak się minęli, Aggie zagapił się i lewe przednie koło półciężarówki dotknęło żółtej środkowej linii. Szarpnął kierownicę, żeby wrócić na swój pas. Drugi samochód ostro odbił.

– To gliniarz! – krzyknął Aggie. On i Roger obejrzeli się szybko za siebie. Drugi samochód ostro hamował, światła stopu świeciły na całego.

– Cholera, faktycznie – stwierdził Roger. – Chłopaki z hrabstwa. Gazu!

– Jedzie za nami – powiedział spanikowany Calvin.

– Włączył koguta! – wrzasnął Roger. – O kurwa!

Aggie odruchowo dodał gazu i wielki dodge z rykiem pokonał szczyt wzgórza.

– Jesteś pewny, że to dobry pomysł? – zapytał.

– Po prostu, kurwa, jedź! – darł się Roger.

– Wszędzie są puszki po piwie – dodał Calvin.

– Ale ja nie jestem podcięty – upierał się Aggie. – Nawianie tylko wszystko bardziej spieprzy.

– I tak już nawiewamy – powiedział Roger. – Teraz najważniejsze to nie dać się złapać.

I osuszył kolejną puszkę tak łapczywie, jakby miała być jego ostatnią.

Na długim płaskim odcinku szosy pikap wyciągnął osiemdziesiątkę, a potem dziewięćdziesiątkę.

– Ostro daje – zauważył Aggie, zerkając w lusterko i z powrotem na drogę przed sobą. – Wali kogutami jak dyskoteka.

Calvin opuścił szybę po swojej stronie i zaproponował:

– Wywalmy piwo!

– Nie! – wrzasnął Roger. – Porąbało cię? Nie da rady nas dojechać. Dawaj, dawaj!

Pikap przeskoczył przez małe wzgórze i prawie wyleciał z drogi, a potem z piskiem opon pokonał ciasny zakręt i zarzucił tyłem lekko, wystarczająco, żeby Calvin powiedział:

– Pozabijamy się.

– Zamknij się – warknął Roger. – Szukaj podjazdu. Schowamy się.

– Jest skrzynka na listy – powiedział Aggie i wcisnął hamulec. Gliniarz był kilka sekund za nimi, ale poza zasięgiem wzroku. Skręcili ostro w prawo i światło reflektorów półciężarówki omiotło mały dom ukryty wśród olbrzymich dębów.

– Wyłącz światła – warknął Roger, jakby bywał w takich sytuacjach wiele razy. Aggie wyłączył silnik, zgasił światła i samochód siłą rozpędu potoczył się cicho po krótkiej gruntowej dojazdówce, żeby w końcu zatrzymać się koło forda pikapa, własności pana Buforda M. Gatesa, szosa numer 5, Owensville, Missisipi.

Radiowóz przemknął obok, nie zwalniając; błyskał niebieskimi kogutami, ale wciąż nie włączał syreny. Trzej dawcy siedzieli skuleni, a kiedy niebieskie światła zniknęły w oddali, powoli podnieśli głowy.

W domu, który wybrali, było ciemno i cicho. Najwyraźniej nie pilnowały go psy. Nawet światło na ganku było zgaszone.

– Niezła akcja – szepnął Roger, kiedy wreszcie zaczęli znowu oddychać.

– Pofarciło się nam – szepnął Aggie.

Przyglądali się domowi, nasłuchiwali, co się dzieje na szosie, i po kilku minutach cudownej ciszy zgodnie stwierdzili, że faktycznie mieli spory fart.

– Długo będziemy tak siedzieć? – zapytał w końcu Calvin.

– Niedługo – odparł Aggie, wpatrując się w okna domu.

– Coś jedzie – rzucił Calvin i cała trójka znowu się schowała. Po kilku sekundach z naprzeciwka przemknął radiowóz, wciąż migając kogutami i wciąż bez syreny.

– Szuka nas, skurwiel – mruknął Roger.

– A jak – powiedział Aggie.

Kiedy warkot silnika radiowozu ucichł w oddali, trzy głowy w dodge'u znowu się uniosły, a potem Roger oznajmił:

– Muszę się odlać.

– Nie tutaj – zaprotestował Calvin.

– Otwieraj – upierał się Roger.

– Nie możesz poczekać?

– Nie.

Calvin wolno otworzył drzwi od strony pasażera, wysiadł i patrzył, jak Roger podchodzi na palcach do półciężarówki pana Gatesa i zaczyna sikać na prawe przednie koło.

W przeciwieństwie do swojego męża pani Gates miała lekki sen. Była pewna, że słyszy coś na zewnątrz, a kiedy się zupełnie obudziła, nie miała już wątpliwości. Buford chrapał od godziny, ale w końcu udało jej się go dobudzić. Sięgnął pod łóżko i złapał strzelbę.

Roger wciąż sikał, kiedy w kuchni zapaliło się światło. Wszyscy trzej z miejsca je zobaczyli.

– Spadaj! – syknął Aggie przez okno, a potem złapał kluczyk i włączył silnik. Calvin wskoczył z powrotem do samochodu.

– Dawaj, dawaj, dawaj! – sapał, kiedy Aggie wrzucał wsteczny i wciskał gaz. Roger zasuwał w stronę dodge'a, podciągając spodnie. Przerzucił się przez burtę i wylądował ciężko na pace, wśród pustych puszek po piwie, a potem tylko mocno się trzymał, kiedy pikap pędził tyłem po podjeździe w kierunku drogi. Dojechali do skrzynki na listy, kiedy na ganku zapaliło się światło. Samochód zatrzymał się z poślizgiem na asfalcie w tym samym momencie, gdy drzwi frontowe powoli się otworzyły i stary mężczyzna pchnął siatkę przeciw owadom.

– Ma giwerę! – krzyknął Calvin.

– Ożeż ty! – powiedział Aggie; wrzucił bieg i palił gumę jeszcze przez kilkadziesiąt jardów. Milę dalej zjechał z szosy na wąską lokalną drogę i wyłączył silnik. Wysiedli, poprzeciągali się i nieźle uśmiali z tego, jak mało brakowało. Rechotali nerwowo i bardzo starali się uwierzyć, że wcale się nie bali. Ciekawe, gdzie jest teraz gliniarz. Posprzątali dokładnie pakę półciężarówki i zostawili puste puszki w rowie. Minęło dziesięć minut, a radiowozu wciąż nie było widać.

Aggie w końcu powiedział coś oczywistego:

– Musimy jechać do Memphis, chłopaki.

Calvin, bardziej zafascynowany Desperado niż szpitalem, dodał:

– No jasne. Robi się późno.

Roger zastygł na środku drogi i oznajmił:

– Zgubiłem portfel.

– Że co?

– Zgubiłem portfel.

– Gdzie?

– Tam. Musiał mi wypaść, jak się odlewałem.

Była bardzo duża szansa, że w portfelu Rogera nie było niczego wartościowego – żadnych pieniędzy, prawa jazdy, kart kredytowych, jakichś kart członkowskich – niczego bardziej przydatnego niż, być może, stara prezerwatywa. Aggie już, już miał zapytać: „Co w nim było?" Ale nie zapytał, bo wiedział, że Roger będzie się upierał, że portfel był wypchany samymi cennymi rzeczami.

– Muszę po niego wracać – oznajmił.

– Serio? – spytał Calvin.

– Mam w nim pieniądze, prawko, karty kredytowe, wszystko.

– Ale tamten stary miał strzelbę.

– A jak się zrobi widno, tamten stary znajdzie mój portfel, wezwie szeryfa, który zadzwoni do szeryfa w Ford County i będziemy mieli przejebane. Niezły z ciebie debil.

– Ja przynajmniej nie zgubiłem swojego portfela.

– On dobrze gada – wtrącił się Aggie. – Musi zabrać portfel.

Pozostali dwaj zauważyli, że Aggie zaakcentował „on" i nie użył zaimka „my".

– Chyba nie pękasz, co, misiek? – powiedział Roger do Calvina.

– Nie pękam, bo nie wracam.

– A ja myślę, że pękasz.

– Dajcie se siana – odezwał się Aggie. – Powiem wam, co zrobimy. Poczekamy, aż stary zdąży wrócić do łóżka, potem podjedziemy blisko domu, ale nie za blisko, staniemy, a wtedy ty się podkradniesz, znajdziesz portfel i weźmiemy dupę w troki.

– Założę się, że w tym portfelu nic nie ma – burknął Calvin.

– A ja się założę, że mam w nim więcej hajsu niż ty w swoim – odburknął Roger, sięgając po następne piwo.

– Odpuście se już – powtórzył Aggie.

Stanęli przy półciężarówce, popijając piwo i obserwując szosę w oddali i po piętnastu minutach, które ciągnęły się jak godzina, zebrali się, z Rogerem na pace. Ćwierć mili od domu Aggie zatrzymał wóz na płaskim odcinku szosy. Zgasił silnik, żeby słyszeć nadjeżdżające samochody.

– Nie możesz trochę bliżej? – zapytał Roger, stając przy drzwiach kierowcy.

– To za tamtym zakrętem – odparł Aggie. – Jak podjadę bliżej, może nas usłyszeć.

Cała trójka wpatrywała się w ciemną szosę. Połówka księżyca pojawiała się i znikała między chmurami.

– Masz spluwę? – spytał Roger.

– Mam spluwę – przytaknął Aggie. – Ale ci jej nie dam. Po prostu podkradnij się do domu i z powrotem. Żaden wielki problem. Stary już śpi.

– Chyba nie pękasz? – pomógł mu Calvin.

– Pewnie, że nie – oznajmił Roger i zniknął w ciemności. Aggie odpalił silnik i bez włączania świateł zawrócił, ustawiając pikapa tak mniej więcej przodem do Memphis. Potem znów zgasił silnik i z opuszczonymi szybami zaczęli czekać.

– Zaliczył osiem browarów – powiedział cicho Calvin. – Jest nawalony jak stodoła.

– Ale ma mocny łeb.

– Bo dużo ćwiczy. Może tym razem stary go dopadnie.

– Mi to tam wisi, ale wtedy złapią i nas.

– A właściwie po co w ogóle go zaprosili?

– Zamknij się. Musimy słuchać, czy ktoś nie jedzie.

Roger zszedł z szosy, kiedy zobaczył skrzynkę na listy. Przeskoczył rów, a potem nisko schylony poszedł przez przylegające do domu pole fasoli. Jeżeli stary jeszcze czuwał, będzie patrzył na podjazd, no nie? Roger sprytnie postanowił, że zakradnie się od tyłu. Wszystkie światła były zgaszone. W małym domu panowała cisza. Nic się nie ruszało. Kryjąc się w cieniu dębów, Roger skradał się po mokrej trawie, aż zobaczył forda pikapa. Zatrzymał się za szopą na narzędzia, wyrównał oddech i uświadomił sobie, że znowu musi się wysikać. Nie, powiedział sobie, to musi poczekać. Był z siebie dumny – dotarł aż tutaj zupełnie bezszelestnie. A potem znowu ogarnęło go przerażenie – co u diabła robi? Wziął głęboki oddech, pochylił się nisko i kontynuował zadanie. Kiedy ford znalazł się między nim a domem, opadł na kolana i zaczął macać żwir na końcu podjazdu.

Poruszał się wolno, bo żwir pod nim chrzęścił. Zaklął, kiedy koło prawego przedniego koła jego dłonie natrafiły na mokre miejsce. Kiedy dotknął portfela, uśmiechnął się i szybko wsunął go do tylnej kieszeni dżinsów. Znieruchomiał na chwilę, wziął głęboki oddech i rozpoczął cichy odwrót.

Pan Buford Gates słyszał w spokojnym powietrzu nocy rozmaite dźwięki, niektóre prawdziwe, inne zrodzone przez wyobraźnię. W okolicy kręciły się jelenie i pomyślał, że może to znowu one, że szukają trawy i jagód. A potem usłyszał coś innego. Powoli wychylił się z kryjówki na bocznym ganku, skierował dubeltówkę w niebo i ot, tak, dla draki, wygarnął dwa razy do księżyca.

W absolutnej ciszy późnego wieczoru strzały zagrzmiały jak salwa haubic; morderczy łoskot poniósł się echem na wiele mil.

Po tych strzałach na szosie, gdzieś bardzo blisko, rozległ się nagły pisk opon i przynajmniej dla Buforda dźwięk palonych gum zabrzmiał dokładnie tak samo jak dwadzieścia minut temu przed samym domem.

Wciąż się tu kręcą, pomyślał.

W drzwiach pojawiła się pani Gates i zawołała:

– Buford!

– Chyba ciągle tu są – oznajmił pan Gates, ładując swojego browninga szesnastkę.

– Widziałeś ich?

– Może.

– Co to znaczy, może? Do czego strzelałeś?

– Wracaj do środka, dobrze?

Drzwi się zatrzasnęły.

Roger leżał pod fordem pikapem; wstrzymywał oddech, trzymał się za krocze, pocił jak mysz i w pośpiechu usiłował zadecydować, czy powinien się owinąć wokół wału napędowego tuż nad sobą, czy raczej zagrzebać w żwirze tuż pod sobą. Ale się nie ruszył. Grzmot wciąż dudnił mu w uszach. Zaklął, gdy zapiszczały opony dodge'a jego kumpli cykorów. Bał się oddychać.

Usłyszał, że drzwi znów się otwierają, a potem głos kobiety:

– Masz tu latarkę. Może chociaż zobaczysz, do czego strzelasz.

– Wracaj do środka, a jak już tam będziesz, zadzwoń po szeryfa.

Drzwi znów się zatrzasnęły za kobietą i jej zrzędzeniem. Po jakiejś minucie wróciła.

– Zadzwoniłam do biura szeryfa. Powiedzieli, że Dudley wyjechał i jest gdzieś na patrolu.

– Przynieś mi kluczyki od pikapa – powiedział mężczyzna. – Pojadę rozejrzeć się na szosie.

– Nie możesz jeździć po nocy.

– Po prostu daj mi te cholerne kluczyki.

Drzwi znowu trzasnęły. Roger usiłował odpełznąć do tyłu, ale żwir robił za dużo hałasu. Spróbował czołgać się do przodu, w stronę głosów, ale znów było za dużo szurania i zgrzytania. Więc postanowił poczekać. Jeżeli pikap ruszy do tyłu, zaczeka do ostatniej sekundy, złapie za przesuwający się nad nim przedni zderzak i da się powlec kawałek, aż będzie mógł się puścić i uciec w ciemność. Jeżeli stary go zobaczy, będzie potrzebował paru sekund, żeby się zatrzymać, wziąć strzelbę, wysiąść i ruszyć w pościg. Do tej chwili Roger zdąży zniknąć w lesie. To był jakiś plan i mógł się udać. Z drugiej strony, Roger mógł się dostać pod koła, zostać powleczony po szosie albo po prostu zastrzelony.

Buford zszedł z bocznego ganku i zaczął szukać, przyświecając sobie latarką.

– Schowałam twoje kluczyki – wrzasnęła od drzwi pani Gates. – Nie możesz jeździć po nocy.

Zuch dziewczyna, pomyślał Roger.

– Lepiej daj mi te cholerne kluczyki.

– Schowałam je.

Buford mamrotał coś w ciemności.

Dodge pędził histerycznie przez kilka mil, zanim Aggie w końcu trochę zwolnił, a potem powiedział:

– Wiesz, że musimy wrócić.

– Po co?

– Jak go trafili, trzeba wyjaśnić, co się stało, i zająć się tym i owym.

– Mam nadzieję, że go trafili, a jak tak, to nie może mówić. Jak nie może mówić, nie może nas wsypać. Jedźmy do Memphis.

– Nie.

Aggie zawrócił i jechali w całkowitej ciszy do momentu, kiedy dotarli do tej samej wiejskiej drogi, na której zatrzymali się poprzednio. Stanęli koło ogrodzenia, usiedli na masce i zaczęli się zastanawiać co dalej. Wkrótce usłyszeli syrenę, a potem zobaczyli przesuwające się szybko po szosie niebieskie światła.

– Jeżeli następna będzie karetka, to mamy przesrane – stwierdził Aggie.

– Roger też.

Kiedy Roger usłyszał syrenę, wpadł w panikę. Ale kiedy wycie się zbliżyło, uświadomił sobie, że przynajmniej zagłuszy hałas wywołany jego ucieczką. Znalazł kamień, podczołgał się do boku samochodu i rzucił kamieniem w stronę domu. W coś trafił; pan Gates zawołał: „Co to było?" i wrócił biegiem na boczny ganek. Roger wypełzł jak wąż spod pikapa, przez świeżą plamę pozostawionego przez siebie wcześniej moczu, i po wilgotnej trawie dotarł do dębów dokładnie w chwili, gdy z rykiem silnika na scenie pojawił się Dudley, zastępca szeryfa. Dudley wdepnął hamulec i ostro skręcił w podjazd, sypiąc spod kół żwirem i wzbijając kurz. Zamieszanie uratowało Rogera. Państwo Gatesowie pobiegli na spotkanie Dudleya, a Roger zagłębił się w ciemność. Kilka sekund później minął rząd krzaków, potem starą stodołę, aż w końcu zniknął na polu fasoli. Minęło pół godziny.

– Chyba powinniśmy pojechać do tego domu i wszystko im powiedzieć – odezwał się Aggie. – To wtedy będziemy wiedzieli, czy nic mu się nie stało.

– A nie oskarżą nas o stawianie oporu przy aresztowaniu? – spytał Calvin. – A na dodatek pewnie i o jazdę po pijaku?

– No to co myślisz zrobić?

– Zastępca pewnie już pojechał. Nie było karetki, to z Rogerem wszystko w porządku, gdziekolwiek by był. Założę się, że gdzieś się schował. Zróbmy tak: przejedźmy raz koło domu, dobrze się przyjrzyjmy, a potem grzejemy do Memphis.

– No to dawaj.

Znaleźli Rogera przy drodze. Szedł, kulejąc, w stronę Memphis. Po wymianie kilku ostrych słów postanowili jechać dalej. Roger znowu siedział pośrodku, a Calvin przy drzwiach. Minęło dziesięć minut, zanim któryś wreszcie się odezwał. Wszyscy patrzyli prosto przed siebie. Wszyscy byli wściekli i obrażeni.

Gęba Rogera była podrapana i zakrwawiona. Śmierdział potem i moczem, a ubranie miał upaprane ziemią i błotem. Po paru milach Calvin opuścił szybę, a po paru następnych Roger zapytał:

– Może byś tak zamknął okno?

– Przyda się świeże powietrze – wyjaśnił Calvin.

Zatrzymali się po jeszcze jeden sześciopak na uspokojenie nerwów i po paru łykach Calvin zapytał:

– Strzelał do ciebie?

– Nie wiem – odparł Roger. – W ogóle go nie widziałem.

– Walnęło jak z armaty.

– Szkoda, że tego nie słyszałeś tam, gdzie ja.

Aggiego i Calvina bardzo to rozbawiło i zaczęli się śmiać. Dla już uspokojonego Rogera śmiech okazał się zaraźliwy i wkrótce cała trójka rżała radośnie, wspominając starego faceta ze strzelbą i żonę, która schowała mu kluczyki do samochodu i pewnie ocaliła Rogerowi życie. A myśl o Dudleyu, zastępcy szeryfa, jak wciąż ugania się po szosie z włączonym kogutem, rozbawiła ich jeszcze bardziej.

Aggie trzymał się bocznych dróg, a kiedy jedna z nich przecięła autostradę 78, skręcili na wjazd i włączyli się do ruchu na czteropasmówce.

– Zaraz będzie postój dla ciężarówek – powiedział Roger. – Muszę się umyć.

W środku kupił podkoszulek NASCAR i czapkę, a potem w męskiej toalecie wyszorował twarz i ręce. Kiedy wrócił do pikapa, Aggie i Calvin byli pod wrażeniem tych zmian. Pojechali dalej, coraz bardziej zbliżając się do jasnych świateł. Dochodziła dziesiąta w nocy.

Billboardy były coraz większe, coraz jaskrawsze i stały coraz bliżej siebie, a chociaż chłopaki przez ostatnią godzinę nie wspomnieli nawet o Desperado, przypomnieli sobie nagle o tym lokalu na widok roziskrzonego wizerunku młodej kobiety, rozsadzającej prawie tę skąpą odzież, którą miała na sobie. Dziewczyna nazywała się Tiffany i uśmiechała się znacząco do przejeżdżających samochodów z wielkiego billboardu reklamującego Desperado, Klub Dżentelmenów z najgorętszymi striptizerkami na całym Południu. Dodge wyraźnie zwolnił.

Jej gołe nogi wydawały się długie na milę, a skąpy kostium został najwyraźniej zaprojektowany tak, żeby można go było momentalnie zrzucić. Miała natapirowane blond włosy, pełne czerwone wargi i oczy, które dosłownie płonęły. Sama myśl, że mogła pracować parę mil dalej i że mogą tam stanąć i obejrzeć ją na żywo, cóż, taka myśl była nie do odparcia.

Krwiodawcy

Dodge znów przyspieszył; przez kilka minut nikt się nie odzywał. Wreszcie Aggie powiedział:

– Lepiej jedźmy do szpitala. Bailey do tej pory mógł już umrzeć.

Po raz pierwszy od wielu godzin któryś z nich wspomniał o Baileyu.

– Szpital jest otwarty całą noc – powiedział Roger. – Nigdy się nie zamyka. Coś ty myślał, że zamykają go na noc i wszyscy idą do domu?

Calvin, chcąc okazać swoje poparcie, uznał to za bardzo zabawne i zarżał ze śmiechu.

– Czyli jak, mam się zatrzymać przy Desperado, tak? – zapytał Aggie, nie wyłamując się z gry.

– Czemu nie? – odparł Roger.

– Chyba da się zrobić – dodał Calvin, popijając piwo i próbując wyobrazić sobie Tiffany w trakcie pracy.

– Wpadniemy na godzinkę, a potem gazem do szpitala – stwierdził Roger. Jak na kogoś po dziesięciu piwach mówił zupełnie wyraźnie.

Bramkarz w drzwiach spojrzał na nich bardzo podejrzliwie.

– Pokażcie dowody – warknął do Calvina, który miał dwadzieścia jeden lat, ale wyglądał na młodszego. Aggie wyglądał na swoje lata. Dwudziestosiedmioletni Roger mógł uchodzić za czterdziestolatka.

– Z Missisipi, nie? – powiedział bramkarz, wyraźnie uprzedzony do ludzi z tego stanu.

– No – odparł Roger.

– Dziesięć dolarów kaucji.

– Tylko dlatego, że jesteśmy z Missisipi? – spytał Roger.

– Nie, mądralo, wszyscy płacą kaucję. Jak ci się nie podoba, wskakuj na swój traktor i spadaj do domu.

307

– Dla wszystkich klientów jesteś taki miły? – zainteresował się Aggie.

– No.

Odeszli na bok i zbili się w kupę, omawiając sprawę wejściówki i czy powinni tu zostać. Roger wyjaśnił, że niedaleko jest inny klub, ale uprzedził, że tam też pewnie skasują ich za wejście. Kiedy tak sobie szeptali i kombinowali, Calvin usiłował zajrzeć do środka w nadziei, że chociaż mignie mu Tiffany. Głosował, żeby zostać, i ostatecznie wniosek przeszedł jednogłośnie.

Kiedy znaleźli się już w środku, zostali obszukani przez dwóch następnych zwalistych i nieuśmiechających się bramkarzy, a potem zaprowadzeni do głównej sali z okrągłą sceną pośrodku. Na scenie znajdowały się akurat dwie młode damy, jedna biała, druga czarna, obie nagie i wijące się na wszystkie strony.

Calvin zamarł na ich widok. Z miejsca zapomniał o dziesięciu dolarach kaucji.

Ich stolik znajdował się parę jardów stóp od sceny. Klub był wypełniony w połowie, w większości młodymi fizycznymi. Oni nie byli jedynymi wiejskimi chłopakami, którzy przyjechali do miasta. Ich kelnerka miała na sobie tylko stringi i kiedy pojawiła się z krótkim „Co podać? Trzy drinki minimum", Calvin prawie zemdlał. Nigdy nie widział aż tyle zakazanego ciała.

– Trzy drinki? – upewnił się Roger, usiłując utrzymać kontakt wzrokowy.

– Dokładnie – odpaliła.

– Po ile piwo?

– Pięć baksów.

– I musimy zamówić trzy?

Krwiodawcy

– Po trzy na głowę. Taka zasada. Jak się wam nie podoba, możecie to omówić z bramkarzami.

Skinęła głową w stronę drzwi, ale oni ani na chwilę nie spuszczali wzroku z jej piersi.

Zamówili po trzy piwa na głowę i rozejrzeli się dookoła. Na scenie były już cztery tancerki, wijące się w rytm głośnego rapu, od którego dygotały ściany. Kelnerki poruszały się szybko pomiędzy stolikami, jakby się bały, że jeśli za długo postoją w jednym miejscu, ktoś zacznie je obmacywać. Sporo klientów było pijanych i wrzaskliwych i już wkrótce zaczął się pierwszy taniec. Kelnerka weszła na stolik obok i zaczęła robić swoje, a paru kierowców ciężarówek wpychało jej banknoty za stringi. Wkrótce wokół jej talii zajeżyły się zielone.

Przyniesiono tacę z dziewięcioma wysokimi i bardzo wąskimi szklankami piwa, jaśniejszego niż jasne i tak rozwodnionego, że wyglądało jak rozcieńczona lemoniada.

– To będzie czterdzieści pięć dolarów – oświadczyła kelnerka. Cała trójka rozpoczęła paniczne długotrwałe przeszukiwanie portfeli i kieszeni. W końcu zebrali gotówkę.

– Robicie jeszcze tańce na kolanach? – zapytał Roger kelnerkę.

– To zależy.

– Jemu nikt jeszcze nie tańczył – powiedział Roger, wskazując na Calvina, który poczuł, że serce mu zamiera.

– Dwadzieścia baksów – powiedziała.

Roger znalazł dwudziestodolarowy banknot, podał go jej i po paru sekundach Amber siedziała już na Calvina kolanach, na których, przy jego dwustu siedemdziesięciu funtach żywej wagi, zmieściłby się niewielki balecik. Muzyka dudniła i huczała, Amber wiła się i kołysała, a Calvin po prostu zamknął oczy i zastanawiał się, jaka musi być prawdziwa miłość.

– Pogłaszcz jej nogi – polecił Roger, doświadczony bywalec.

– Bez dotykania – oświadczyła surowo Amber, choć przywierała mocno tylną częścią ciała do potężnych ud Calvina. Paru prostaków przy stoliku obok przyglądało się z rozbawieniem i szybko zaczęło podrzucać Amber najrozmaitsze obsceniczne propozycje, a ona grała dalej przed swoją widownią.

Jak długo będzie trwała ta piosenka? – zadawał sobie pytanie Calvin. Jego szerokie, płaskie czoło było pokryte potem.

Nagle, nie gubiąc rytmu, Amber odwróciła się i usiadła twarzą do niego. Przez co najmniej minutę Calvin miał na kolanach piękną, drżącą nagą kobietę. To było doświadczenie odmieniające życie. Calvin już nigdy nie miał być taki sam.

Niestety, piosenka się skończyła, a Amber poderwała się i poleciała do swoich stolików.

– Ty, możesz się z nią spotkać później – powiedział Roger. – Sam na sam.

– Że co? – spytał Aggie.

– Na zapleczu mają takie małe pokoiki, możesz się tam spotkać z dziewczyną, jak skończy pracę.

– Zalewasz.

Calvin wciąż nie był w stanie wydobyć z siebie głosu, kompletnie oniemiały patrzył, jak Amber kręci się po klubie, zbierając zamówienia. Ale słuchał i w czasie przerwy w muzyce dotarło do niego, co mówił Roger. Amber mogła być jego, całkiem sama, w jakimś wspaniałym pokoiku na zapleczu.

Popijali wodniste piwo i obserwowali, jak przychodzą następni klienci. O jedenastej lokal był zatłoczony i jeszcze więcej striptizerek i tancerek pracowało na scenie i w tłumie. Calvin z zazdrością i ze złością patrzył, jak niecałe dziesięć stóp dalej Amber tańczy na kolanach innego faceta. Ale z pewną dumą zauważył, że „twarzą w twarz" robiła mu tylko kilka sekund.

Gdyby miał kupę kasy, z radością wpychałby ją jej za stringi i tańczyłaby mu na kolanach przez całą noc.

Ale kasa szybko stała się problemem. W czasie następnej przerwy pomiędzy piosenkami i striptizerkami Calvin, bądź co bądź bezrobotny, wyznał:

– Nie wiem, ile tu jeszcze wyrobię. Drogie mają to piwo.

Ich piwo, w ośmiouncjowych szklankach, było już prawie wypite, a wystarczająco długo przyglądali się kelnerkom, żeby się zorientować, że puste szklanki nie stoją długo na stolikach. Od klientów oczekiwano, że będą ostro pili, dawali hojne napiwki i płacili dziewczynom za osobiste tańce. Seksbiznes w Memphis był bardzo dochodowy.

– Mam trochę gotówki – powiedział Aggie.

– Ja mam karty kredytowe – oznajmił Roger. – Zamówcie następną kolejkę, a ja pójdę się wysikać.

Wstał i po raz pierwszy jakby lekko się zachwiał, a potem zniknął w dymie i tłumie. Calvin pomachał do Amber i zamówił następną kolejkę. Uśmiechnęła się i mrugnęła z aprobatą. O wiele bardziej niż tej kranówy, którą pili, pragnął znów zaznać fizycznej bliskości ze swoją dziewczyną, ale nie było mu to dane. W tym momencie przysiągł sobie, że zdwoi wysiłki, by znaleźć pracę, przyoszczędzić i zostać stałym klientem Desperado. Po raz pierwszy w swoim młodym życiu Calvin miał cel.

Aggie wpatrywał się w podłogę pod pustym krzesłem Rogera.

– Ten palant znowu go zgubił – powiedział i podniósł sfatygowany brezentowy portfel. – Myślisz, że faktycznie ma jakieś karty kredytowe?

– Nie.

– Zajrzymy.

Aggie się rozejrzał, czy nie widać Rogera, i otworzył portfel. Była w nim przeterminowana karta rabatowa ze sklepu spożywczego i kolekcja wizytówek – dwie prawników, dwie poręczycieli kaucji, jedna z kliniki odwykowej i jedna kuratora sądowego. Tkwił w nim także starannie złożony i częściowo ukryty banknot dwudziestodolarowy.

– A to ci niespodzianka – powiedział Aggie. – Ani kart kredytowych, ani prawa jazdy.

– A prawie dał się za to zastrzelić – odparł Calvin.

– Idiota, nie?

Aggie zamknął portfel i położył go na krześle Rogera.

Piwo pojawiło się, gdy Roger wrócił i znalazł portfel. Uzbierali razem czterdzieści pięć dolarów na piwo i trzy na napiwek.

– Można płacić za taniec na kolanach kartą kredytową? – zawołał Roger do Amber.

– Nie, tylko gotówka – odkrzyknęła, odchodząc.

– Jakie masz karty kredytowe? – zapytał Aggie.

– Kupę różnych – odparł Roger tonem ważniaka.

Calvin, którego kolana wciąż paliły, patrzył, jak jego ukochana Amber przeciska się przez tłum. Aggie również przyglądał się dziewczynom, ale pilnował też czasu. Nie miał pojęcia, jak długo potrwa oddawanie pół litra krwi. Zbliżała się północ. I chociaż bardzo się starał, nie mógł nie myśleć o swojej dziewczynie i awanturze, jaką by zrobiła, gdyby dowiedziała się o tym małym postoju.

Roger szybko odpływał. Oczy mu się zamykały, głowa opadała na piersi.

– Pijemy – wybełkotał, usiłując wziąć się w garść, ale światło szybko mu gasło. W przerwie między piosenkami Calvin pogadał z dwoma facetami przy sąsiednim stoliku i w trakcie krótkiej rozmowy dowiedział się, że legendarna striptizerka Tiffany w czwartki nie pracuje.

Kiedy piwo się skończyło, Aggie oświadczył:

– Ja spadam. Idziecie ze mną, chłopaki?

Roger nie był w stanie sam utrzymać się na nogach i prawie powlekli go od stolika. Kiedy ruszyli w stronę drzwi, podeszła do nich Amber.

– Zostawiasz mnie? – spytała Calvina.

Kiwnął tylko głową, bo nie mógł wydobyć głosu.

– Wróć później, proszę – zagruchała. – Niezłe z ciebie ciacho.

Jeden z bramkarzy złapał Rogera i pomógł go wyprowadzić.

– O której zamykacie? – spytał go Calvin.

– O trzeciej – odparł bramkarz i wskazał na Rogera. – Ale tego już nie przyprowadzajcie.

– Ty, gdzie jest szpital? – zapytał Aggie.

– Który?

Aggie spojrzał na Calvina, Calvin spojrzał na Aggiego i stało się jasne, że żaden nie ma bladego pojęcia. Bramkarz czekał niecierpliwie i w końcu powiedział:

– Tu jest dziesięć szpitali. Którego szukacie?

– Eee, najbliższego – odparł Aggie.

– To będzie Luterański. Znacie miasto?

– Jasne.

– Ta, jasne. Jedźcie Lamar do Parkway, Parkway do Poplar. Szpital jest zaraz za ogólniakiem East.

– Dzięki.

Bramkarz machnął im na pożegnanie i zniknął w środku. Dowlekli Rogera do pikapa, wrzucili go do środka, a potem przez pół godziny jeździli po centrum Memphis, beznadziejnie poszukując Szpitala Luterańskiego.

– Jesteś pewien, że to ten szpital? – pytał kilka razy Calvin.
Aggie odpowiadał rozmaicie: „Tak", „Jasne", „Chyba"
i „No pewnie".

Kiedy znaleźli się w śródmieściu, Aggie zatrzymał się przy
krawężniku i podszedł do taksówkarza drzemiącego za kierownicą.

– Nie ma żadnego Szpitala Luterańskiego – wyjaśnił spokojnie taryfiarz. – Jest szpital Baptystów, Metodystów, Katolicki, Centralny, Miłosierdzia i parę innych, ale nie Luterański.

– Wiem, macie ich dziesięć.

– Tak dokładnie to siedem. Skąd jesteście?

– Z Missisipi. Słuchaj, gdzie jest najbliższy?

– Miłosierdzia, cztery przecznice dalej, po Union Avenue.

– Dzięki.

Znaleźli Szpital Miłosierdzia i zostawili nieprzytomnego
Rogera w pikapie. Był to szpital miejski, główny punkt docelo-
wy ofiar nocnych przestępstw, przemocy domowej, policyjnych
strzelanin, różnic poglądów pomiędzy gangami, przedawko-
wania narkotyków i wypadków samochodowych spowodowa-
nych nadużyciem alkoholu. Niemal wszystkie rzeczone ofiary
były czarnoskóre. Przy wejściu na ostry dyżur roiło się od ka-
retek i radiowozów. Gromady rozgorączkowanych krewnych
błąkały się po przypominających lochy korytarzach, poszukując swoich poszkodowanych. Wszędzie niosły się echem wrzaski i krzyki, a Aggie i Calvin wędrowali całe mile, żeby znaleźć
informację. Wreszcie znaleźli, upchniętą w jakimś zakamarku,
jakby ktoś specjalnie usiłował ją ukryć. Przy biurku siedziała
młoda Meksykanka, żując gumę i czytając czasopismo.

– Przyjmujecie także białych? – zapytał uprzejmie Aggie.

– A kogo szukacie? – odpowiedziała oziębłe.

– Przyszliśmy oddać krew.

– Stacja krwiodawstwa jest kawałek dalej w tym korytarzu. – Wskazała ręką.

– Jest otwarta?

– Wątpię. Dla kogo chcecie oddać krew?

– Eee, dla Baileya – odparł Aggie, oglądając się pustym wzrokiem na Calvina.

– Imię? – Dziewczyna zaczęła stukać w klawiaturę, wpatrzona w monitor.

Zdezorientowani Aggie i Calvin popatrzyli na siebie, marszcząc brwi.

– Myślałem, że Bailey to jego imię – powiedział Calvin.

– A ja, że nazwisko. Wołali na niego Buck, no nie?

– Jasne, ale jego mama nazywa się Caldwell.

– A ile razy wychodziła za mąż?

Dziewczyna z otwartymi ustami spoglądała to na jednego, to na drugiego. Aggie popatrzył na nią i zapytał:

– Macie kogoś z nazwiskiem Bailey?

Postukała, zerknęła na ekran i odparła:

– Pan Jerome Bailey, lat czterdzieści osiem, czarny, rana postrzałowa.

– Ktoś jeszcze?

– Nie.

– A ktoś, kto ma na imię Bailey?

– Nie rejestrujemy według imion.

– Dlaczego nie?

❧

Strzelanina była potyczką gangów, która zaczęła się godzinę wcześniej w osiedlu w północnym Memphis. Z jakichś powodów wybuchła na nowo na parkingu Szpitala Miłosierdzia. Roger spał jak zabity, do momentu gdy ze stanu nieświadomości wyrwała go seria strzałów. Jego mózg zare-agował po sekundzie czy dwóch, ale on sam już po chwili nabrał cholernej pewności, że znowu ktoś do niego strzela. Wychylił się trochę, zerknął tuż nad dolną ramą okna pa-sażera i z miejsca zorientował się, że nie ma pojęcia, gdzie jest. Dookoła stały szeregi zaparkowanych samochodów, nie-daleko wznosił się wysoki piętrowy parking, wszędzie wi-dać było budynki, a w oddali migały niebieskie i czerwone światła.

Znowu strzały. Roger schylił się jeszcze niżej, stracił rów-nowagę i wylądował na podłodze, gdzie gorączkowo zaczął szukać pod siedzeniem jakiejś broni. Aggie, jak każdy chło-pak z Ford County, nie ruszał się nigdzie bez środków obrony i Roger wiedział, że pistolet gdzieś tu jest. Znalazł go pod sie-dzeniem kierowcy, samopowtarzalnego huska kaliber 9 mili-metrów, z magazynkiem na dwanaście naboi. Naładowanym. Złapał go, pogładził, ucałował lufę i szybko opuścił szybę. Usłyszał gniewne głosy, a potem zobaczył coś, co z całą pew-nością było samochodem gangsterów, podejrzanie wolno su-nącym po parkingu.

Roger wystrzelił dwa razy, w nic nie trafił, ale udało mu się zmienić taktykę walki gangu. Dodge Aggiego z miejsca został zasypany pociskami z karabinka szturmowego. Tylna szyba eksplodowała, zasypując szkłem całą kabinę i długie włosy Rogera, który znowu rzucił się na podłogę i zaczął szukać bezpiecznego miejsca. Wyśliznął się przez drzwi kie-rowcy, pochylił nisko i zaczął zygzakować między nieoświe-tlonymi rzędami zaparkowanych samochodów. Za plecami usłyszał rozwścieczone głosy, potem znów wystrzał. Biegł dalej, a jego uda i łydki krzyczały z bólu, gdy usiłował trzy-mać głowę na poziomie kół. Nie wyrobił się, zakręcając między dwoma samochodami, i walnął w przedni zderzak starego cadillaca. Przez chwilę siedział na asfalcie, nasłuchując, sapiąc, pocąc się i klnąc, ale nie krwawiąc. Powoli podniósł głowę, zobaczył, że nikt go nie goni, ale postanowił nie ryzykować. Pobiegł dalej, przeciskając się między samochodami, aż w końcu wyszedł na ulicę. Nadjeżdżał jakiś samochód i Roger wetknął pistolet do przedniej kieszeni spodni.

Nawet dla Rogera było oczywiste, że ta część miasta to strefa wojny. Budynki miały w oknach grube kraty. Ogrodzenia z siatki wieńczył ostry drut. Zaułki były ciemne i złowrogie i Roger w chwili przytomności zadał sobie pytanie: „Co ja tu, do cholery, robię?" Tylko pistolet chronił go przed kompletną paniką. Ruszył chodnikiem, obmyślając strategię, i uznał, że najlepiej będzie wrócić do pikapa i poczekać na kumpli. Strzelanina ucichła. Może przyjechała już policja i było bezpiecznie. Na chodniku za jego plecami rozległy się głosy i gdy szybko zerknął za siebie, zobaczył, że po tej samej stronie ulicy idą jacyś młodzi czarni i są coraz bliżej. Roger przyspieszył kroku. Obok niego walnął kamień i odbił się na dwadzieścia stóp. Z tyłu rozległy się wrzaski. Roger wyciągnął pistolet, położył palec na spuście i zaczął iść jeszcze szybciej. Przed nim paliły się światła, a kiedy skręcił za róg, znalazł się na niewielkim parkingu całodobowego sklepu spożywczego.

Przed samym wejściem stał samochód, a obok niego wrzeszczeli na siebie biały mężczyzna i biała kobieta. Kiedy pojawił się Roger, mężczyzna prawym sierpowym walnął kobietę w twarz. Odgłos pięści uderzającej w ciało przyprawiał o mdłości. Roger zamarł, kiedy to, co widział, zaczęło docierać do jego otumanionego umysłu.

Ale kobieta niezwykle dobrze zniosła uderzenie i odpowiedziała niewiarygodną kombinacją ciosów. Prawym krzyżowym rozkwasiła facetowi wargi, potem wyprowadziła lewy hak, który zmiażdżył mu jądra. Mężczyzna zaskowyczał jak oparzone zwierzę i zwalił się jak kłoda, w chwili gdy Roger zrobił krok do przodu. Kobieta spojrzała na Rogera, na pistolet, a potem zobaczyła bandę wyłaniającą się z ciemnej ulicy. Jeżeli w promieniu czterech przecznic znajdował się jakiś inny przytomny biały, to na pewno nie na ulicy.

– Masz kłopoty? – zapytała.

– Chyba tak. A ty?

– Bywało bezpieczniej. Masz prawo jazdy?

– Jasne – odparł Roger, już sięgając po portfel.

– Spadamy.

Wskoczyła do samochodu. Roger prowadził, a jego nowa przyjaciółka siedziała obok. Roger zapiszczał oponami i wkrótce pędzili na zachód po Poplar Avenue.

– Kto to był, tamten facet? – zapytał Roger, spoglądając to na drogę przed sobą, to we wsteczne lusterko.

– Mój diler.

– Twój diler?!

– Aha.

– Zostawimy go tam tak?

– Może byś odłożył spluwę? – zaproponowała. Roger spojrzał na swoją lewą rękę i uświadomił sobie, że wciąż trzyma broń. Położył ją na siedzeniu między nimi. Kobieta natychmiast chwyciła pistolet i wycelowała w niego.

– Zamknij się i jedź – rozkazała.

Kiedy Aggie i Calvin wrócili do pikapa, policji już nie było. Z rozdziawionymi ustami patrzyli na uszkodzenia, a potem zaczęli kląć, gdy tylko się zorientowali, że Roger zniknął.

– Wziął mojego huska – oznajmił Aggie, gdy skończył szukać pod fotelem.

– Głupi sukinsyn – powtarzał Calvin. – Mam nadzieję, że go zabili.

Zgarnęli szkło z siedzeń i ruszyli, bardzo chcąc się wydostać z centrum Memphis. Przez chwilę rozmawiali, czyby nie poszukać Rogera, ale mieli go już dosyć. Meksykanka z informacji powiedziała im, jak dojechać do Szpitala Centralnego, gdzie z największym prawdopodobieństwem mogli znaleźć Baileya.

W Centralnym kobieta w informacji wyjaśniła im, że stacja krwiodawstwa jest w nocy nieczynna, otwierają o ósmej i przestrzegają ściśle zasady, żeby nie pobierać krwi od dawców, którzy są wyraźnie w stanie wskazującym. W chwili obecnej w szpitalu nie ma pacjenta o imieniu lub nazwisku Bailey. Kiedy ich odprawiła, jak spod ziemi pojawił się umundurowany ochroniarz i kazał im wyjść. Nie stawiali oporu i odprowadził ich do drzwi wejściowych. Kiedy mówili mu dobranoc, Calvin zapytał:

– Ej, może wiesz, gdzie moglibyśmy sprzedać pół litra krwi?

– Na Watkins jest bank krwi, to niedaleko.

– Myślisz, że jest otwarty?

– Tak, pracują całą noc.

– Jak tam dojechać? – spytał Aggie.

Ochroniarz wskazał im drogę, a potem dodał:

– Ale uważajcie. Tam się złażą wszyscy narkomani, jak potrzebują forsy. Paskudne miejsce.

Bank krwi był jedynym punktem docelowym, który Aggie znalazł za pierwszym podejściem, ale kiedy się już tam znaleźli, zaczęli mieć nadzieję, że jest zamknięty. Nie był. Poczekalnia była obskurnym pokoikiem z szeregiem plastikowych krzeseł i rozrzuconymi wszędzie czasopismami. W rogu, pod stolikiem, leżał skulony w pozycji embrionalnej jakiś ćpun i najwyraźniej umierał. W recepcji pracował posępny facet w kitlu chirurgicznym, który powitał ich opryskliwym „Czego?"

Aggie odchrząknął, zerknął jeszcze raz na narkomana w kącie i zdołał wykrztusić:

– Kupujecie tu krew?

– Możemy zapłacić, możemy przyjąć za darmo.

– Ile?

– Pięćdziesiąt baksów za pół litra.

Dla Calvina, z sześcioma dolarami i dwudziestoma pięcioma centami w kieszeni, ta suma oznaczała możliwość zapłacenia za wstęp, trzy rozwodnione piwa oraz kolejny niezapomniany taniec Amber na jego kolanach. Dla Aggiego, z osiemnastoma dolarami i bez kart kredytowych, sprzedaż oznaczała kolejną szybką wizytę w klubie ze striptizem i kupno benzyny na powrót do domu. Obydwaj zapomnieli o biednym Baileyu.

Otrzymali podkładki z formularzami. Kiedy wypełniali puste miejsca, pielęgniarz zapytał:

– Jaką macie krew?

W odpowiedzi zobaczył dwie zdezorientowane miny.

– Jaką macie krew? – powtórzył.

– Czerwoną – odparł Aggie, a Calvin głośno zarechotał. Pielęgniarz nawet się nie uśmiechnął.

– Piliście, chłopaki? – spytał.

– Obaliliśmy parę piw – przyznał Aggie.

– Ale nie chcemy nic górką za alkohol – dodał szybko Calvin i obaj ryknęli śmiechem.

– Jaki rozmiar igły chcecie? – spytał mężczyzna i całe rozbawienie zniknęło.

Krwiodawcy

Oświadczyli na piśmie, że nie cierpią na żadne alergie ani choroby.

– Który pierwszy?

Żaden nawet nie drgnął.

– Panie Agnor – powiedział pielęgniarz. – Proszę za mną.

Aggie przeszedł za nim przez drzwi do dużej prostokątnej sali z dwoma łóżkami po prawej i trzema po lewej stronie. Na pierwszym z prawej leżała piersiasta biała kobieta w dresie i górskich butach. Od jej lewego ramienia do przezroczystego plastikowego woreczka wypełnionego do połowy ciemnoczerwonym płynem ciągnęła się rurka. Aggie zerknął na rurkę, na woreczek, ramię i nagle uświadomił sobie, że w ramię jest wbita igła. Zemdlał i z głośnym łomotem wylądował twarzą na kafelkach podłogi.

Calvin, który siedział na plastikowym krzesełku koło drzwi wejściowych i nerwowo kartkował czasopismo, jednym okiem zerkając na umierającego ćpuna, usłyszał głośny huk gdzieś za sobą, ale zupełnie go zignorował.

Zimna woda i amoniak ocuciły Aggiego, który w końcu zdołał wczołgać się na jedno z łóżek, gdzie drobna Azjatka o ustach zasłoniętych białą gazą zaczęła z silnym akcentem wyjaśniać mu, że wszystko będzie dobrze i że nie ma się o co martwić.

– Trzymaj oczy zamknięte – powtarzała.

– Właściwie nie potrzebuję pięćdziesięciu baksów – oznajmił Aggie, któremu kręciło się w głowie. Azjatka nie zrozumiała. Kiedy postawiła przy nim tacę z narzędziami, zerknął w tę stronę i znowu zrobiło mu się słabo.

– Proszę zamknąć oczy – poleciła, przecierając jego lewe przedramię alkoholem, od którego zapachu zrobiło mu się niedobrze.

– Możecie sobie wziąć te pieniądze – powiedział. Pielęgniarka wyciągnęła szeroką czarną opaskę na oczy, położyła mu ją na twarzy i nagle świat Aggiego zrobił się cały czarny.

Kiedy pielęgniarz wrócił do poczekalni, Calvin zerwał się z krzesła.

– Proszę za mną – polecił mężczyzna i Calvin za nim poszedł. Kiedy wszedł do kwadratowego pomieszczenia i zobaczył kobietę w górskich butach z jednej strony, a Aggiego z dziwną opaską na oczach z drugiej, też zemdlał i upadł ciężko obok miejsca, gdzie zaledwie parę minut temu wylądował jego kumpel.

– Co to za pajace? – spytała kobieta w górskich butach.

– Missisipi – odparł pielęgniarz, pochylając się nad Calvinem i cierpliwie czekając, aż się ocknie. Zimna woda i amoniak znów poskutkowały. Aggie słuchał tego wszystkiego zza swojego całunu.

W końcu pobrano dwa razy po pół litra. Sto dolarów zmieniło właściciela. Dziesięć po drugiej w nocy poraniony w walce dodge wjechał na parking Desperado i dwóch nabuzowanych byczków przybyło na ostatnią godzinę zabawy. Uboższi w krew, ale za to naładowani testosteronem zapłacili za wstęp, rozglądając się za bramkarzem ściemniaczem, który wysłał ich do Szpitala Luterańskiego. Nie było go. W środku tłum się przerzedził, a dziewczyny były zmęczone. Na scenie tańczyła bez entuzjazmu podstarzała striptizerka.

Zaprowadzono ich do stolika niedaleko miejsca, gdzie siedzieli poprzednio i – jak by inaczej – parę sekund później zjawiła się Amber.

– Co dla was, chłopcy? Trzy drinki minimum.

– Wróciliśmy – oznajmił z dumą Calvin.

– Cudownie. Co będzie?

– Piwo.

– Się robi – odpowiedziała i zniknęła.

– Chyba nas nie poznała – powiedział zraniony Calvin.

– Rzuć jej dwadzieścia baksów, to sobie przypomni – stwierdził Aggie. – Chyba nie masz zamiaru marnować forsy na taniec na kolanach, co?

– Może.

– Jesteś tak samo głupi jak Roger.

– Nikt nie jest aż tak głupi. Ciekawe, gdzie on jest.

– Spływa rzeką z poderżniętym gardłem.

– Co powie jego tata?

– Powinien powiedzieć „Ten chłopak zawsze był głupi". Skąd do cholery mam wiedzieć, co powie? Naprawdę cię to obchodzi?

Po przeciwnej stronie sali paru korporacyjnych typów w ciemnych garniturach dawało ostro w gaz. Jeden objął kelnerkę w talii i dziewczyna szybko odskoczyła. Pojawił się bramkarz, wycelował w faceta palcem i warknął:

– Nie dotykać dziewczyn!

Krawaciarze ryknęli śmiechem. Wszystko było śmieszne.

Kiedy tylko Amber przyniosła szklanki z piwem, Calvin ledwo mógł się doczekać, żeby wykrztusić:

– Co powiesz na taniec na kolanach?

Amber zmarszczyła brwi, a potem powiedziała:

– Może później. Zmęczona jestem.

I poszła.

– Laska chce ci pomóc przyoszczędzić – stwierdził Aggie. Calvin był zdruzgotany. Od wielu godzin przeżywał na nowo tę krótką chwilę, w której Amber usiadła okrakiem na jego olbrzymich udach i wiła się radośnie w rytm muzyki. Wciąż czuł jej ciężar, jej dotyk, nawet zapach jej tanich perfum.

Na scenie pojawiła się dość spasiona młoda dama i zaczęła kiepsko tańczyć. Szybko pozbyła się ubrania, ale przyciągnęła niewiele uwagi.

– To pewnie nocna zmiana – powiedział Aggie. Calvin prawie nie zwrócił na to uwagi. Obserwował Amber, która, kołysząc biodrami, kręciła się po klubie. Z całą pewnością poruszała się wolniej. Zbliżała się pora powrotu do domu.

Ku zgryzocie Calvina jeden z korporacyjnych krawaciarzy namówił Amber na taniec na kolanach. Wykrzesała z siebie entuzjazm i wkrótce już wiła się na całego, a jego kumple nie szczędzili najrozmaitszych komentarzy. Otaczali ją pijani gapie. Ten, na którym tańczyła, najwyraźniej stracił panowanie nad sobą. Wbrew klubowym przepisom i naruszając zarządzenie wydane przez miasto Memphis, wyciągnął obie ręce i chwycił Amber za piersi. To był ogromny błąd.

W ułamku sekundy zdarzyło się kilka rzeczy jednocześnie. Błysnął flesz aparatu fotograficznego i ktoś wrzasnął:

– Obyczajówka, jesteście aresztowani!

W tym samym momencie Amber zeskoczyła z kolan gościa i krzyknęła coś o brudnych łapach. Ponieważ bramkarze czujnie obserwowali krawaciarzy, z miejsca znaleźli się przy stoliku. Dwaj gliniarze po cywilnemu ruszyli naprzód. Jeden trzymał aparat, a drugi powtarzał „Obyczajówka Memphis, obyczajówka Memphis".

Ktoś wrzasnął „Gliny!" Zaczęła się przepychanka, szamotanina i mnóstwo przekleństw. Muzyka umilkła. Tłum się cofnął. Przez kilka pierwszych sekund sytuacja była pod kontrolą, dopóki Amber się nie potknęła i przewróciła o krzesło. Zajęczała z dramatyczną przesadą, a wtedy Calvin nie wytrzymał, rzucił się w tłum i zadał pierwszy cios. Zamachnął się na krawacia-

Krwiodawcy

rza, który obmacywał jego dziewczynę, i walnął go z całej siły
w zęby. W tej samej chwili przynajmniej z jedenastu dorosłych
facetów, w tym połowa pijanych, zaczęło prać pięściami w co
popadnie. Calvin oberwał mocno od bramkarza, co sprawiło,
że do bójki włączył się Aggie. Krawaciarze okładali wściekle
bramkarzy, gliniarzy i wieśniaków. Ktoś cisnął szklanką piwa –
wylądowała po drugiej stronie sali, koło stolika motocyklistów
w średnim wieku, którzy do tej pory tylko okrzykami zagrze-
wali walczących. Ale tłuczone szkło zdenerwowało harleyow-
ców. Poderwali się. Przed Desperado dwóch mundurowych
gliniarzy czekało cierpliwie, żeby odtransportować ofiary obyczajówki, ale kiedy usłyszeli demolkę w lokalu, szybko weszli do środka. Kiedy zorientowali się, że bijatyka bardziej przypomina regularne zamieszki, odruchowo wyciągnęli
pałki i zaczęli szukać paru głów, które mogliby rozbić. Aggie
był pierwszy, a kiedy leżał na podłodze, gliniarz pobił go do
nieprzytomności. Szkło się sypało, tanie krzesła i stoły szły
w drzazgi. Dwóch motocyklistów złapało drewniane nogi od
krzeseł i zaatakowało bramkarzy. Zadyma się rozwijała, soju-
sze były chwilowe i płynne, ciała padały na podłogę. Stos ofiar
piętrzył się coraz wyżej, aż w końcu gliniarze i ochrona zdoby-
li przewagę i ostatecznie obezwładnili korporacyjnych krawaciarzy, motocyklistów, chłopaków z Ford County, i tych kilku
innych, którzy przyłączyli się do zabawy. Krew była wszędzie – na podłodze, na koszulach i marynarkach, a zwłaszcza
na twarzach i rękach.

Przyjechało jeszcze więcej policji, a potem karetki. Aggie
był nieprzytomny i szybko tracił krew z i tak już uszczuplo-
nych zasobów. Ratownicy, zaniepokojeni jego stanem, mi-
giem załadowali go do pierwszej karetki. Zawieziono go do
Szpitala Miłosierdzia. Jeden z krawaciarzy też zaliczył parę

razy policyjną pałką i też nie reagował na bodźce. Został umieszczony w drugiej karetce. Calvina skuto i wrzucono na tylne siedzenie radiowozu, gdzie dołączył do niego rozwścieczony facet w szarym garniturze i białej koszuli przesiąkniętej krwią.

Prawe oko Calvina było zupełnie zapuchnięte, ale lewym dostrzegł pikapa Aggiego zapomnianego na parkingu.

Pięć godzin później Calvinowi pozwolono w końcu z automatu telefonicznego w więzieniu Shelby County zadzwonić na koszt odbiorcy do matki w Box Hill. Nie wdając się w szczegóły, wyjaśnił, że jest w areszcie, że został oskarżony o napaść na funkcjonariusza policji, za co – z tego, co mówi jeden facet z jego celi – grozi do dziesięciu lat więzienia, i że Aggie jest w Szpitalu Miłosierdzia z rozwaloną czaszką. Nie ma pojęcia, gdzie jest Roger. O Baileyu nie było mowy.

Telefoniczna wiadomość rozeszła się błyskawicznie i w ciągu godziny samochód pełen przyjaciół już jechał do Memphis, żeby ocenić szkody. Dowiedzieli się, że Aggie przeżył operację, która miała usunąć skrzep z mózgu, i że on też został oskarżony o napaść na funkcjonariusza policji. Lekarz powiedział rodzinie, że zostanie w szpitalu co najmniej tydzień. Rodzina nie miała ubezpieczenia. Samochód Aggiego zajęła policja, a procedury niezbędne, żeby go odzyskać, wydawały się nie do przejścia.

Rodzina Calvina dowiedziała się, że kaucja za niego wynosi pięćdziesiąt tysięcy dolarów – suma dla nich zupełnie z kosmosu. Miał go reprezentować obrońca z urzędu, chyba że daliby radę zebrać dość gotówki, żeby wynająć prawnika z Memphis. Późnym piątkowym popołudniem wujowi Calvina ostatecznie pozwolono porozmawiać z nim w więziennej rozmównicy. Calvin miał na sobie pomarańczowy kombinezon i pomarańczowe gumowe klapki i wyglądał koszmarnie. Twarz miał posiniaczoną i opuchniętą, prawe oko wciąż zamknięte. Był przerażony, przygnębiony i niewiele miał do powiedzenia. Wciąż nic o Rogerze.

Po dwóch dniach w szpitalu Bailey zadziwiająco szybko wracał do zdrowia. Prawą nogę miał złamaną, nie zmiażdżoną, a innymi obrażeniami były drobne skaleczenia, siniaki i bardzo poobijana klatka piersiowa. Jego pracodawca załatwił karetkę i w sobotę w południe Baileya wypisano ze Szpitala Metodystów i przewieziono prosto do domu matki w Box Hill, gdzie powitano go jak uwolnionego jeńca wojennego. Minęło wiele godzin, zanim powiedziano mu o podjętych przez przyjaciół wysiłkach, aby oddać mu swoją krew.

Osiem dni później Aggie wrócił do domu na rekonwalescencję. Jego lekarz przewidywał, że zupełnie wróci do siebie, ale miało to jeszcze trochę potrwać. Jego prawnik zdołał zmienić kwalifikację czynu na zwykłą napaść. W świetle obrażeń zadanych mu przez gliniarzy wydawało się sprawiedliwe, żeby potraktować Aggiego ulgowo. Jego dziewczyna wpadła do niego na chwilę, ale tylko po to, by zakończyć ich romans. Legendarna podróż i zadyma w klubie striptizowym w Memphis prześladowałyby ich nieustannie i nie chciała mieć z tym nic wspólnego. Poza tym krążyły uporczywe plotki, że być może Aggie doznał jakiegoś trwałego urazu mózgu, a ona już miała na oku innego chłopaka.

Trzy miesiące później do Ford County wrócił Calvin. Jego prawnik wynegocjował ugodę o zmianie kwalifikacji czynu z przestępstwa na wykroczenie, ale pod warunkiem że spędzi trzy miesiące w ośrodku resocjalizacyjnym Shelby County. Calvinowi ugoda się nie podobała, ale perspektywa procesu w sądzie w Memphis i stawienia czoła miejscowej policji nie była zachęcająca. Gdyby został uznany za winnego popełnienia przestępstwa, odsiedziałby całe lata w więzieniu.

Przez wiele dni po bijatyce, ku powszechnemu zdziwieniu, w żadnym z zaułków w centrum Memphis nie znaleziono zakrwawionych zwłok Rogera Tuckera. W ogóle go nie znaleziono, choć tak po prawdzie nikt go specjalnie nie szukał. Miesiąc po wyprawie do Memphis, zadzwonił do ojca z automatu pod Denver. Oświadczył, że jeździ autostopem po kraju, jest sam i świetnie się bawi. Dwa miesiące później aresztowano go za kradzież w sklepie w Spokane i odsiedział sześćdziesiąt dni w miejskim areszcie.

Minął niemal rok, zanim Roger wrócił do domu.